D0109605

Maja Lunde

Die Geschichte der Bienen

ROMAN

Aus dem Norwegischen von Ursel Allenstein

btb

Die Originalausgabe erschien 2015 unter dem Titel »Bienes Historie« bei H. Aschehoug & Co., Oslo.

Verlagsgruppe Random House FSC® N001967

10. Auflage
Genehmigte Taschenbuchausgabe Oktober 2018

Neumarkter Str. 28, 81673 München
Umschlaggestaltung: semper smile, München
nach einem Entwurf von Handverk/Eivind Stoud Platou
Umschlagmotiv: © iStock, dtimiraos
Autorenfoto: © Oda Berby
Druck und Einband: GGP Media GmbH, Pößneck
cb · Herstellung: sc
Printed in Germany
ISBN 978-3-442-71741-5

www.btb-verlag.de
www.facebook.com/btbverlag

Für Jesper, Jens und Linus

tao

Bezirk 242, Shirong, Sichuan, 2098

Wie verwachsene Vögel balancierten wir auf unseren Ästen, das Plastikgefäß in der einen Hand, den Federpinsel in der anderen.

Langsam, so vorsichtig ich konnte, kletterte ich aufwärts. Im Gegensatz zu vielen anderen Frauen im Arbeitsbezirk eignete ich mich nicht für diese Aufgabe, ich war nicht zierlich genug, meine Bewegungen waren oft zu fahrig, mir fehlte die nötige Feinmotorik. Ich war nicht geschaffen dafür, und trotzdem musste ich jeden Tag hier sein, zwölf Stunden am Stück.

Die Bäume waren ein Menschenleben alt, ihre Äste zerbrechlich wie dünnes Glas, sie knackten unter unserem Gewicht. Vorsichtig drehte ich mich, um meinem Baum keinen Schaden zuzufügen. Ich stellte mein rechtes Bein auf einen noch höhergelegenen Ast und zog das linke behutsam nach, bis ich endlich eine sichere Arbeitsposition gefunden hatte, unbequem, aber stabil. Von hier aus erreichte ich auch die obersten Blüten.

Das kleine Plastikgefäß war gefüllt mit dem luftigen, leichten Gold der Pollen, das zu Beginn des Tages exakt abgewogen und an uns verteilt wurde, jede Arbeiterin erhielt genau die gleiche Menge. Nahezu schwerelos versuchte ich, unsichtbar kleine Mengen zu entnehmen und in den Bäumen zu verteilen. Jede einzelne Blüte sollte mit dem kleinen Pinsel bestäubt werden, der aus eigens zu diesem Zweck erforschten Hühnerfedern hergestellt worden war. Keine künstliche Faser hatte sich als so effektiv erwiesen. Das hatte man wieder und wieder getestet, in meinem Bezirk hatte man dafür genügend Zeit gehabt. Hier war diese Tradition nämlich schon über hundert Jahre alt, die Bienen waren bereits in den 1980er Jahren verschwunden, lange vor dem Kollaps. Die Pflanzenschutzmittel waren schuld gewesen, und wenige Jahre später, als die Pestizide nicht mehr verwendet wurden, kehrten die Bienen zurück, doch zu diesem Zeitpunkt hatte man bereits mit der Handbestäubung begonnen. So erzielte man bessere Ergebnisse, auch wenn für diese Arbeit unglaublich viele Menschen benötigt wurden, viele, viele Hände. Doch dann, als der Kollaps schließlich kam, hatte mein Bezirk einen Wettbewerbsvorteil. Es hatte sich gewissermaßen ausgezahlt, dass wir unsere Natur so sehr verunreinigt hatten. Weil wir Vorreiter in Sachen Umweltverschmutzung gewesen waren, wurden wir später zu Vorreitern der Handbestäubung. Ein Paradox hatte uns gerettet.

Obwohl ich mich so weit wie möglich streckte, blieb die Blüte ganz oben außerhalb meiner Reichweite. Ich war kurz davor, aufzugeben, doch ich wusste, dass mir dann Strafe drohte, also versuchte ich es noch einmal. Uns wurde der Lohn gekürzt, wenn wir die Pollen zu schnell oder zu langsam aufbrauchten. Das wahre Ergebnis unserer Arbeit blieb zunächst unsichtbar. Wenn wir am Ende des Tages von den Bäumen herabkletterten, war unser Einsatz nur durch rote Kreidekreuze auf den Stämmen erkennbar, im Idealfall bis zu vierzig am Tag. Erst wenn es Herbst wurde und die Äste schwer waren vom Obst, zeigte sich, wo gute Arbeit geleistet worden war. Doch da hatten wir meistens schon vergessen, wer welche Bäume bestäubt hatte.

Heute war ich auf Feld 748 eingesetzt. Wie viele es insgesamt waren, wusste ich nicht, aber meine Gruppe war eine von hunderten. In unseren beigefarbenen Arbeitsanzügen glichen wir einander wie die Bäume und hingen bei der Arbeit so dicht beieinander wie deren Blüten. Niemals allein, immer zu einer Traube gedrängt, ob hier oben in den Bäumen oder unten entlang des Pfades, wenn wir von einem Feld zum nächsten zogen. Nur in unseren kleinen Wohnungen hatten wir einige wenige Stunden am Tag für uns. Das übrige Leben fand hier draußen statt.

Es war still. Während der Arbeit durften wir nicht miteinander reden. Nur unsere vorsichtigen Bewegungen in den Bäumen waren zu hören und hin und wieder ein leises Räuspern oder Gähnen oder das Reiben der Arbeitskleidung an den Stämmen. Manchmal gab es auch einen Laut, den wir hassen gelernt hatten – ein Ast, der knackte und schlimmstenfalls sogar brach. Davon abgesehen machte nur der Wind Geräusche, wenn er durch die Zweige fuhr und über die Blüten strich oder durch das Gras auf dem Boden raschelte.

Er wehte von Süden her, aus Richtung des Waldes. Im Gegensatz zu den weißblühenden Obstbäumen, die noch kein Laub trugen, wirkte der Wald dunkel und ungezähmt, und schon in wenigen Wochen würde er eine noch üppigere, grüne Mauer bilden. Wir gingen nie hinein, hatten dort nichts zu erledigen. Und neuerdings gab es Gerüchte, dass er gerodet werden sollte, um einer neuen Plantage Platz zu machen.

Jetzt summte aus Richtung des Waldes eine Fliege heran, ein seltener Anblick, so wie ich schon seit Tagen keine Vögel mehr gesehen hatte, auch sie waren weniger geworden. Sie machten Jagd auf die wenigen Insekten, die es noch gab, und hungerten ansonsten wie der Rest der Welt auch.

Ein Geräusch durchschnitt die Stille. Es war die Pfeife, die von der Baracke der Aufseher herüberdrang, das Signal zur zweiten und letzten Pause des Tages. Erst jetzt fiel mir auf, wie trocken meine Zunge war.

Wie eine zusammenhängende Masse glitten die anderen Arbeiterinnen und ich von den Bäumen hinab. Meine Kolleginnen unterhielten sich. Kaum war es erlaubt, setzte ihr wildes Plappern ein, als hätte man einen Schalter umgelegt.

Ich blieb stumm und konzentrierte mich ganz darauf, langsam nach unten zu gelangen, ohne einen Zweig abzubrechen. Es gelang mir. Pures Glück. Ich war tollpatschig und schwerfällig, ich hatte lange genug hier durchgehalten, um zu wissen, dass ich diese Arbeit nie richtig gut beherrschen würde.

Auf dem Boden neben dem Baum stand meine Trinkflasche aus zerkratztem Metall. Ich griff danach und trank in gierigen Zügen. Das Wasser war lauwarm, es schmeckte nach Aluminium, weshalb ich weniger trank, als ich gebraucht hätte.

Zwei weißgekleidete junge Männer aus der Verpflegungseinheit teilten rasch die wiederverwendbaren Dosen mit der zweiten Mahlzeit des Tages aus. Ich blieb für mich, lehnte mich mit dem Rücken an den Baumstamm und öffnete meine Dose. Diesmal waren Maiskörner in den Reis gemischt. Ich probierte davon. Wie immer war das Essen ein wenig zu salzig und mit künstlich hergestelltem Chili und Soja gewürzt. Fleisch hatte ich schon lange nicht mehr gegessen. Für den Anbau von Tierfutter brauchte man große Flächen urbaren Bodens, und noch dazu mussten viele der traditionellen Futterpflanzen ebenfalls bestäubt werden. Das war die Mühe unseres aufwändigen Handwerks nicht wert.

Die Dose war leer, bevor ich satt war, und ich stand auf und stellte sie wieder in den Sammelkorb. Ich konnte meinen Körper nur schwer ruhig halten und joggte auf der Stelle. Meine Beine waren müde, aber trotzdem steif, und sie kribbelten, weil sie dort oben in den Bäumen so lange in starren Positionen ausgeharrt hatten.

Doch die Bewegung brachte keine Besserung. Ich sah mich verstohlen um, keiner der Aufseher beachtete mich. Rasch legte ich mich auf den Boden, um meinen schmerzenden Rücken auszustrecken.

Ich schloss für einen Moment die Augen und versuchte, die Stimmen der anderen Frauen aus meiner Gruppe auszublenden, doch ich hörte, wie ihr Geplauder stetig anschwoll und wieder abflaute. Wo kam dieses Bedürfnis nur her, warum mussten immer alle gleichzeitig reden? Das war schon so gewesen, als wir kleine Mädchen waren. Stunde um Stunde mit Gesprächen, deren Themen immer nur den kleinsten gemeinsamen Nenner bildeten, bei denen man nie etwas vertiefte, es sei denn, die Person, über die man sprach, war gerade nicht anwesend.

Ich dagegen zog Gespräche unter vier Augen vor oder gar keine Gesellschaft, bei der Arbeit oft Letzteres. Und zu Hause hatte ich Kuan, meinen Mann. Allerdings waren es auch nicht unbedingt ausschweifende Unterhaltungen, die uns miteinander verbanden. Kuan lebte immer im Hier und Jetzt, er strebte nicht nach Wissen, trachtete nicht nach mehr. Aber in seinen Armen fand ich Ruhe. Außerdem hatten wir unseren dreijährigen Sohn Wei-Wen, über ihn konnten wir reden.

Als mich das Geschnatter der anderen Frauen schon fast in den Schlaf gewiegt hatte, setzte es abrupt aus. Alle waren verstummt.

Ich setzte mich auf. Die anderen reckten ihre Köpfe.

Über den Pfad kam ein Tross auf uns zu.

Es waren Kinder, nicht älter als acht Jahre, viele kannte ich aus Wei-Wens Schule. Alle trugen die gleichen Arbeitskleider, dieselben synthetischen, beigefarbenen Anzüge, die auch wir trugen, und eilten in unsere Richtung, so schnell ihre kurzen Beine sie trugen. Zwei erwachsene Begleiter hielten die Gruppe zusammen, einer ging an der Spitze, der andere am Ende des Zuges. Beide hatten durchdringende Stimmen, mit denen sie die Kinder ständig zur Ordnung riefen. Sie schimpften jedoch nicht, sondern erteilten ihre Anweisungen voller Wärme und Mitgefühl. Denn auch wenn die Kinder noch nicht ganz verstanden hatten, wohin sie unterwegs waren, die Erwachsenen wussten es.

Die Kinder gingen Hand in Hand, ungleiche Paare, große und kleine, die ältesten passten auf die jüngsten auf. Ihr Gang war holperig und ungeordnet, aber sie hielten sich fest an den Händen, als wären sie zusammengeleimt. Vielleicht hatte man ihnen strengstens befohlen, einander auf keinen Fall loszulassen.

Ihre Blicke waren auf uns und auf die Bäume gerichtet. Es waren neugierige Blicke, einige kniffen die Augen zusammen und legten den Kopf schief, als wären sie zum ersten Mal hier, obwohl sie alle in diesem Bezirk aufgewachsen waren und nie eine andere Natur kennengelernt hatten als diese endlosen Reihen von Obstbäumen vor der Dunkelheit des verwilderten Waldes im Süden. Ein kleines Mädchen betrachtete mich lange mit ihren großen, engstehenden Augen. Sie blinzelte einige Male, dann schniefte sie heftig. An der Hand hielt sie einen mageren Jungen. Er gähnte laut und ungeniert und ohne die Hand vor den Mund zu halten, nicht ahnend, dass sich sein Gesicht zu einem einzigen riesigen Schlund verzog. Er gähnte nicht aus Langeweile, dafür war er zu jung. Wahrscheinlich hatte ihn die Mangelernährung müde gemacht. Ein dünnes, hochgewachsenes Mädchen führte einen anderen kleinen Jungen. Er atmete schwer und mit offenem Mund, er hatte wohl eine verstopfte Nase. Das Mädchen schleifte ihn hinter sich her, während sie ihr Gesicht in die Sonne streckte, blinzelte und die Nase kräuselte, sie hielt den Kopf immerzu in derselben Position, als wollte sie sich bräunen oder neue Kräfte tanken.

Sie kamen jedes Jahr, die neuen Kinder. Aber waren sie schon immer so klein gewesen? Waren sie jünger geworden?

Nein. Sie waren ungefähr acht Jahre alt. Wie immer. Gerade mit der Schule fertig geworden. Oder was man als Schule bezeichnete… Die Kinder lernten die Zahlen und einige Schriftzeichen, davon abgesehen war die Schule aber nur eine Form der kontrollierten Verwahrung. Der Verwahrung und Vorbereitung auf das Leben hier draußen. Die Kinder lernten, lange stillzusitzen. Und ihre Feinmotorik wurde geschult, ab einem Alter von drei Jahren knüpften sie Teppiche. Die kleinen Finger eigneten sich zur Fertigung raffinierter Muster ebenso hervorragend wie zur Arbeit hier draußen auf den Feldern.

Jetzt passierten die Kinder uns, richteten die Blicke wieder nach vorn auf die nächsten Bäume und gingen zu einem anderen Feld weiter. Der zahnlose Junge stolperte, aber das große Mädchen hatte ihn so fest im Griff, dass er nicht fiel.

Dann verschwanden die Kinder weiter den Hang hinab und zwischen den Bäumen.

»Wo kommen die hin?«, fragte eine Frau aus meinem Team.

»Sicher zu Feld 49 oder 50«, antwortete eine andere. »Da haben sie bislang noch nicht angefangen.«

Mein Magen krampfte sich zusammen. Auf welches Feld sie genau kamen, spielte doch keine Rolle. Es ging darum, *was* sie dort machen mussten.

Die Pfeife ertönte ein zweites Mal. Wir kletterten wieder nach oben, ich bewegte mich langsam, aber mein Herz raste. Nein, die Kinder waren nicht jünger geworden. Es war der Gedanke an Wei-Wen, der mich das glauben ließ. In fünf Jahren war er acht. In nur fünf Jahren war er an der Reihe. Hier draußen waren seine fleißigen Hände mehr wert als irgendwo sonst. Seine kleinen Finger waren bereits feinjustiert für diese Art von Arbeit.

Achtjährige an diesem Ort, tagein und tagaus, steif gewordene kleine Körper in den Bäumen. Nicht mal eine Kindheit war ihnen vergönnt, wie mir und meiner Generation, denn wir hatten in die Schule gehen dürfen, bis wir fünfzehn gewesen waren.

Es war kein Leben.

Meine Hände zitterten, als ich das Plastikgefäß mit dem wertvollen Staub anhob. Wir müssten alle arbeiten, lautete die Parole, um uns zu ernähren, damit die Nahrung angebaut werden könne, von der wir lebten. Alle sollten einen Beitrag leisten, selbst die Kinder. Denn wer brauche schon Bildung, wenn die Kornvorräte zur Neige gingen? Wenn die Rationen jeden Monat schrumpften? Wenn man abends hungrig ins Bett gehen müsse?

Ich drehte mich um, damit ich auch die Blüten in meinem Rücken erreichen konnte, nur dieses Mal bewegte ich mich zu hastig. Ich stieß gegen einen Ast, den ich nicht bemerkt hatte, verlor das Gleichgewicht und lehnte mich auf die andere Seite, um es wiederzuerlangen.

Und da war es. Dieses trockene Knacken, das wir alle so hassten. Das Geräusch eines brechenden Zweigs.

Die Aufseherin eilte herbei. Sie sah in den Baum hinauf, taxierte wortlos den Schaden und notierte rasch etwas auf ihrem Block, ehe sie wieder ging.

Der Zweig war weder lang noch dick gewesen, aber ich wusste, dass der Überschuss eines ganzen Monats dahin war. Jenes Geld, das eigentlich in die Blechdose im

Küchenschrank wandern sollte, in der wir jeden Yuan sparten, den wir übrig hatten.

Ich atmete tief ein. Konnte nicht daran denken. Mir blieb nichts anderes, als weiterzumachen. Die Hand zu heben, den Pinsel in die Pollen zu tauchen, mich damit vorsichtig den Blüten zu nähern und darüberzustreichen, als wäre ich eine Biene.

Ich sah nicht auf die Uhr, ich wusste, es würde nichts helfen. Ich wusste nur, dass mit jeder Blüte, über die ich mit dem Pinsel strich, der Abend ein Stückchen näherrückte. Und mit ihm die knappe Stunde, die mir jeden Tag mit meinem Jungen vergönnt war. Diese knappe Stunde war alles, was wir hatten, und in dieser knappen Stunde konnte ich vielleicht etwas bewegen. Einen Samen säen, der ihm eine Chance geben würde, die mir selbst nie gegeben war.

William

Maryville, Hertfordshire, England, 1852

Alles um mich herum war gelb, grenzenlos gelb, die Farbe war über mir, unter mir, um mich herum, und sie blendete mich. Dieses Gelb war keine Einbildung, es war real, und schuld daran war die Brokattapete, die im Auftrag meiner Frau Thilda an die Wände gekleistert worden war, als wir dieses Haus vor einigen Jahren bezogen hatten. Damals hatten wir noch viel Platz, und mein kleines Saatgutgeschäft in der Hauptstraße von Maryville florierte. Ich war voller Enthusiasmus und glaubte, ich könnte mein Geschäft mit dem verbinden, was mir wirklich etwas bedeutete: meiner naturwissenschaftlichen Forschung. Doch das war lange her, lange bevor wir diese Unmenge an Töchtern bekamen, und vor allem lange vor meinem endgültigen Gespräch mit Professor Rahm.

Hätte ich geahnt, welche Qualen mir diese gelbe Tapete bereiten würde, ich hätte ihr nie zugestimmt. Die verfluchte Farbe begnügte sich nämlich nicht damit, in der Tapete zu stecken, sie war überall, es machte keinen Unterschied, ob ich die Augen geöffnet oder geschlossen hielt. Sie verfolgte mich bis in den Schlaf und ließ mich niemals entkommen, ganz so, als wäre *sie* die eigentliche Krankheit. Mein Leiden hatte keine Diagnose, aber viele Namen: Schwarzseherei, Trübsinn, Melancholie. Diese Worte wagte allerdings niemand in meinem Umfeld in den Mund zu nehmen. Unser Hausarzt gab sich ahnungslos. Andauernd warf er mit seinem Medizinerlatein um sich, faselte etwas von Dyskrasie, unausgeglichenen Körpersäften, zu viel schwarzer Galle. Zu Beginn meines Krankenlagers hatte er mich zur Ader gelassen und mir anschließend ein Abführmittel verabreicht, das einen hilflosen Säugling aus mir gemacht hatte. Jetzt wagte er offenbar keine weiteren Behandlungsversuche, weil er alle Kuren für aussichtlos hielt. Sobald Thilda das Thema ansprach, schüttelte er nur den Kopf, und wenn sie protestierte, flüsterte er eindringlich auf sie ein. Hin und wieder konnte ich Wortfetzen aufschnappen, *zu schwach, würde es nicht überstehen, keine Besserung.* In letzter Zeit kam er immer seltener, was vermutlich damit zusammenhing, dass ich allem Anschein nach ein für alle Mal ans Bett gefesselt bliebe.

Es war Nachmittag, und das Haus unter mir war voller Leben, der Lärm der Mädchen stieg von den unteren Zimmern zu mir herauf, wie Essensdünste drang er durch Bodenritzen und Wände. Ich erkannte die Stimme von Dorothea, der altklugen Zwölfjährigen, sie las aus der Bibel vor, salbungsvoll und zugleich stockend, doch die Worte gelangten nicht bis zu mir, so wie Gottes Worte mich neuerdings generell nicht mehr zu erreichen schienen. Die dünne Stimme der kleinen Georgiana quäkte dazwischen, und Thilda mahnte sie streng zum Schweigen. Kurz darauf war Dorotheas Vortrag beendet, und die anderen übernahmen. Martha, Olivia, Elizabeth, Caroline. Welche Tochter sprach gerade? Es gelang mir nicht, sie auseinanderzuhalten.

Eine von ihnen lachte, ein kurzes Auflachen, und erneut hallte es in mir nach, Rahms Lachen, jenes Lachen, das unser Gespräch ein für alle Mal beendet hatte wie ein Hieb mit dem Gürtel auf den Rücken.

Dann sagte Edmund etwas. Seine Stimme war tiefer geworden, sie klang geschliffener, hatte nichts Kindliches mehr an sich. Er war jetzt sechzehn Jahre alt, mein ältestes Kind und mein einziger Sohn. Ich konzentrierte mich auf seine Stimme, wünschte mir so sehr, ich könnte seine Worte verstehen, wünschte, ich hätte ihn bei mir, denn vielleicht war er der Einzige, der mich aufmuntern und mir die Kraft geben konnte, wieder aufzustehen, das Bett zu verlassen. Aber er kam nie, und ich wusste nicht, warum.

In der Küche wurde mit Töpfen geklappert. Das Geräusch der Essenszubereitung weckte meinen Magen, der sich verkrampfte, und ich krümmte mich zusammen wie ein kleines Baby.

Ich sah mich um. Eine unangetastete Brotscheibe und eine Scheibe vertrockneter Räucherschinken lagen auf einem Teller neben einem halbleeren Wasserbecher. Wann hatte ich zuletzt etwas gegessen oder getrunken?

Ich richtete mich halb auf und griff nach dem Becher, ließ das Wasser durch den Mund die Kehle hinabrinnen, spülte den faden Geschmack des Alters weg. Der salzige Schinken brannte auf der Zunge, das Brot war dunkel und würzig, und mein Magen nahm das Essen Gott sei Dank anstandslos auf.

Dennoch fand ich keine bequeme Liegeposition, mein ganzer Rücken war wund, die Haut an den Hüften dünn von der Seitenlage.

Und ich spürte eine Unruhe in den Beinen, ein Kribbeln.

Mit einem Mal wirkte das Haus so still. Waren alle gegangen?

Nur das Knacken der Kohle in der Feuerstelle war noch zu hören.

Doch dann, plötzlich: Gesang. Klare Stimmen aus dem Garten.

Hark the herald angels sing
Glory to the newborn King

Stand Weihnachten vor der Tür?

In den letzten Jahren hatten verschiedene Chöre aus der Gegend begonnen, in der Adventszeit an den Türen zu singen, nicht für Geld oder Geschenke, sondern ganz in der weihnachtlichen Tradition, den Mitmenschen eine Freude zu machen. Es gab eine Zeit, in der ich das schön gefunden habe, in der diese kleinen Auftritte ein Licht in mir entzünden konnten, das ich längst erloschen geglaubt hatte. Aber das schien mir eine Ewigkeit her.

Die hellen Stimmen strömten zu mir wie Schmelzwasser:

Peace on earth and mercy child
God and sinners reconciled

Ich setzte meine Füße auf den Boden, der sich hart anfühlte. Auf einmal war ich das Baby, das Neugeborene, dessen Füße noch nicht an den Untergrund gewöhnt waren, sondern eher für einen Tanz auf Zehenspitzen geformt schienen. So hatte ich Edmunds Füße in Erinnerung, gebogen, mit hohem Spann und einer Haut, die oben und unten gleichermaßen zart war. Ich konnte seine Füße versonnen in den Händen halten, sie einfach nur ansehen und befühlen, ja nicht allein die Füße, sondern das ganze Kind, wie man es mit Erstgeborenen tat, und dann dachte ich, dass ich einmal ganz anders für ihn sein würde, ganz anders, als es mein Vater für mich gewesen ist. So hatte ich mit ihm dagestanden, bis Thilda ihn mir unter dem Vorwand entriss, er müsse gestillt oder gewickelt werden.

Auf meinen Säuglingsfüßen stakste ich langsam zum Fenster. Jeder Schritt schmerzte. Dann breitete sich der Garten vor mir aus, und da standen sie.

Alle sieben – denn es waren keine fremden Chorsänger aus einem anderen Dorf, sondern meine eigenen Töchter.

Die vier größeren standen hinten, die drei kleineren vorn, in ihrer dunklen Winterkleidung; Wollmäntel, die zu eng und zu kurz oder zu groß und mehrmals geflickt waren, die Fadenscheinigkeit wurde mit billigen Zierbändern oder Taschen an seltsamen Stellen zu kaschieren versucht. Braune, dunkelblaue oder graue Wollhauben mit weißen Spitzenbändern rahmten schmale, winterlich blasse Gesichter ein. Ihr Gesang verwandelte sich vor ihnen in der Luft zu Frostdampf.

Wie dünn sie geworden waren.

Die Fußspuren im tiefen Schnee zeigten, wo sie gegangen waren. Er musste ihnen bis weit über die Knie gereicht haben, wahrscheinlich waren sie nass geworden. Ich konnte das Gefühl von klammen Wollsocken auf nackter Haut förmlich spüren, und den Frost, der vom Boden durch die dünnen Schuhsohlen kroch – keines der Mädchen besaß mehr als ihr eines Paar Stiefel.

Ich trat näher ans Fenster heran, erwartete noch jemand anderes dort unten, ein Publikum für den Chor, Thilda, oder vielleicht unsere Nachbarn. Doch der Garten war leer. Meine Töchter sangen nicht für irgendjemanden dort draußen. Sie sangen für mich.

Light and life to all he brings
Risen with healing in his wings

Jetzt richteten alle ihre Blicke zum Fenster, aber sie hatten mich noch nicht entdeckt. Ich stand im Schatten, und die Sonne schien auf die Fensterscheibe, sodass sie vermutlich nur die Spiegelung des Himmels und der Bäume sahen.

Born to raise the sons of earth
Born to give them second birth

Ich ging noch einen Schritt näher.

Die vierzehnjährige Charlotte, meine älteste Tochter, stand ganz außen. Sie sang mit dem ganzen Körper, ihre Brust hob und senkte sich im Takt der Töne. Vielleicht steckte sie hinter all dem. Sie hatte schon immer gesungen, hatte sich durch ihre Kindheit gesummt, ob über die Hausaufgaben oder den Abwasch gebeugt, immerzu hatte sie melodiös gesummt, als gehörten die leisen Töne zu ihren Bewegungen.

Sie war auch diejenige, die mich zuerst entdeckte. Ihr Gesicht erhellte sich. Sie stieß Dorothea an, die altkluge Zwölfjährige, die wiederum schnell der ein Jahr jüngeren Olivia zunickte, welche daraufhin mit weit aufgerissenen Augen ihre Zwillingsschwester Elizabeth ansah. Die beiden ähnelten sich nicht im Aussehen, aber in ihrem Wesen, beide waren sanft und mild, und stockdumm – selbst wenn man ihnen die Zahlen vor den Kopf genagelt hätte, wären sie im Rechnen gescheitert. Jetzt wurde auch die Reihe vor ihnen unruhig, sogar die Kleinen hatten mich bemerkt, die neunjährige Martha kniff der siebenjährigen Caroline in den Arm, und Caroline, die immerzu quengelte, weil sie wahrscheinlich am liebsten für immer die Jüngste geblieben wäre, knuffte die kleine Georgiana, die gern älter gewesen wäre, als sie war. Es stieg kein Jubelgesang zum Himmel, das erlaubten sie sich nicht, noch nicht, nur eine winzige Unregelmäßigkeit im Lied verriet, dass sie mich gesehen hatten. Das, und ein leichtes Lächeln auf ihren Gesichtern, soweit ihre singenden, o-förmigen Münder das zuließen.

Ich hatte einen Kloß im Hals und kam mir kindisch vor. Sie sangen keineswegs schlecht. Ihre schmalen Gesichter glühten, die Augen leuchteten. Meine Töchter hatten dieses Konzert für mich arrangiert, für mich ganz allein, und jetzt glaubten sie, ihr Ziel erreicht zu haben – sie hatten ihren Vater aus dem Bett gelockt. Wenn das Lied vorbei wäre, würden sie ihren Jubel zulassen, würden freudestrahlend und leichtfüßig durch den Neuschnee ins Haus springen und von ihrem ganz persönlichen Wunder erzählen. Wir haben ihn gesund gesungen, würden sie jubeln. Wir haben Vater gesund gesungen! Ein Schwall begeisterter Mädchenstimmen würde sich in die Flure ergießen und von den Wänden widerhallen: Bald kehrt er zurück. Bald ist er wieder bei uns. Wir haben ihm Gott gezeigt, Jesus – den Neugeborenen. *Hark, the herald angels sing, glory to the newborn king.* Was für eine glänzende, ja, geradezu brillante Idee es war, für ihn zu singen, ihn an all die Schönheit zu erinnern, an die Weihnachtsbotschaft, an alles, was er während seiner Bettlägerigkeit vergessen hatte, die wir Krankheit nennen, von der jedoch alle wissen, dass es etwas ganz anderes ist, obwohl Mutter uns verbietet, darüber zu sprechen. Armer Vater, es ging ihm nicht gut, er ist blass wie ein Gespenst, das haben wir durch den Türspalt gesehen, wenn wir an seinem Zimmer vorbeischlichen, ja, wie ein Gespenst, und nur noch Haut und Knochen, und den Bart hat er sich wachsen lassen, wie der gekreuzigte Jesus, nicht wiederzuerkennen ist er. Aber bald ist er wieder in unserer Mitte, bald wird er arbeiten können, und wir können uns wieder Butter aufs Brot schmieren und neue Wintermäntel kaufen. Das ist wahrlich ein echtes Weihnachtsgeschenk. *Christ is born in Bethlehem!*

Doch es war eine Lüge, ich konnte ihnen dieses Geschenk nicht machen, ich war ihren Jubel nicht wert. Das Bett zog mich an, meine neugeborenen Beine konnten mich nicht länger tragen, mein Magen verkrampfte sich erneut, und ich biss die Zähne zusammen, als wollte ich all das zermahlen, was soeben in mir aufgestiegen war, und draußen verstummte der Gesang. Heute gab es kein Wunder.

GEORGE

Autumn Hill, Ohio, USA, 2007

Ich holte Tom an der Bushaltestelle in Autumn ab. Er war seit dem letzten Sommer nicht mehr hier gewesen. Warum, wusste ich nicht, und hatte ihn auch nicht gefragt. Vielleicht wollte ich die Antwort nicht hören.

Die Fahrt bis zum Hof dauerte eine halbe Stunde. Wir redeten nicht viel. Seine blassen, dünnen Hände ruhten reglos auf seinem Schoß, während das Auto nach Hause rumpelte. Die Reisetasche zu Toms Füßen war schmutzig geworden. Seit ich den Pick-up gekauft hatte, war der Boden immer dreckig gewesen. Die Erdklumpen vom letzten oder vorletzten Jahr zerfielen im Winter zu feinem Staub, und als jetzt der Schnee von Toms Stiefeln schmolz, vermischte sich alles zu Schlamm.

Die Tasche war neu, sicher in der Stadt gekauft. Ihr Stoff war noch ganz steif, und schwer war sie. Als ich sie an der Bushaltestelle vom Boden aufgehoben hatte, war ich erschrocken. Tom hatte sie selbst nehmen wollen, aber ich war ihm zuvorgekommen und hatte danach gegriffen, weil er nicht gerade so aussah, als hätte er seit unserer letzten Begegnung an Muskeln zugelegt. Er hätte eigentlich nur ein paar Klamotten einpacken müssen, schließlich würde er nur für eine Woche hier zu Besuch sein, und das meiste, was er brauchte, hing schon an einem Haken im Windfang. Der Schutzanzug, die Stiefel, die Mütze mit den Ohrenklappen. Aber anscheinend hatte er einen Haufen Bücher mitgenommen. Er glaubte wohl, ihm würde Zeit fürs Lesen bleiben.

Als ich zur Haltestelle gekommen war, hatte er bereits dort gestanden und auf mich gewartet. Der Bus war zu früh gewesen oder ich zu spät, vermutlich Letzteres. Ich hatte noch auf dem Hofplatz Schnee räumen müssen, ehe ich losgefahren war.

»Übertreib es mal nicht, George. Er hat seinen Kopf doch sowieso in den Wolken«, hatte Emma gesagt, während sie mir fröstelnd und mit verschränkten Armen beim Schippen zugesehen hatte.

Ich hatte nichts erwidert, nur immer weitergeschaufelt. Der Schnee war neu und leicht und hatte sich zusammengefaltet wie ein Akkordeon, und ich war kaum ins Schwitzen geraten.

»Man könnte meinen, du würdest Präsident Bush höchstpersönlich erwarten.«

»Hier musste dringend geräumt werden. Und du kümmerst dich ja nicht darum.«

Ich sah vom Schnee auf, vor meinen Augen flimmerte es weiß. Sie lächelte ihr schiefes Lächeln, und ich musste zurücklächeln. Wir kannten uns schon seit der Schulzeit, und seither war wohl kein Tag vergangen, an dem wir uns nicht auf diese Weise angelächelt hatten.

Sie hatte natürlich recht. Ich übertrieb es. Der Schnee würde ohnehin nicht liegen bleiben, wir hatten schon die ersten warmen Tage erlebt, die Sonne wurde stärker, und überall begann es zu schmelzen. Dieser Schneefall war nur ein letzter Furz des Winters und würde schon in wenigen Tagen verschwunden sein. Genauso übertrieben war es, dass ich heute das Klo geputzt hatte. Sogar hinter der Kloschüssel, um genau zu sein. Das machte ich nicht gerade jeden Tag. Aber ich wollte, dass alles tadellos war, jetzt, wenn er endlich nach Hause kam. Dass er nur den frischgeräumten Vorplatz und die saubere Toilette sehen würde und nicht die abblätternde Farbe an der Südwand, auf die die Sonne brannte, oder die Dachrinnen, die sich im Herbstwind gelöst hatten.

Am Ende seines letzten Besuchs war er braungebrannt, stark und voller Energie gewesen und hatte mich zum Abschied ausnahmsweise lange umarmt, und ich hatte die Kraft in seinen Armen gespürt, als er mich an sich gedrückt hatte. Andere Leute redeten immer davon, dass die Kinder bei jedem Wiedersehen größer wurden und man geradezu erschrak, wenn man den Sprössling eine Weile wieder nicht gesehen hatte. Bei Tom war es anders. Diesmal schien er sogar geschrumpft. Seine Nase war rot, die Wangen blass, die Schultern schmal. Und dass er sie wie ein Schwächling nach unten hängen ließ und noch dazu fröstelte, machte die Sache nicht besser. Zwar hörte sein Zittern nach einer Weile auf, als wir auf den Hof zufuhren, aber er hing immer noch wie ein nasser Sack auf dem Beifahrersitz.

»Wie ist das Essen?«, fragte ich.

»Das Essen? Auf dem College, meinst du?«

»Nein. Auf dem Mars.«

»Was?«

»Natürlich auf dem College. Oder hast du in letzter Zeit woanders gelebt?«

Er duckte sich wieder zwischen seine Schultern.

»Ich meine ja nur… du siehst ein bisschen unterernährt aus«, fügte ich hinzu.

»Unterernährt? Papa, weißt du überhaupt, was das heißt?«

»Wenn ich mich richtig erinnere, bezahle ich deine Studiengebühren, du brauchst mir also nicht so zu kommen.«

Es wurde still zwischen uns.

Lange.

»Aber sonst läuft es gut?«, fragte ich schließlich.

»Ja, es läuft gut.«

»Also bekomme ich auch was für mein Geld?«

Ich versuchte zu grinsen, sah aber schon im Augenwinkel, dass er es nicht komisch fand. Warum nicht? Er hätte doch versuchen können, auf meinen Scherz einzugehen, und dann hätten wir die schlechte Stimmung einfach vertreiben und vielleicht für den Rest der Fahrt ein nettes Gespräch führen können.

»Und wenn die Mahlzeiten schon im Preis enthalten sind, könntest du doch vielleicht auch ein bisschen mehr essen«, sagte ich versuchshalber.

»Ja«, erwiderte er nur.

In mir begann es zu brodeln. Ich wollte ihn doch nur zum Lächeln bringen. Sein feierlicher Ernst reizte mich. Ich sollte jetzt besser nichts sagen. Meinen Mund halten. Aber ich konnte mich nicht zusammenreißen.

»Du konntest es gar nicht erwarten, endlich von hier wegzukommen, stimmt's?«

Wurde er wütend? Waren wir wieder an diesem Punkt?

Nein. Er seufzte nur. »Papa!«

»Ja. Mach dich nur lustig.«

Ich verkniff mir den Rest, denn ich wusste, ich würde wieder Dinge sagen, die ich später bereuen würde, wenn ich jetzt weiterredete. So sollte es nicht anfangen, nicht jetzt, wo er endlich gekommen war.

»Ich meine ja nur …«, sagte ich und versuchte, möglichst sanft zu klingen, »als du weggegangen bist, hast du glücklicher gewirkt als jetzt.«

»Ich bin glücklich. Okay?«

»Okay.«

Thema beendet. Er war glücklich. Wahnsinnig glücklich. So glücklich, dass er fast einen Luftsprung gemacht hätte. Als könnte er es gar nicht erwarten, uns und den Hof wiederzusehen. Als dächte er schon seit Wochen an nichts anderes. Na sicher.

Ich räusperte mich, obwohl mein Hals frei war. Tom saß einfach nur da mit seinen ruhigen Händen. Es versetzte mir einen Stich, aber was hatte ich mir erhofft? Dass wir nach ein paar Monaten der Trennung plötzlich beste Freunde wären?

Emma umarmte Tom lange. Es gab also auch Dinge, die sich nicht verändert hatten, sie konnte ihn anscheinend immer noch drücken und liebkosen, ohne dass es ihn störte.

Der frischgeräumte Vorplatz fiel ihm nicht auf. Was das betraf, hatte Emma richtiggelegen. Allerdings bemerkte er auch die abblätternde Farbe nicht, und das war ein Vorteil – nein. Eigentlich wollte ich, dass er beides sah. Und mitanpackte, wenn er endlich mal zu Hause war. Er sollte Verantwortung übernehmen.

Emma hatte einen Hackbraten gemacht, als Beilage gab es Mais, sie tat große Portionen auf die grünen Teller, die gelben Maiskörner leuchteten, die Fleischsoße dampfte. Am Essen gab es nichts auszusetzen, aber Tom aß nur eine halbe Portion und rührte das Fleisch nicht an. Er hatte wohl keinen Appetit. War zu selten an der frischen Luft, das war das Problem. Aber dagegen würden wir jetzt etwas unternehmen.

Emma stellte eine Frage nach der anderen. Über die Schule. Die Lehrer. Fächer. Freunde. Mädchen. Bei letzterem Thema bekam sie nicht viele Antworten. Trotzdem plätscherte das Gespräch zwischen ihnen wie immer munter dahin, auch wenn sie mehr fragte, als er antwortete. So war es schon immer gewesen, ihnen gingen die Worte nicht aus. Sie plauderten und waren sich nahe, ohne dass es sie anzustrengen schien. Aber das war klar, schließlich war sie seine Mutter.

Sie genoss es, hatte rosige Wangen, den Blick immerzu auf Tom gerichtet, ihre Hände konnten nicht von ihm lassen, in ihren Fingern hatte sich über Monate die Sehnsucht angestaut.

Ich war die meiste Zeit still, versuchte zu schmunzeln, wenn sie schmunzelten, und zu lachen, wenn sie lachten. Nach dem Debakel im Auto wollte ich lieber nichts riskieren. Ich musste die passende Gelegenheit abwarten, um das sogenannte Vater-Sohn-Gespräch einzuleiten. Dieser Moment käme schon noch. Immerhin würde er eine Woche hierbleiben.

Also konzentrierte ich mich einfach nur auf das Essen und leerte meinen Teller. Immerhin einer an diesem Tisch wusste gutes Essen zu schätzen, ich wischte mit einem Stück Brot die letzte Soße vom Teller, legte das Besteck darauf und stand auf.

Aber da wollte auch Tom aufstehen, obwohl sein Teller noch fast voll war.

»Es hat gut geschmeckt«, sagte er.

»Du musst aufessen, was deine Mutter für dich gekocht hat«, sagte ich möglichst ruhig, aber mein Ton geriet wohl trotzdem etwas scharf.

»Er hat doch schon ordentlich gegessen«, entgegnete Emma beschwichtigend.

»Deine Mutter hat mehrere Stunden in der Küche gestanden.«

Genau genommen war das eine Übertreibung. Tom setzte sich wieder und hob die Gabel.

»Es ist doch nur ein Hackbraten, George«, sagte Emma. »*So* lange habe ich dafür nun auch wieder nicht gebraucht.«

Ich wollte protestieren. Sie hatte sich zweifellos große Mühe gegeben, und sie freute sich so, dass Tom wieder zu Hause war. Sie hatte es verdient, dass der Junge das auch zur Kenntnis nahm.

»Ich habe im Bus schon ein Sandwich gegessen«, sagte Tom zu seinem Teller.

»Du hast dich satt gegessen, kurz bevor du zu deiner Mutter gefahren bist? Hast du ihr Essen denn nicht vermisst? Hast du irgendwo sonst schon einmal einen so guten Hackbraten gegessen?«

»Schon gut, Papa. Die Sache ist nur, dass …«

Er verstummte.

Ich sah Emma nicht an, denn ich wusste, dass sie mich mit zusammengepressten Lippen anstarrte und aus ihren Augen die Stoppschilder leuchteten.

»Die Sache ist nur was?«

Tom stocherte in seinem Essen herum.

»Ich habe aufgehört, Fleisch zu essen.«

»Hä?«

»Jaja«, sagte Emma schnell und räumte den Tisch ab.

Ich blieb sitzen. Dann begriff ich.

»Kein Wunder, dass du so schwächlich bist«, sagte ich.

»Wenn alle Vegetarier wären, gäbe es für alle Menschen auf der Welt genug zu essen«, erwiderte Tom.

»Wenn alle Vegetarier wären!« Ich äffte ihn nach und starrte ihn über den Rand meines Wasserglases wütend an. »Der Mensch hat immer schon Fleisch gegessen.«

Emma hatte die Teller und Schüsseln zu einem hohen Turm gestapelt. Er wackelte und klirrte bedrohlich.

»Jetzt lass ihn doch. Tom wird sich das schon gut überlegt haben.«

»Das glaube ich nicht.«

»Ich bin schließlich nicht der einzige Vegetarier«, warf Tom ein.

»Auf diesem Hof wird Fleisch gegessen!« Ich stand so abrupt auf, dass der Stuhl umfiel.

»Jaja«, wiederholte Emma und räumte mit fahrigen Bewegungen weiter den Tisch ab.

Dabei warf sie mir einen dieser Blicke zu. Diesmal

sagte er nicht nur: Stopp! Sondern auch: Halt endlich den Mund.

»Du hast doch keine Schweineproduktion«, hielt Tom mir entgegen.

»Was hat das damit zu tun?«

»Es spielt wohl keine Rolle für dich, ob ich Fleisch esse oder nicht. Solange ich weiterhin Honig esse.«

Er grinste. Wohlwollend? Nein. Ein bisschen frech.

»Hätte ich gewusst, dass du auf dem College so werden würdest, hätte ich dich nie dorthin geschickt.« Ein Wort ergab das andere, ich konnte mich nicht zurückhalten.

»Ach was. Es ist klar, dass der Junge aufs College gehen muss«, sagte Emma.

Natürlich. Klar wie die erste Frostnacht. Alle mussten aufs College gehen.

»Alles, was ich zum Leben brauche, habe ich hier gelernt«, erwiderte ich und machte eine vage Handbewegung, wollte eigentlich gen Osten zeigen, wo die Wiese mit einigen Bienenstöcken lag, und merkte zu spät, dass es Westen war.

Tom antwortete nicht mal.

»Danke fürs Essen.«

Hastig räumte er seinen Teller ab und wandte sich Emma zu.

»Ich erledige den Rest auch noch schnell. Geh du nur und mach es dir gemütlich«, sagte er.

Sie lächelte ihn an. Zu mir sagte keiner etwas.

Beide wichen mir aus, sie, indem sie ins Wohnzimmer und zu ihrer Zeitung schlurfte, er, indem er sich eine

Schürze umband, ja, das tat er wirklich, und die Töpfe zu schrubben begann.

Meine Zunge war wie eingetrocknet. Ich trank einen Schluck Wasser, aber es half kaum.

Sie machten einen Bogen um mich, ich war der Elefant im Porzellanladen. Nein, eigentlich nicht einmal das. Ich war ein Mammut. Eine ausgestorbene Art.

tao

»Wenn ich drei Reiskörner habe und du zwei, wie viele haben wir dann zusammen?«

Ich nahm zwei Reiskörner von meinem Teller und legte sie auf Wei-Wens, der bereits leergegessen war.

Die Kindergesichter gingen mir nicht aus dem Kopf. Das große Mädchen mit dem zur Sonne gereckten Gesicht, der Junge mit dem weit aufgerissenen Mund. Sie waren noch so klein gewesen. Und Wei-Wen war plötzlich so groß. Bald wäre er im selben Alter wie sie. In anderen Landesteilen gab es Schulen für einige wenige Auserwählte. Sie sollten einmal Verantwortung übernehmen. Und sie entkamen der Feldarbeit. Wenn Wei-Wen nur fleißig genug war und sich früh als guter Schüler hervortat …

»Warum solltest du drei haben und ich nur zwei?« Wei-Wen sah feixend auf die Reiskörner hinab.

»Dann habe ich eben nur zwei, und du hast drei. So.« Ich vertauschte die Reiskörner auf unseren Tellern. »Wie viele haben wir zusammen?«

Wei-Wen legte lustlos seine kleine Faust auf den Teller und zog damit Kreise.

»Ich will mehr Ketchup.«

»Also wirklich, Wei-Wen.« Entschieden packte ich seine Faust und hob sie weg, sie war ganz klebrig vom Essen. »Das heißt *Könnte ich bitte noch Ketchup haben.*« Ich seufzte und zeigte erneut auf die Reiskörner. »Zwei bei mir. Und drei bei dir. So können wir sie zählen. Eins, zwei, drei, vier, fünf.«

Wei-Wen fuhr sich mit der Hand übers Gesicht und hinterließ einen Ketchupstreifen. Dann streckte er sich nach der Flasche. »Könnte ich bitte noch Ketchup haben?«

Ich hätte früher anfangen sollen. Diese eine Stunde am Tag war alles, was wir hatten. Aber ich vergeudete sie oft, ließ die Zeit mit Essen und Gemütlichkeit verstreichen. Er sollte schon viel weiter sein.

»Fünf Reiskörner«, wiederholte ich. »Fünf Reiskörner. Stimmt's?«

Er gab seine Versuche auf, die Flasche zu erreichen, und warf sich so heftig zurück, dass der Stuhl schwankte. Diese jähen, ungestümen Bewegungen waren typisch für ihn. Er war von Geburt an robust gewesen. Und vergnügt. Allerdings hatte er erst spät laufen gelernt, dafür verspürte er dann doch nicht die nötige Unruhe, sondern saß einfach nur gern auf seinem Po und strahlte alle an, die mit ihm redeten. Und mit ihm reden wollten viele, denn Wei-Wen war eines dieser Babys, die man schnell zum Lächeln bringen konnte.

Ich nahm die Flasche mit dem roten Ersatzprodukt und schüttete etwas davon auf seinen Teller. Vielleicht wurde er dann arbeitswilliger? »So. Bitteschön.«

»Ja! Ketchup!«

Ich nahm zwei weitere Reiskörner aus der Schüssel auf dem Tisch.

»Sieh mal. Jetzt kommen noch zwei dazu. Wie viele haben wir dann insgesamt?«

Aber Wei-Wen konzentrierte sich nur auf das Essen. Jetzt war sein ganzer Mund mit Ketchup verschmiert.

»Wei-Wen? Wie viele haben wir dann?«

Er putzte seinen Teller noch einmal leer, betrachtete ihn eine Weile und hob ihn dann in die Luft. Dazu machte er Brummgeräusche wie ein Propellerflugzeug. Er liebte die alten Verkehrsmittel, war vollkommen fasziniert von Hubschraubern, Autos, Bussen, stundenlang konnte er auf dem Boden herumkrabbeln und imaginäre Straßen, Flughäfen und Landschaften für seine Fortbewegungsmittel bauen.

»Bitte, Wei-Wen!« Ich nahm ihm den Teller aus der Hand und stellte ihn außerhalb seiner Reichweite wieder ab. Dann zeigte ich erneut auf die kalten, trockenen Reiskörner.

»Sieh mal. Fünf plus zwei. Was macht das dann?«

Meine Stimme zitterte ein wenig. Ich überspielte es mit einem Lächeln, das Wei-Wen gar nicht bemerkte, weil er sich angestrengt nach dem Teller reckte.

»Ich will es wiederhaben! Das Flugzeug! Es ist meins!«

Im Wohnzimmer räusperte sich Kuan. Er hatte die Füße auf den Tisch gelegt und hielt eine Tasse Tee in der Hand, über deren Rand hinweg er mich betont gelassen ansah.

Ich ignorierte sie beide und begann zu zählen. »Eins, zwei, drei, vier, fünf, sechs und … sieben!« Ich lächelte

Wei-Wen an, als wären diese sieben Reiskörner etwas ganz Außergewöhnliches. »Insgesamt sind es sieben. Stimmt's? Siehst du es? Dass es sieben sind? Eins, zwei, drei, vier, fünf, sechs, sieben.«

Nur das. Wenn er nur das verstand, würde ich Ruhe geben und ihn weiterspielen lassen. Kleine Schritte, Tag für Tag.

»Ich will es wiederhaben!«

Er streckte seine mollige Hand so weit vor, wie er konnte.

»Nein, der Teller bleibt jetzt da stehen, Freundchen.« Meine Stimme wurde lauter. »Wir beide werden jetzt erst mal zählen.«

Kuan seufzte kaum hörbar, stand auf und kam zu uns herein. Er legte mir die Hand auf die Schulter. »Es ist schon acht Uhr.«

Ich schüttelte seinen Griff ab.

»Eine Viertelstunde schafft er noch«, sagte ich und starrte ihn eindringlich an.

»Tao ...«

»Eine Viertelstunde schafft er.« Ich fixierte ihn weiter.

Er wurde stutzig. »Aber warum?«

Ich sah weg, hatte keine Lust, es ihm zu erzählen, ihm von den Kindern zu erzählen. Ich wusste sowieso, was er sagen würde. Sie seien nicht jünger geworden, sondern so alt wie immer, acht Jahre, wie schon im letzten Jahr. So sei es nun einmal. Seit vielen Jahren. Und wenn er dann weiterreden würde, kämen die Phrasen, die so aufgeblasen waren, dass sie gar nicht zu ihm passten: Wir müssen froh sein, hier leben zu dürfen. Es hätte schlimmer kommen können. Wir hätten in Peking landen können. Oder Europa. Wir müssen das Beste aus unserer Situation machen. Im Hier und Jetzt leben. Den Moment genießen. Es waren Worthülsen, so abweichend davon, wie er normalerweise redete, als hätte er sie irgendwo gelesen, aber er sprach sie mit einem solchen Nachdruck aus, als glaubte er wirklich daran.

Kuan strich über Wei-Wens zerzaustes Haar. »Ich würde gern mit ihm spielen«, sagte er sanft.

Wei-Wen zappelte in seinem Stuhl, einem Babystuhl, der eigentlich zu klein für ihn war, aber dadurch steckte er so fest darin, dass er meinem Heimunterricht nicht entkommen konnte. Er streckte sich erneut nach dem Teller.

»Ich will es wiederhaben! Meins!«

Kuan sah mich nicht an, er sagte nur im selben, zurückgenommenen Tonfall: »Du bekommst es nicht, aber weißt du was, die Zahnbürste kann auch ein Flugzeug sein.« Mit diesen Worten hob er Wei-Wen aus dem Stuhl.

»Aber … Kuan …«

Er schwang ihn leichthändig von einem Arm zum anderen, während er Richtung Bad ging, überhörte mich und plauderte weiter mit Wei-Wen. Er trug unseren Sohn, als würde er nichts wiegen, ich dagegen hatte schon jetzt das Gefühl, dass sein Kinderkörper allmählich schwer wurde.

Ich blieb sitzen, wollte etwas sagen, protestieren, aber die Worte kamen nicht. Kuan hatte recht. Wei-Wen war erschöpft. Es war spät. Er gehörte ins Bett, bevor er zu müde wurde und gar nicht mehr einschlafen wollte. Dann hätten wir länger mit ihm zu kämpfen, das wusste ich ja. Dann konnte er uns bis weit über unsere eigene Schlafenszeit hinaus auf Trab halten. Erst machte er Quatsch, riss immer wieder unsere Schlafzimmertür auf, spazierte herein, lachte glucksend, *fangt mich doch!* Dann folgten Wut und Frust, Geheule, wilde Proteste. So war er. So waren wohl alle Dreijährigen.

Wenngleich ich selbst mich nicht erinnern konnte, dass ich mich als Kind je so aufgeführt hatte. Mit drei Jahren lernte ich Lesen. Ich schnappte die Bedeutung der Zeichen auf und überraschte meine Lehrer damit, dass ich mir fließend Märchen vorlas, aber nur mir, niemals den anderen Kindern, von ihnen hielt ich mich fern. Meine Eltern sahen staunend zu, sie gaben mir weitere Märchen und einfache Kindergeschichten zu lesen, wagten es aber nie, mich mit anderen Texten herauszufordern. In der Schule aber wurde mein Talent gefördert. Die Lehrer erlaubten mir, mit meinen Büchern sitzen zu bleiben, wenn die anderen Kinder draußen spielten, und machten mich mit allem vertraut, was ihnen an ausgedienten Lernprogrammen, Texten und Filmen zur Verfügung stand. Vieles stammte noch aus der Zeit vor dem Kollaps, als die demokratischen Regierungen gestürzt worden waren, und dem darauffolgenden Weltkrieg, als Nahrungsmittel ein seltenes Gut und nur wenigen vergönnt waren. Damals waren noch so viele Informationen generiert worden, dass niemand den Überblick behalten konnte. Wortströme, die länger waren als die Milchstraße. Flächen von Bildern, Karten, Illustrationen, die so groß waren wie die Sonnenoberfläche. Auf Filmen festgehaltene Zeit, die einer Spanne von Millionen Menschenleben entsprach. Und die Technologie machte all das zugänglich. Verfügbarkeit war das Mantra der damaligen Zeit. Die Menschen konnten jederzeit, mit immer fortschrittlicheren Kommunikationsmitteln, auf all diese Informationen zugreifen.

Der Kollaps traf jedoch auch die sozialen Netzwerke. Innerhalb von drei Jahren brachen sie vollständig zusammen. Alles, was den Menschen blieb, waren Bücher, hakende DVDs, ausgeleierte Tonbänder, zerkratzte CDs mit abgelaufenen Programmen und das uralte, marode Fernleitungsnetz.

Ich verschlang die zerlesenen, alten Bücher und ruckelnden Filme. Ich las alles und merkte mir alles. Mehrmals versuchten Lehrer, meine Eltern davon zu überzeugen, dass ich ein begabtes Kind mit besonderen Talenten sei, aber bei diesen Gesprächen lächelten sie nur schüchtern, wollten lieber etwas über die normalen Dinge erfahren, ob ich Freunde hatte, ob ich gut rennen, klettern, flechten konnte. All die Gebiete, auf denen ich versagte. Doch die Scham darüber wurde nach und nach von meinem Wissenshunger verdrängt. Ich vertiefte mich in die Sprache und lernte allmählich, dass es zwar nicht für jedes einzelne Ding oder Gefühl ein Wort oder eine Umschreibung gab, für viele aber schon. Und ich lernte etwas über unsere Geschichte. Über das Massensterben unter den bestäubenden Insekten, über den Anstieg des Meeresspiegels, den Klimawandel, die Atomunfälle und über die alten Supermächte USA und Europa, die wegen ihrer mangelnden Anpassungsfähigkeit binnen weniger Jahre alles verloren hatten und die jetzt in tiefer Armut versunken waren – mit einer zu einem Bruchteil ihrer ursprünglichen Größe geschrumpften Bevölkerung – und nur noch Korn und Mais produzierten. Wohingegen wir hier in China die Krise bewältigt hatten. Das Komitee, der höchste Rat der Partei, unsere Landesregierung, hatte uns mit harter Hand und effizient durch den Kollaps geführt und eine Reihe Beschlüsse getroffen, die das Volk oft nicht verstand, aber auch nicht in Frage stellen durfte. Das alles lernte ich als Kind. Und ich wollte immer nur weiterkommen. Immer mehr haben, mit Wissen angefüllt werden, ohne darüber nachzudenken, was ich lernte.

Erst, als ich auf eine zerfledderte Ausgabe des Buchs *Der blinde Imker* gestoßen war, hielt ich inne. Die Übersetzung aus dem Englischen war unbeholfen und umständlich, aber der Text zog mich dennoch sofort in den Bann. Es war im Jahr 2037 in China erschienen, nur wenige Jahre, bevor der Kollaps zur Tatsache wurde und es keine bestäubenden Insekten mehr auf der Erde gab. Ich nahm das Buch mit zu meiner Lehrerin und zeigte ihr Bilder von Bienenstöcken und detaillierte Zeichnungen von deren Bewohnern. Die Bienen faszinierten mich am meisten. Die Königin und ihre Kinder, die lediglich Larven in Zellen waren, und all der goldene Honig, der sie umgab.

Die Lehrerin hatte das Buch noch nie gesehen, ließ sich jedoch genauso davon fesseln wie ich. Wenn Passagen mit viel Text kamen, las sie diese laut vor. Es ging um Wissen. Darum, wider den eigenen Instinkt zu handeln, wenn man es besser wusste, denn um in der Natur und mit der Natur zu leben, müssen wir uns von der eigenen Natur entfernen. Und es ging um den Wert der Bildung. Denn genau davon handelte Bildung: der eigenen Natur zu trotzen.

Ich war acht Jahre alt und verstand nur einen Bruchteil. Doch ich hatte verstanden, wie ehrfürchtig meine Lehrerin gewesen war, dass das Buch sie berührt hatte. Und ich verstand die Sache mit der Bildung. Ohne Wissen waren wir nichts. Ohne Wissen waren wir Tiere.

Anschließend wurde ich zielstrebiger. Ich wollte nicht allein um des Lernens willen lernen, sondern um etwas zu verstehen. Bald überflügelte ich all meine Klassenkameraden, wurde die jüngste Jungpionierin auf der ganzen Schule und durfte das Halstuch der Parteiorganisation tragen. Damit ging ein banaler Stolz einher. Selbst meine Eltern lächelten, als man mir das rote Stoffstück um den Hals band. In erster Linie aber machte mein Wissen mich reicher. Reicher als die anderen Kinder. Ich war weder hübsch noch sportlich noch geschickt oder stark. Auf keinem anderen Gebiet konnte ich mich hervortun. Aus dem Spiegel starrte mir ein kantiges Mädchengesicht entgegen. Die Augen ein bisschen zu klein, die Nase zu groß. Dieses Durchschnittsgesicht verriet nichts darüber, was es in sich trug – etwas Goldenes, etwas, das jeden einzelnen Tag lebenswert machte. Und mir einen Weg aufzeigte, fortzukommen.

Schon als ich zehn war, hatte ich die Möglichkeiten ausgelotet. Es gab Schulen in anderen Teilen des Landes, eine Tagesreise entfernt, die mich aufnehmen würden, wenn ich fünfzehn war und eigentlich anfangen müsste, auf den Feldern zu arbeiten. Meine Schulleiterin half mir dabei, herauszufinden, wie ich mich bewerben konnte. Sie meinte, ich habe gute Chancen. Aber es kostete Geld. Ich redete mit meinen Eltern, ohne etwas zu erreichen, sie bekamen es mit der Angst zu tun und sahen mich an wie ein fremdes Wesen, das sie nicht verstanden, ja nicht einmal mehr mochten. Auch die Schulleiterin suchte das Gespräch mit ihnen, ich erfuhr nie, was sie eigentlich sagte, nur dass meine Eltern anschließend noch ablehnender waren. Sie hatten kein Geld und waren auch nicht bereit zu sparen.

Ich müsse mich anpassen, meinten sie, ich solle auf dem Boden bleiben und aufhören, kindischen Träumen nachzuhängen. Aber ich konnte es nicht. Denn ich war nun einmal so, wie ich war. Und würde es immer bleiben.

Wei-Wens Lachen ließ mich zusammenzucken. Sein lautes Jauchzen drang aus dem Bad, dessen Akustik die Geräusche verstärkte. »Nein, Papa, nein!«

Er lachte weiter, während Kuan ihn kitzelte und auf seinen zarten Bauch prustete.

Ich stand auf und stellte die Teller in die Spüle, dann ging ich zur Badezimmertür, blieb davor stehen und lauschte. Es war ein Lachen, das ich am liebsten aufgenommen hätte, um es ihm später einmal vorzuspielen, wenn er groß war und eine tiefe Stimme hatte.

Trotzdem konnte es mir kein Lächeln entlocken.

Ich legte die Hand auf die Klinke und schob die Tür auf. Wei-Wen lag auf dem Boden, während Kuan an seinem einen Hosenbein zerrte und zog. Er tat, als würde die Hose gegen ihn ankämpfen und sich nicht ausziehen lassen.

»Beeilst du dich bitte ein bisschen?«, sagte ich zu Kuan.

»Mich beeilen? Wie soll das gehen mit dieser störrischen Hose?«, antwortete Kuan, und Wei-Wen giggelte.

»Jetzt stachelst du ihn nur noch mehr auf.«

»Hör mir mal gut zu, liebe Hose, jetzt ist Schluss mit dem Unsinn!«

Wei-Wen kringelte sich.

»Wenn du so weitermachst, ist er nachher viel zu aufgekratzt«, sagte ich. »Und wir kriegen ihn kaum noch ins Bett.«

Kuan antwortete nicht und sah weg, doch meine Kritik kam bei ihm an. Ich ging hinaus und schloss die Tür hinter mir. In der Küche erledigte ich rasch noch den restlichen Abwasch.

Dann holte ich die Schreibsachen hervor. Nur noch ein Viertelstündchen, das konnte er verkraften.

William

Oft saß sie hier an meinem Bett, über ein Buch gebeugt, las konzentriert und blätterte langsam um. Meine Tochter Charlotte, die mit ihren vierzehn Jahren sicher Besseres zu tun gehabt hätte, als sich in meine stumme Gesellschaft zu begeben. Trotzdem kam sie immer häufiger. Durch ihre Anwesenheit, ihr ständiges Lesen, konnte ich den Tag von der Nacht unterscheiden.

Thilda hatte heute nicht zu mir hereingeschaut, sie war jetzt seltener bei mir, nicht einmal den Hausarzt schleppte sie noch herbei. Vielleicht ging unser Geld jetzt ernsthaft zur Neige.

Rahm hatte sie nie erwähnt, nicht mit einem Wort. Das wäre mir selbst im Tiefschlaf nicht entgangen. Sein Name hätte mich von den Toten erweckt. Wahrscheinlich hatte sie nie eins und eins zusammengezählt, hatte nie verstanden, dass mein letztes Gespräch mit ihm und sein höhnisches Lachen mich hierher getrieben hatten, in dieses Zimmer, dieses Bett.

Er hatte mich damals zu sich gebeten. Ich war mir nicht im Klaren gewesen, warum er mich treffen wollte. Schon seit mehreren Jahren hatte ich nichts mehr von ihm gehört, wir hatten allenfalls ein paar Höflichkeitsfloskeln gewechselt, wenn wir uns ein seltenes Mal in der Stadt begegneten, und dann hatte stets er das Gespräch beendet.

Der Herbst war auf dem Höhepunkt, als ich mich aufmachte, Rahm zu besuchen. Die Blätter strahlten in leuchtendem Gelb, warmem Braun und tiefem Blutrot, ehe der Wind sie wegreißen und auf den Boden und in die Fäulnis zwingen würde. Die Bäume waren schwer von Äpfeln, saftigen Pflaumen, triefend süßen Birnen, und in der Erde wuchsen knackige Möhren, Kürbisse, Zwiebeln und duftende Kräuter, die nur darauf warteten, geerntet und verspeist zu werden. Das Leben schien unbeschwert wie im Garten Eden. Meine Füße flogen leicht über den efeubewachsenen Boden, als ich durch ein Waldstück auf Rahms Haus zulief. Ich freute mich darauf, ihn wiederzusehen und in Ruhe mit ihm reden zu können, so wie wir es vor langer Zeit einmal getan hatten, bevor ich Vater so vieler Kinder wurde und das Saatgutgeschäft all meine Zeit in Anspruch nahm.

Er empfing mich in der Tür, trug die Haare immer noch kurzgeschoren, war immer noch schlank, sehnig und muskulös. Er lächelte kurz, sein Lächeln währte nie lang, und bat mich in sein Arbeitszimmer, das mit Pflanzen und Glasbehältern vollstand; in mehreren davon konnte ich Amphibien erahnen, ausgewachsene Frösche und Kröten, die er vermutlich aus Kaulquappen gezüchtet hatte. Diesem Bereich der Naturwissenschaft widmete er seine ganze Aufmerksamkeit. Als ich achtzehn Jahre zuvor nach meinem bestandenen Examen zu ihm gekommen war, hatte ich gehofft, die Insekten erforschen zu können, insbesondere die eusozialen Arten, bei denen die Individuen fast wie ein großer Organismus zusammenlebten – ein Superorganismus. Ihnen galt meine Leidenschaft, den Hautflüglern und Termiten, den Hummeln, Wespen, Bienen und Ameisen. Rahm hatte jedoch gemeint, das müsse noch warten, und bald darauf war auch ich mit diesen Zwischenwesen befasst, mit denen sein Arbeitszimmer bis heute gefüllt war, Kreaturen, die weder Insekten noch Fische oder Säugetiere waren. Ich war nur sein wissenschaftlicher Mitarbeiter gewesen, deswegen hatte ich mir keinen Protest erlauben können, und es war eine Ehre, für ihn arbeiten zu dürfen, das hatte ich gewusst und war deshalb in erster Linie damit beschäftigt gewesen, ihm meine Dankbarkeit zu erweisen, anstatt irgendwelche Forderungen zu stellen. Damals hatte ich versucht, seine Faszination zu teilen, und damit gerechnet, dass er mir, wenn die Zeit reif war und ich es auch, mehr Raum für meine eigenen Projekte gewähren würde. Doch dieser Tag kam nie, und mir wurde schnell klar, dass ich meine eigene Forschung in der Freizeit durchführen musste, indem ich mit den Grundlagen begann und mich dann langsam vorarbeitete. Doch dafür blieb trotzdem nie Zeit, weder vor noch nach Thilda.

Rahms Haushälterin servierte Tee und Kuchen. Wir tranken aus filigranen Tassen, die fast zwischen den Fingern verschwanden, ein Service, das er auf einer seiner vielen Forschungsreisen im Fernen Osten gekauft hatte, ehe er sich hier aufs Land zurückzog.

Während wir den Tee schlürften, erzählte er von seiner Arbeit. Von seiner aktuellen Forschung, seinen jüngsten wissenschaftlichen Vorträgen, seinen künftigen Artikeln. Ich lauschte nickend, stellte Fragen, bemühte mich um qualifizierte Kommentare und lauschte erneut. Ich sah ihn an und wünschte, er würde meinen Blick erwidern. Doch meistens schweifte sein Blick durch den Raum, über die Gegenstände, als spräche er zu ihnen.

Dann wurde es still, nur der Wind, der draußen die braunen Blätter von den Bäumen zerrte, war noch zu hören. Ich trank vom Tee, und mein Schlürfen ertönte viel zu laut in der Stille. Meine Wangen wurden heiß, hastig stellte ich die kleine Tasse ab. Er schien jedoch nichts bemerkt zu haben, saß nur schweigend da, ohne mich weiter zu beachten.

»Heute ist mein Geburtstag«, sagte er schließlich.

»Bitte verzeihen Sie… ich ahnte ja nicht… meinen herzlichen Glückwunsch!«

»Wissen Sie, wie alt ich geworden bin?« Jetzt sah er mir in die Augen.

Ich zögerte. Wie alt mochte er sein? Ziemlich alt. Weit über fünfzig. Vielleicht sogar an die sechzig? Ich wand mich, merkte plötzlich, wie heiß es im Zimmer war, räusperte mich. Was sollte ich antworten?

Als ich nichts sagte, schlug er den Blick nieder. »Es ist auch nicht weiter wichtig.«

War er enttäuscht? Hatte ich ihn enttäuscht? Wieder einmal?

Seine Miene verriet nichts dergleichen. Er stellte die Tasse ab, nahm einen Kuchen, wie alltäglich, einen Kuchen, obwohl sich unser Gespräch langsam in eine Richtung entwickelte, die alles andere als alltäglich schien.

Er legte den Kuchen wieder auf seinen Teller, ohne davon abzubeißen. Die Stille im Raum war quälend. Es war an mir, etwas zu sagen.

»Werden Sie feiern?«, fragte ich und bereute es sofort. Was für eine alberne Frage, als sei er ein Kind.

Und er ließ sich auch nicht zu einer Antwort herab, saß mit dem Teller in der Hand da, aß jedoch nicht, sondern blickte nur auf das kleine, trockene Kuchenstück hinab. Als er die Finger bewegte, glitt der Kuchen zum Tellerrand, aber er hielt ihn schnell wieder auf, rettete das Gebäck und stellte den Teller ab.

»Sie waren ein vielversprechender Student«, sagte er mit einem Mal.

Er holte tief Luft, als wollte er noch mehr sagen, doch die Worte kamen nicht.

Ich räusperte mich. »Ja?«

Er änderte seine Haltung, ließ die Arme nach unten baumeln und blieb einfach so sitzen, mit geradem Rücken. »Als Sie zu mir kamen, habe ich große Hoffnungen in Sie gesetzt. Ihr Enthusiasmus, ihre glühende Leidenschaft hat mich überzeugt. Denn eigentlich hatte ich gar keine Pläne, einen Assistenten einzustellen.«

»Danke, Herr Professor. Ihre Worte sind sehr schmeichelhaft.«

Er richtete sich noch weiter auf, saß nun so gerade, als sei er selbst ein Schüler, und warf mir einen kurzen Blick zu. »Aber dann … passierte irgendetwas mit Ihnen?« Ich spürte ein Engegefühl in der Brust. Eine Frage. Es war eine Frage. Was sollte ich darauf antworten?

»War es womöglich schon um Sie geschehen, als Sie Ihre

Ausführungen über Swammerdam zum Besten gaben?« Wieder schielte er kurz zu mir herüber, und sein sonst so fester Blick flackerte.

»Swammerdam? Aber das ist doch schon so lange her«, stammelte ich.

»Ja. Genau. So lange her ... Und es war der Tag, an dem Sie sie kennenlernten?«

»Meinen Sie ... meine Frau?«

Sein Schweigen bestätigte meine Vermutung. Ja, ich hatte Thilda dort kennengelernt, nach dem Vortrag. Oder besser gesagt, die Umstände hatten mich zu ihr geführt. Wobei, nein, nicht die Umstände ... Rahm hatte mich zu ihr geführt. Es war sein Lachen gewesen, sein Hohn, der meinen Blick in eine andere Richtung gelenkt hatte, ihre Richtung.

Ich hätte gern etwas dazu gesagt, doch ich fand keine Worte. Als ich nichts weiter sagte, beugte er sich rasch nach vorn und räusperte sich leise.

»Und jetzt?«

»Jetzt?«

»Warum haben Sie eigentlich Kinder in die Welt gesetzt?«

Bei dieser Frage war seine Stimme lauter geworden und hatte sich beinahe überschlagen, und jetzt starrte er mich an, wich meinem Blick nicht mehr aus, in seinem Inneren hatte sich Frost gebildet.

»Warum ...?« Ich sah weg, konnte seinen Blick nicht ertragen, die Härte darin. »Na ja, weil man das eben so macht ...«

Er legte die Hände auf die Knie, verzagt und fordernd

zugleich. »Weil man das eben so macht? Tja, vielleicht macht man das so. Aber warum Sie? Was geben Sie Ihren Kindern?«

»Was ich Ihnen gebe? Essen, Kleidung …«

Wieder hob er jäh seine Stimme: »Jetzt kommen Sie mir bloß nicht mit Ihrem erbärmlichen Saatguthandel!«

Er ließ sich wieder nach hinten fallen, als wollte er Abstand zu mir gewinnen, und knetete seine Hände.

»Nein …« Ich fühlte mich wie ein Zehnjähriger, den man ungerecht behandelt hatte, und versuchte ruhig zu bleiben, merkte jedoch, wie ich zitterte. Als ich mich endlich zusammennahm, um etwas zu sagen, war meine Stimme hoch und gepresst. »Ich wollte es so gern. Aber die Sache war die … wie der Herr Professor sicher verstehen wird … hat die Zeit einfach nicht ausgereicht.«

»Was soll ich Ihrer Meinung nach dazu sagen? Dass es vollkommen akzeptabel ist?« Er stand auf. »Soll ich akzeptieren, dass Sie den Ansprüchen nicht genügen?« Er blieb vor mir stehen, kam einen Schritt näher, schien vor mir zu wachsen, wurde groß und dunkel. »Soll ich akzeptieren, dass Sie bis heute keinen einzigen wissenschaftlichen Aufsatz zu Ende geschrieben haben? Dass Ihre Regale voll ungelesener Bücher sind? Dass ich so viel Zeit auf Sie verwendet habe und Sie in diesem Leben dennoch nicht mehr geleistet haben als ein fauler Eber?«

Die letzten Wörter blieben in der Luft hängen und vibrierten.

Ein Eber. So sah er mich also. Als faulen Eber.

In mir keimte ein schwacher Protest auf. Hatte er tatsächlich so viel Zeit auf mich verwendet, oder war ich in erster Linie ein Handlanger für seine eigenen Projekte gewesen? Denn vielleicht hatte er in Wahrheit das gewollt, vielleicht hatte ich seine Forschung erben und sie am Leben halten sollen. Ihn am Leben halten. Das sprach ich jedoch nicht aus.

»Das wollen Sie doch hören, nicht wahr?«, sagte er, mit einem Blick, so kalt wie der der Amphibien, die uns aus den Glasbehältern anglotzten. »Dass das Leben nun mal so ist? So ist das Leben, soll ich sagen, man tut sich zusammen, zeugt Nachkommen, setzt deren Bedürfnisse automatisch an die erste Stelle, die Nachkommen sind Münder, die es zu stopfen gilt, man wird zum Versorger, und der Intellekt weicht der Natur. Das ist nicht Ihre Schuld. Und noch ist es nicht zu spät.« Er starrte mich so eindringlich an, dass es schmerzte. »Wollen Sie das hören? Dass es noch nicht zu spät ist? Dass Ihre Zeit noch kommen wird?«

Dann lachte er plötzlich auf. Dieses jähe, harte Lachen, freudlos, aber voller Hohn. Es war kurz, aber es setzte sich in mir fest. Es war dasselbe Lachen wie bei unserer letzten Begegnung.

Er verstummte, wartete jedoch nicht auf meine Antwort, wahrscheinlich wusste er, dass ich kein Wort mehr über die Lippen bringen würde. Er ging einfach zur Tür und öffnete sie. »Nun muss ich Sie leider bitten zu gehen. Ich habe noch zu tun.«

Er wandte sich ab, ohne sich von mir zu verabschieden, und ließ mich von der Haushaltshilfe zur Tür begleiten. Ich kehrte zu meinen Büchern zurück, zog jedoch keines aus dem Regal. Ich hatte nicht einmal mehr die Kraft, sie anzusehen, sondern verkroch mich einfach nur ins Bett und blieb dort, blieb hier, während die Bücher Staub ansetzten ... All diese Texte, die ich einmal hatte lesen und verstehen wollen.

Sie standen noch immer am selben Platz, ohne System, bei einigen ragten die Rücken weiter aus dem Regal als bei anderen, wie eine schiefe Zahnreihe. Ich drehte mich weg, ertrug ihren Anblick nicht. Charlotte hob den Kopf, als sie merkte, dass ich wach war, und legte eilig das Buch beiseite.

»Hast du Durst?«

Sie stand auf, holte einen Becher Wasser und reichte ihn mir.

Ich wandte mich ab.

»Nein.« Ich hörte, wie abweisend meine Stimme klang, und fügte schnell noch ein »Danke« hinzu.

»Möchtest du etwas anderes haben? Der Arzt hat gesagt ...«

»Nein, nichts.«

Sie setzte sich wieder und betrachtete mich eingehend, wie ein Studienobjekt.

»Du siehst besser aus. Wacher.«

»Sprich keinen Unsinn.«

»Doch, das finde ich wirklich.« Sie lächelte. »Und immerhin antwortest du.«

Ich sagte nicht mehr, da weitere Worte ihren Eindruck von einer Besserung nur bestärkt hätten, und ließ die Stille das Gegenteil sagen. Meinen Blick ließ ich weggleiten, als würde ich sie nicht länger wahrnehmen.

Doch sie ließ nicht locker, blieb stur an meinem Bett

stehen, legte ihre Hände zusammen, knetete sie ein wenig, ließ die Arme wieder sinken, und dann rückte sie endlich damit heraus, was ihr auf dem Herzen lag.

»Hat Gott dich verlassen, Vater?«

Wenn es nur so einfach gewesen wäre, wenn es nur etwas mit unserem Herrgott zu tun gehabt hätte. Dagegen, seinen Glauben zu verlieren, gab es ein einfaches Heilmittel: ihn wiederzufinden.

Während meines Studiums hatte ich mich immer wieder in die Bibel vertieft. Sie war mein ständiger Begleiter gewesen, jeden Abend hatte ich sie mit ins Bett genommen. Unablässig suchte ich nach einem Zusammenhang zwischen meinem Fach und der Schrift, zwischen den kleinen Wundern der Natur und den großen Worten auf dem Papier. Vor allem die paulinischen Schriften hatten es mir angetan. Ich konnte gar nicht zählen, wie oft ich mich schon in Paulus' Brief an die Römer vertieft hatte, weil er so viele seiner Grundgedanken enthielt. Näher konnte man einer paulinischen Theologie gar nicht kommen. *Freigemacht aber von der Sünde, seid ihr Sklaven der Gerechtigkeit geworden.* Was bedeutete das? War vielleicht nur der wirklich frei, der auch gefesselt war? Das Rechte zu tun konnte ein Gefängnis sein, eine Gefangenschaft, aber man hatte uns den Weg gewiesen. Warum gelang es uns dann nicht? Nicht einmal in der direkten Begegnung mit dem Schöpfungswerk, das so überwältigend war, dass es einem den Atem raubte, glückte es dem Menschen, das Rechte zu tun.

Ich fand nie eine Antwort und nahm das kleine schwarze Buch schließlich immer seltener zur Hand. Es verstaubte im Regal, zusammen mit den anderen Werken. Was sollte ich meiner Tochter jetzt sagen? Dass dies, mein sogenanntes Krankenlager, viel zu banal und armselig war, um es mit Gott in Verbindung zu bringen? Dass es seinen Ursprung einzig und allein in mir selbst hatte, in meinen Entscheidungen und dem Leben, das ich gelebt hatte?

Nein. Vielleicht an einem anderen Tag, nicht heute. Also gab ich ihr keine Antwort, sondern schüttelte nur schwach den Kopf und tat, als würde ich wegdämmern.

Sie blieb bei mir sitzen, bis sich Ruhe über das Haus legte. Ich lauschte dem Rascheln der Seiten, wenn sie umblätterte, dem leisen Knistern des Musselin, wenn sie hin und wieder ihre Position änderte. Offenbar war sie von den Büchern gefangen wie ich von meiner Krankheit, obwohl sie schlau genug hätte sein sollen, es besser zu wissen. All ihre Bücherweisheit war umsonst, aus dem einfachen Grund, dass sie ein Mädchen war und kein Junge.

Mit einem Mal wurde sie unterbrochen. Die Tür ging auf. Schnelle, stampfende Schritte.

»Hier sitzt du also?« Thildas Stimme klang streng, und ihr Blick war es sicher auch. »Es ist Schlafenszeit«, fuhr sie fort, als wäre das Kommando genug. »Und du musst noch das Geschirr vom Abendessen spülen. Außerdem hat Edmund Kopfschmerzen, setz ihm bitte Teewasser auf.«

»Ja, Mutter.«

Ich hörte Charlottes Füße auf dem Boden, als sie aufstand und das Buch auf den Konsolentisch legte. Ihre leichten Schritte auf dem Weg zur Tür.

»Gute Nacht, Vater.«

Dann verschwand sie. Ihre Ruhe wurde von Thildas Betriebsamkeit abgelöst. Sie ging zur Feuerstelle und legte mit lauten, hektischen Bewegungen Kohle nach. Diese Aufgabe übernahm sie jetzt selbst, denn das Dienstmädchen hatte sich längst eine andere Arbeit suchen müssen, und nun litt Thilda jeden Tag darunter und tat nur wenig, um ihren Unmut zu verbergen. Im Gegenteil betonte sie ihn sogar, indem sie all ihr Tun und Wirken mit Seufzen und Stöhnen untermalte.

Als sie endlich fertig war, blieb sie einfach nur stehen. Doch mir war nur ein kurzer Moment der Stille vergönnt, ehe ihr ewiges Orchester wieder einsetzte. Ich musste die Augen nicht öffnen, um zu wissen, dass sie dort an der Wärmequelle stand und ihren Tränen freien Lauf ließ. Ich hatte es schon viele Male gesehen, und das Geräusch war unmissverständlich. Ihr Klagelied wurde vom Knacken der Kohle begleitet. Ich wälzte mich und presste mein Ohr gegen das Kopfkissen, um den Lärm zu halbieren, doch ohne großen Erfolg.

Eine Minute verging. Zwei. Drei.

Dann gab sie endlich auf und beendete ihr Lamento, indem sie sich kräftig schnäuzte. Sie verstand wohl, dass sie nichts damit erreichen würde, auch heute nicht. Der Rotz wurde unter lautem, beinahe mechanischem Trompeten herausgepresst. So war sie immer, voller Schleim, auch wenn sie nicht weinte. Nur untenherum nicht, dort war alles stets bedauerlich trocken und kühl. Und trotzdem hatte sie mir acht Kinder geboren.

Ich zog mir die Decke über den Kopf, um die Geräusche fernzuhalten.

»William«, sagte sie spitz. »Ich sehe doch, dass du nicht schläfst.«

Ich versuchte, möglichst ruhig zu atmen.

»Ich sehe es wirklich.«

Sie sprach jetzt lauter. Kein Grund, sich zu rühren.

»Du musst mir zuhören.« Sie schniefte noch einmal betont geräuschvoll. »Ich war gezwungen, Alberta gehen zu lassen. Jetzt steht der Laden leer. Ich musste ihn schließen.«

Was? Ich hatte nicht die Kraft, mich umzudrehen. Der Laden geschlossen? Leer. Dunkel. Der Laden, der all meine Kinder versorgen sollte?

Sie musste gemerkt haben, dass ich zusammengezuckt war, denn jetzt kam sie näher. »Heute musste ich beim Kaufmann um einen Kredit bitten.« Ihre Stimme war noch immer tränenerstickt, als könnte ihr Geheul jeden Moment wieder einsetzen. »Der ganze Laden wurde mit einer Hypothek belastet. Wie er mich angestarrt hat – voller Mitleid! Aber gesagt hat er nichts. Er ist schließlich ein Gentleman.«

Ihre Worte gingen in Wimmern über.

Ein Gentleman. Im Gegensatz zu mir. Ich, der ich, wie ich hier lag, ohne Stock und Hut, Monokel und Manieren, vermutlich keine große Bewunderung in meiner Umgebung auslöste, und am allerwenigsten bei meiner Frau. Ja, meine Manieren waren sogar so schlecht, dass ich meine eigene Familie im Stich ließ.

Und jetzt hatten sich die äußeren Umstände erheblich verschlechtert. Der Laden war geschlossen, und meine Familie konnte nicht lange ohne mich überleben, zumal es für sie alle von größter Notwendigkeit gewesen wäre, das Tagesgeschäft weiterzuführen. Denn es waren die Samen, Blumenzwiebeln und Kräuter, die dafür sorgten, dass sie alle genug Essen hatten.

Ich hätte aufstehen sollen, doch ich schaffte es nicht, ich wusste nicht mehr, wie es ging. Das Bett lähmte mich.

Und auch heute gab Thilda mich auf. Sie atmete tief ein und aus, ein kräftiger, zitternder Seufzer. Dann schnäuzte sie sich ein letztes Mal, wahrscheinlich um sich zu vergewissern, dass auch der letzte Schleimtropfen ihren Hals-Nasen-Ohren-Trakt verlassen hatte.

Die Matratze jammerte ebenfalls, als sie sich hinlegte. Ich konnte nicht fassen, wie sie es ertrug, mit meinem verschwitzten, ungewaschenen Leib das Bett zu teilen. Das sagte im Grunde alles über ihre Starrköpfigkeit.

Allmählich wurden ihre Atemzüge ruhiger und gingen in einen schweren und tiefen, glaubwürdigen Rhythmus über, ganz anders als mein eigener.

Ich drehte mich um. Das Licht vom Kachelofen flackerte über ihr Gesicht, ihre langen Zöpfe, die sie aus dem strengen Knoten am Hinterkopf befreit hatte, ruhten auf dem Kissen, ihre Oberlippe bedeckte die Unterlippe wie bei einer mürrischen, zahnlosen Alten. Ich lag da und betrachtete sie, versuchte, den Menschen zu erkennen, den ich einmal geliebt und begehrt hatte, doch noch bevor es so weit kommen konnte, übermannte mich der Schlaf.

GEORGE

Emma sollte recht behalten, was den Schnee anging. Schon tags darauf sickerte und gluckerte das Schmelzwasser so laut, dass man keine anderen Geräusche mehr hörte, und die Sonne brannte auf die Holzbalken des Hauses und bleichte die Südwand noch mehr. Die Temperaturen kletterten, und es wurde warm genug für den Reinigungsflug der Bienen. Sie waren reinliche Tiere und machten nicht in den Bienenstock. Erst wenn die Sonne endlich wieder wärmte, flogen sie aus ihren Magazinbeuten, um ihren Darm zu entleeren. Tatsächlich hatte ich genau darauf gehofft: dass der Winter seinen Rückzug antrat, solange Tom noch zu Hause war. Denn dann konnte er mit mir zu den verlassenen Behausungen hinausfahren und die Bodenbretter der Beuten reinigen. Ich hatte sogar Jimmy und Rick freigegeben, damit Tom und ich alleine arbeiten konnten. Aber erst am Donnerstag war der richtige Zeitpunkt gekommen, nur drei Tage vor seiner Abreise.

Es war eine ruhige Woche gewesen. Wir gingen einander aus dem Weg, er und ich. Emma balancierte ausgleichend zwischen uns, lachend und plaudernd wie immer.

Anscheinend hatte sie sich mit Leib und Seele der Aufgabe verschrieben, das richtige Essen für Tom zu finden, denn sie zauberte ein Fischgericht nach dem anderen auf den Tisch, und die »interessanten« und »leckeren« Fischarten in der Tiefkühltruhe unseres Supermarktes schienen unerschöpflich zu sein. Und Tom war dankbar, er freute sich »riesig über das Superessen«.

Wenn wir wieder einmal einen solchen Fisch verzehrt hatten, blieb er meistens am Küchentisch sitzen. Er las erschreckend dicke Bücher, tippte eifrig auf seinem Laptop oder war vollkommen von irgendwelchen japanischen Kreuzworträtseln gefesselt, die er Sudoku nannte. Anscheinend kam er gar nicht auf den Gedanken, sich an einen anderen Ort zu begeben, und bemerkte nicht, dass draußen alles so lichtüberflutet war, als hätte jemand im Himmel eine stärkere Birne reingedreht.

Ich suchte mir Aufgaben, es war ja nicht so, dass ich mich nicht beschäftigen konnte. An einem Tag fuhr ich nach Autumn und kaufte Farbe fürs Haus. Als ich draußen stand und die Südwand strich, spürte ich, wie mir die Sonne auf den Kopf brannte, und ich wusste, dass ich jetzt einen Ausflug zu den Bienenstöcken wagen konnte. Eigentlich musste ich die Bodenbretter noch nicht vollständig reinigen, aber für Tom war es die letzte Chance, und es konnte nicht schaden, mit einigen wenigen Stöcken anzufangen. Die Bienen waren schon seit einer Weile unterwegs, sie sammelten Pollen, sobald die Sonne schien.

Normalerweise mochte Tom das. Er war immer gern mit hinausgefahren. Jimmy und ich säuberten im Laufe des Winters mehrmals die Fluglöcher, davon abgesehen ließen wir die Bienen aber in Ruhe, weshalb es immer etwas Besonderes war, wenn wir zum ersten Mal draußen bei den Bienenstöcken waren. Die Bienen nach so langer Zeit zu sehen, ihr vertrautes Summen zu hören war die reinste Freude, ein Fest der Wiedervereinigung.

»Ich bräuchte Hilfe mit den Bodenbrettern«, sagte ich.

Ich hatte mich schon angezogen, stand in Overall und Gummistiefeln mitten im Zimmer und konnte die Füße kaum stillhalten, so sehr freute ich mich. Den Schleier hatte ich nach oben geschlagen, um besser sehen zu können. Ich hatte auch eine zusätzliche Ausrüstung dabei und hielt sie mit beiden Händen vor mich.

»Jetzt schon?«, fragte er, ohne aufzusehen. Er war zähflüssiger als Honig, klebte immer nur bleichgesichtig vor seinem Computer, die Finger auf der Tastatur.

Plötzlich merkte ich, dass ich den Anzug und den Imkerhut etwas zu weit vorstreckte, als wollte ich ihm ein Geschenk überreichen, das er nicht haben wollte. Ich klemmte mir beides unter den einen Arm und stemmte die andere Hand in die Seite.

»Sonst fault es unter ihnen. Das weißt du doch. Niemand wohnt gern im Dreck. Wobei, Studentenbuden gelten ja auch nicht gerade als sauber …«

Ich versuchte zu lachen, aber es klang eher wie ein Quaken. Außerdem bildete mein Ellbogen einen seltsamen Winkel, ich nahm die Hand wieder von der Hüfte. Sie hing schlaff herunter, fühlte sich leer an, und ich kratzte mich an der Stirn, damit sie etwas zu tun hatte.

»Aber sonst wartest du doch immer noch ein paar Wochen?«, sagte er.

Jetzt sah er auf. Seine schönen Augen starrten mich an.

»Nein, tue ich nicht.«

»Papa …«

Er sah mir an, dass ich log, hatte eine Augenbraue hochgezogen und einen spöttischen Zug um den Mund.

»Es ist warm genug«, fügte ich schnell hinzu. »Und wir werden uns nur ein paar wenige vornehmen. Um den Rest brauchst du dich nicht zu kümmern. Das übernehme ich dann nächste Woche mit Jimmy und Rick.«

Ich versuchte noch einmal, ihm den Overall und den Imkerhut zu reichen, aber er nahm sie nicht an. Er machte keinerlei Anstalten, sich zu bewegen, deutete nur mit dem Kopf auf seinen Computer.

»Ich schreibe gerade eine Hausarbeit.«

»Hast du denn keine Ferien?«

Ich legte die Ausrüstung vor ihm auf den Tisch. Versuchte, ihn entschlossen anzublicken, mit meinen Augen auszudrücken, dass er sich doch bitte bequemen möge, mir zu helfen, wenn er es schon endlich einmal für richtig befunden hatte, bei seinen Eltern vorbeizuschauen.

»Wir sehen uns in fünf Minuten draußen.«

Wir besaßen 324 Magazinbeuten. 324 Königinnen mit ihren Bienenvölkern, die an unterschiedlichen Stellen in der Umgebung verteilt waren, selten mehr als 20 an einem Ort. Hätten wir in einem anderen Staat gelebt, hätten wir bis zu 70 Bienenstöcke an einem Ort aufstellen können. Ich kannte einen Imker in Montana mit nahezu hundert Magazinbeuten an einem Ort. Die Gegend dort war so fruchtbar, dass die Bienen nur wenige Meter fliegen mussten, schon hatten sie alles gefunden, was sie brauchten.

Hier dagegen, in Ohio, war die Landwirtschaft zu einseitig. Meilenweit nur Mais und Sojabohnen. Zu wenig Zugang zu Nektar, nicht genug, als dass die Bienen davon leben konnten.

Über die Jahre hinweg hatte Emma all unsere Bienenstöcke in Pastellfarben gestrichen. Rosa, Türkis, Hellgelb und ein grünlicher Pistazienton, der so künstlich aussah wie Marshmallows mit Farbstoff. Sie fand, das sähe lustig aus. Meinetwegen hätten sie ruhig weiß bleiben können, so wie vorher. Mein Vater hatte sie stets weiß gestrichen, genau wie sein Vater und Großvater. Sie hatten immer gesagt, die inneren Werte zählten – das Wichtigste war das, was sich in den Bienenstöcken befand. Emma war jedoch der Meinung, den Bienen gefiele es so, ein bisschen persönlicher. Wer weiß, vielleicht hatte sie recht. Und ich muss gestehen, dass mir beim Anblick der bunten, in der Natur verstreuten Kästen, die aussahen, als hätte ein Riese seine Süßigkeiten verloren, immer warm ums Herz wurde.

Wir begannen auf der Wiese zwischen dem Hof von Menton, der Hauptstraße und dem schmalen Alabast River, der trotz seines klangvollen Namens hier im Süden nicht viel breiter war als ein Bach. An dieser Stelle hatte ich die meisten Magazinbeuten an einem Ort versammelt. 26 Bienenvölker. Wir begannen mit einer quietschrosa Beute. Es war gut, zu zweit zu sein. Tom hob den Bienenstock an, während ich das Brett austauschte. Ich zog das alte heraus, das voller Abfall und toter Bienen aus dem Winter war, und setzte ein neues, sauberes ein. Letztes Jahr hatten wir in moderne Gitterböden mit Schublade investiert. Sie waren teuer gewesen, aber es hatte sich gelohnt.

So war die Belüftung besser und die Reinigung leichter. Die meisten Imker, die in derselben Größenordnung produzierten wie wir, verzichteten auf einen so frühen Wechsel der Beutenbretter, aber ich wollte keine Kompromisse eingehen. Meinen Bienen sollte es gut gehen.

Im Laufe des Winters hatte sich viel Dreck auf dem Beutenboden gesammelt, ansonsten sah alles gut aus. Wir hatten Glück, die Bienen verhielten sich ruhig, nur wenige flogen hinaus. Es war schön, Tom hier draußen zu sehen. Er arbeitete schnell und routiniert, war wieder in seinem Element. Ein paarmal wollte er beim Heben den Rücken beugen, aber davon hielt ich ihn ab.

»Du musst in die Knie gehen.«

Ich kannte mehrere Leute, die sich wegen der falschen Hebetechnik etwas ausgerenkt oder sogar einen Bandscheibenvorfall erlitten hatten. Und Toms Rücken sollte schließlich noch viele Jahre durchhalten und tausende Bienenstöcke heben.

Wir arbeiteten bis zur Mittagspause durch. Währenddessen redeten wir nicht viel, nur ein paar Worte, und nur über die Arbeit. »Hier musst du anpacken, ja, genau, gut.« Ich wartete die ganze Zeit darauf, dass er um eine Pause bat, aber er tat es nicht, und als es fast halb zwölf war, knurrte mein Magen so laut, dass ich am Ende selbst den Vorschlag machen musste, einen Imbiss zu nehmen.

Wir setzten uns auf die Ladefläche des Wagens und ließen die Beine baumeln. Ich hatte eine Thermoskanne mit Kaffee und ein paar Brote mitgenommen. Das Brot hatte die Erdnussbutter aufgesogen wie ein Schwamm, und die Scheiben waren klitschig, aber es war erstaunlich, wie gut alles schmeckte, wenn man an der frischen Luft gearbeitet hatte. Tom sagte nichts. Mein Sohn war eindeutig kein großes Konversationstalent. Aber wenn er es so wollte, war es für mich in Ordnung. Ich hatte ihn hierher bewegt, das war das Wichtigste. Ich hoffte nur, er genoss es auch ein bisschen und erlebte dieselbe Wiedersehensfreude.

Als ich längst fertig war und vom Wagen sprang, um weiterzuarbeiten, mühte er sich immer noch mit seinem Brot ab. Nahm kleine Mäusebissen und starrte eingehend die Scheibe an, als würde etwas mit ihr nicht stimmen.

Und dann rückte er plötzlich damit heraus.

»Ich habe einen sehr guten Englischdozenten.«

»Aha«, sagte ich und hielt inne. Ich versuchte zu lächeln, aber irgendetwas daran, wie er diesen ganz normalen Satz sagte, versetzte mir einen Stich. »Das ist gut.«

Er nahm einen neuen Bissen und kaute und kaute, als hätte er das Schlucken verlernt.

»Er hat mich ermutigt, mehr zu schreiben.«

»Mehr? Mehr von was denn?«

»Er sagt, dass ...«

Er verstummte. Legte das Brot beiseite und griff nach der Kaffeetasse, trank jedoch nicht. Erst jetzt fiel mir auf, dass seine Hand ein bisschen zitterte.

»Er sagt, dass ich eine eigene Stimme habe.«

Eine Stimme? Was für ein Akademikergeschwätz. Ich grinste, so etwas konnte ich einfach nicht ernst nehmen.

»Das hätte ich dir schon lange sagen können«, erwiderte ich. »Besonders, als du klein warst. Laut und durchdringend war sie. Zum Glück kamst du irgendwann in den Stimmbruch.«

Er lächelte nicht, saß nur schweigend da.

Mir verging das Grinsen auch wieder. Er wollte mir irgendetwas mitteilen, daran bestand kein Zweifel. Irgendwas hatte er auf dem Herzen, und ich hatte den starken Verdacht, dass es etwas war, das ich auf keinen Fall hören wollte.

»Es ist schön, dass deine Lehrer so zufrieden mit dir sind«, sagte ich schließlich.

»Er hat mich wirklich sehr dazu ermutigt, mehr zu schreiben«, sagte Tom leise und mit Betonung auf *sehr*. »Er sagt, dass ich mich auf Stipendien bewerben könnte, und dann vielleicht sogar weitermachen.«

»Weitermachen?«

»Ja, promovieren.«

Meine Brust wurde eng, mein Hals schwoll zu, ich hatte einen penetranten Geschmack von Erdnussbutter im Mund, konnte sie aber nicht herunterschlucken.

»Aha, sagt er das.«

Tom nickte.

Ich versuchte, ruhig zu klingen. »Machen das denn viele, dieses Promovieren?«

Er starrte nur auf seine Schuhe, ohne zu antworten.

»Ich bin nicht mehr der Jüngste«, setzte ich hinzu. »Und die Arbeit erledigt sich nicht gerade von selbst.«

»Nein, das weiß ich«, sagte er leise. »Aber du hast doch Hilfe?«

»Jimmy und Rick kommen und gehen, wann sie wollen. Es ist nun mal nicht ihr Hof. Außerdem ist ihre Hilfe nicht umsonst.«

Ich machte mich wieder an die Arbeit, warf die schmutzigen Beutenböden aufs Auto, das Holz prallte mit einem dumpfen Scheppern auf das Blech der Ladefläche. Wir hatten schon früher von Toms Lehrern gehört, dass er gut mit Sprache umgehen konnte. Er hatte immer die beste Note in Englisch gehabt und war sicher nicht auf den Kopf gefallen. Aber an Englisch hatten wir nicht unbedingt gedacht, als wir ihn aufs College schickten. Betriebswirtschaft und Marketing, solche Sachen sollte er lernen, um den Hof zukunftsfähig zu machen. Expandieren, modernisieren, effizienter werden. Und vielleicht auch eine ordentliche Homepage gestalten. So etwas sollte er lernen. Deshalb hatten wir jeden Cent für die Studiengebühren gespart, seit er ein kleiner Knopf war. Nicht einen richtigen Urlaub hatten wir uns gegönnt. Alle Ersparnisse waren auf das Collegekonto gewandert.

Was wusste dieser Englischdozent schon? Sicher saß er dort in irgendeinem staubigen Büro voller Bücher, die er gar nicht gelesen hatte, schlürfte Tee und trimmte seinen Bart mit einer alten Nähschere. Und währenddessen verteilte er schlaue Ratschläge an junge Männer, die zufällig ganz gut schreiben konnten, ohne auch nur im Ansatz zu verstehen, was er damit auslöste.

»Lass uns später darüber sprechen«, sagte ich.

Wir führten dieses Gespräch nie. Er reiste ab, bevor wir die Zeit dafür fanden. Ich entschied für mich, dass »später« in weiter Ferne war. Vielleicht hatte er dasselbe gedacht. Oder Emma. Denn die restliche Zeit, die er bei uns war, waren wir nie allein im Zimmer. Emma scharwenzelte gurrend um uns herum wie eine wild gewordene

Taube, deckte den Tisch, räumte ihn wieder ab und redete ununterbrochen über nichts und wieder nichts.

In diesen Tagen war ich unglaublich müde, ständig nickte ich auf dem Sofa ein. Ich hatte eine lange Liste an Dingen, die zu erledigen waren, alte Bienenstöcke, die ich in Stand setzen, Bestellungen, die ich bearbeiten musste. Aber ich konnte mich nicht aufraffen. Ich fühlte mich, als hätte ich Fieber und überprüfte es sogar, schlich mich ins Bad und holte ein Thermometer aus dem Arzneischrank. Es war hellblau mit Bärchen drauf, Emma hatte es für Tom gekauft, als er klein war. Es würde besonders schnell messen, hieß es in der Gebrauchsanweisung, damit man das Kind nicht länger als notwendig quälte. Dafür musste man es allerdings ziemlich lange drinlassen. Irgendwo im Haus hörte ich Emmas Gurren und Tom, der ab und zu etwas antwortete. Und ich stand da mit der kalten Metallspitze im Hintern, die sicher schon hundertmal im Po meines Sohnes gesteckt hatte, denn Emma war mit dem Fiebermessen nicht zimperlich gewesen, und spürte erneut, wie mir die Augen zufielen, während ich auf das digitale Signal wartete, das mir schließlich sagte, mit meinem Körper sei alles in Ordnung, und dabei hatte ich das Gefühl, einen Marathon gelaufen zu sein.

Obwohl sich mein Verdacht auf Fieber zerstreut hatte, legte ich mich ins Bett, ohne den anderen Bescheid zu sagen. Sollten sie nur ungestört weiterplaudern.

Das Gurren ging pausenlos weiter, bis er im Bus saß. Tom klebte an der Heckscheibe, und die Erleichterung stand ihm ins Gesicht geschrieben. Erst in diesem Moment verstummte Emma endlich.

Und so standen wir wieder da und winkten wie batteriebetrieben, unsere Hände wedelten mechanisch auf und ab, auf und ab, völlig synchron. Emmas Augen wurden feucht, vielleicht war es auch nur der Wind, aber sie weinte zum Glück nicht.

Der Bus bog in die Straße ein, Toms Gesicht leuchtete uns blass entgegen und wurde kleiner und kleiner. Ich musste an ein anderes Mal denken, als er im Bus weggefahren war. Auch damals war ihm die Erleichterung deutlich anzusehen gewesen, aber auch die Angst.

Ich schüttelte den Kopf, wollte meine Erinnerung vertreiben.

Endlich war der Bus um die Ecke verschwunden. Wir ließen gleichzeitig die Hände sinken, blieben stehen und sahen zu, wie der Bus als winziger Punkt verschwand, als wären wir so dumm zu hoffen, er käme plötzlich wieder zurück.

»Ja, ja«, sagte Emma. »Das war es.«

»Das war es? Wie meinst du das?«

»Sie wurden uns nur geliehen.« Sie wischte sich eine Träne weg, die ihr der Wind ins linke Auge getrieben hatte.

Ich hatte große Lust, etwas Barsches zu erwidern, ließ es jedoch bleiben. Ich hatte großen Respekt vor dieser Träne. Also drehte ich mich um und ging zum Auto.

Sie schlurfte mit kleinen Schritten hinter mir her. Anscheinend war auch sie geschrumpft, genau wie ihr Sohn.

Ich setzte mich hinter das Steuer, schaffte es jedoch nicht, den Motor zu starten. Meine Hand war so schlaff. Als wäre sie müde von all dem Winken.

Emma schnallte sich an, sie nahm es immer so genau damit, und wandte sich zu mir.

»Willst du nicht fahren?«

Ich wollte die Hand heben, aber auch das konnte ich nicht.

»Hat er mit dir darüber gesprochen?«, fragte ich das Lenkrad.

»Was?«, sagte Emma.

»Über seine Pläne? Für die Zukunft?«

Sie schwieg eine Weile, ehe sie leise antwortete.

»Du weißt doch, wie sehr er das Schreiben liebt. Das war schon immer so.«

»Ich liebe Star Wars. Deswegen bin ich noch lange kein Jedi geworden.«

»Er scheint aber ein besonderes Talent zu haben.«

»Heißt das, du unterstützt ihn? Du hältst seinen Plan für klug? Einen guten Weg?« Jetzt drehte ich mich zu ihr, richtete mich auf, versuchte, unnachgiebig auszusehen.

»Ich will doch nur, dass er glücklich ist«, erwiderte sie kleinlaut.

»Soso, das willst du.«

»Ja. Das will ich.«

»Denkst du denn nicht daran, dass er auch von irgendetwas leben muss? Und eines Tages Geld verdienen?«

»Sein Dozent hat gesagt, dass er was kann.«

Sie sah mich mit ihren großen, offenen Augen an, vollkommen ehrlich, sie war keineswegs wütend, nur fest davon überzeugt, dass sie recht hatte.

Ich umklammerte den Zündschlüssel so fest, dass es wehtat, aber ich konnte nicht loslassen.

»Und was soll dann deiner Meinung nach aus dem Hof werden?«

Sie schwieg. Lange. Sah weg, nestelte an ihrem Ehering herum, zog ihn über das Fingergelenk. Auf der Haut kam ein weißer Schatten zum Vorschein, die Spur des Rings, der dort 25 Jahre lang gesessen hatte.

»Nellie hat letzte Woche angerufen«, sagte sie schließlich in die Luft hinein. »In Gulf Harbors haben sie jetzt Sommer. Das Meer ist zwanzig Grad warm.«

Da war es wieder. Gulf Harbors. Sie sagte es so leicht dahin, aber mich traf der Name dieses Wohngebiets jedes Mal schwer wie ein Ziegelstein.

Nellie und Rob waren Freunde aus Kindheitstagen, die es leider nach Florida verschlagen hatte. Seither lag Emma mir andauernd damit in den Ohren, dass wir diese sogenannte Oase außerhalb von Tampa besuchen sollten, um dann gleich selbst dort hinzuziehen. Ständig kam sie mit neuen Anzeigen für Häuser in Gulf Harbors. Unglaublich billig. Schon länger im Angebot. Wir könnten ein Schnäppchen machen. Neu renoviert mit Bootsanleger und Swimmingpool, gemeinschaftlicher Strand und Tennisplatz – als bräuchten wir so etwas –, ja, sogar Delphine gebe es dort, und Seekühe, die direkt vor dem Haus herumplantschten. Seekühe? Die brauchte man doch erst recht nicht. Hässliche Viecher.

Nellie und Rob prahlten gewaltig. Sie hätten massenhaft neue Freunde gefunden, sagten sie, und erwähnten sie immerzu beiläufig: Laurie, Mark, Randy, Steven. Es mangele ihnen an nichts. Jede Woche würden sie zum Gemeinschaftsbrunch im Versammlungshaus gehen, ein ganzes Büfett für nur fünf Dollar mit Pfannkuchen, Speck, Eiern und Bratkartoffeln! Und jetzt versuchten sie, auch uns dorthin zu locken, und nicht nur uns, sie bearbeiteten alle, anscheinend wollten sie ganz Autumn nach Süden umsiedeln. Aber ich wusste, was eigentlich dahintersteckte. Sie fühlten sich einsam an ihrem Kanal. Es war langweilig, so weit weg von den Freunden und der Familie zu leben und alles zurückzulassen, was einen das ganze Leben lang umgeben hatte. Davon abgesehen war der Sommer in Florida die reinste Hölle, unerträglich heiß und schwül, und obendrein wüteten mehrmals am Tag wahnsinnige Stürme. Der Winter war sicher ganz in Ordnung, mit angenehmen Temperaturen und wenig Regen, aber wer wollte schon ohne einen richtigen Winter leben? Ohne Schnee und Kälte? All das hatte ich Emma schon oft gesagt, aber sie ließ einfach nicht locker. Sie meinte, wir müssten endlich anfangen, ordentliche Pläne zu schmieden, Pläne für das Alter. Sie verstand nicht, dass ich genau das getan hatte. Ich wollte etwas Sinnvolles hinterlassen, ein Erbe, anstatt in einem halbverfallenen Ferienhaus zu sitzen, das man unmöglich weiterverkaufen konnte. Denn so war es, ich hatte ein wenig darüber gelesen, wie es zurzeit um den Immobilienmarkt in Florida bestellt war. Hatte recherchiert. Es gab triftige Gründe dafür, warum diese Häuser nicht schon nach der ersten Besichtigung verkauft wurden.

Ich hatte einen anderen Plan. Neue Investitionen. Mehr Magazinbeuten, viel mehr. Trucks. Trailer. Festangestellte. Verträge mit anderen Höfen in Kalifornien, Georgia, vielleicht auch Florida.

Und Tom.

Es war ein guter Plan, realistisch, nüchtern. Und Tom würde sowieso schneller, als er denken konnte, mit Frau und Kind dasitzen. Dann wäre es umso besser, dass sein Vater vorausschauend gehandelt hatte, der Hof in einem guten Zustand und der Betrieb an die moderne Welt angepasst war, dass Tom hier lange genug gearbeitet hatte, um diese Kunst in- und auswendig zu beherrschen, und vielleicht sogar noch Rücklagen vorhanden waren. Es waren unsichere Zeiten. Ich sorgte für Sicherheit. Ich allein sorgte für die Sicherheit meiner Familie. Für eine Zukunft. Doch das schien niemand zu begreifen.

Jetzt wurde ich müde, wenn ich nur an meinen Plan dachte. Früher hatte mir das stets neue Kräfte verliehen, um Überstunden zu machen, jetzt hatte ich den Eindruck, der vor mir liegende Weg wäre so lang und unwegsam wie ein schlammiger Feldweg im Herbstregen.

Ich konnte Emma nicht antworten, steckte nur den Schlüssel ins Zündschloss, er war schweißnass und hatte einen roten Abdruck auf meiner Hand hinterlassen. Ich musste jetzt fahren, bevor ich noch einschlief. Sie sah nicht auf, hatte den Ehering abgenommen und rieb sich den weißen Schatten darunter. Wir beide konnten nichts voreinander verbergen, und trotzdem wollte sie unsere ganze Existenz aufs Spiel setzen.

tao

Machst du das Licht aus?« Kuan drehte sich zu mir, bleich vor Müdigkeit.

»Ich muss das nur noch schnell zu Ende lesen.«

Ich konzentrierte mich weiter auf das alte Buch über Frühpädagogik. Meine Augen brannten, aber noch wollte ich nicht schlafen. Wollte nicht schlafen, wollte nicht aufwachen und in einen neuen Tag hinausmüssen.

Er seufzte und zog sich die Decke über den Kopf. Eine Minute verging. Zwei.

»Tao … bitte. Wir müssen schon in sechs Stunden wieder aufstehen.«

Ich antwortete nicht, tat lediglich, worum er mich gebeten hatte.

»Nacht«, sagte er leise.

»Gute Nacht«, erwiderte ich und drehte mich zur Wand.

Als der Schlaf mich gerade überkommen wollte, spürte ich, wie seine Hände unter mein Oberteil wanderten. Ich reagierte instinktiv darauf, ich konnte nicht anders, als seine Liebkosungen zu genießen, und versuchte trotzdem, ihn wegzuschieben. Hatte er nicht gesagt, er sei müde?

Warum hatte er mich gebeten, das Licht auszuknipsen, wenn er eigentlich darauf aus war?

Die Hände verschwanden wieder, aber sein Atem klang immer noch leicht. Dann räusperte er sich, als brenne ihm etwas auf der Seele. »Hast du … den Tag gut überstanden?«

»Wie meinst du das?«

»Du hast vergessen, welches Datum wir haben.«

»Nein, das habe ich nicht vergessen.«

Ich sagte nicht, dass ich gehofft hatte, *er* hätte es vergessen, weil ich ein solches Gespräch vermeiden wollte.

Er strich mir übers Haar, jetzt behutsam, nicht mehr wie ein Annäherungsversuch. »Ist denn alles in Ordnung?«

»Ja, es wird jedes Jahr ein bisschen leichter«, antwortete ich, weil er das sicher hören wollte.

»Gut.«

Er fuhr noch einmal mit der Hand über mein Haar, dann zog er sie unter seine eigene Decke zurück.

Die Matratze wogte leicht, als er sich drehte, vielleicht auf den Bauch, so schlief er am liebsten. Dann murmelte er noch einmal gute Nacht, es klang, als hätte er sein Gesicht von mir abgewandt. Kurz darauf schlief er tief und fest.

Ich aber blieb wach.

Fünf Jahre.

Fünf Jahre war es her, dass meine Mutter uns verlassen hatte.

Nein, sie hatte uns nicht verlassen. Sie war weggeschickt worden.

Mein Vater starb, als ich neunzehn war. Er war nur

knapp über fünfzig gewesen, sein Körper jedoch viel älter. Schultern, Rücken, Gelenke, alles war von der jahrelangen Arbeit in den Bäumen zerschlissen gewesen. Mit jedem Tag hatte er sich schwerfälliger bewegt. Vielleicht zirkulierte auch sein Blut schlechter, denn als er eines Tages einen Splitter in der Hand hatte, wollte die Wunde nicht mehr heilen.

Er hatte zu lange damit gewartet, Hilfe in Anspruch zu nehmen, was typisch für ihn war. Und als der Arzt endlich die Erlaubnis erhielt, ihn mit Antibiotikum zu behandeln, obwohl er eigentlich schon zu alt war für eine so teure Behandlung, war es längst zu spät.

Meine Mutter kam erstaunlich schnell über seinen Tod hinweg. Sie sagte die richtigen Sachen, wirkte optimistisch. Sie sei ja noch jung, konnte sie zum Beispiel sagen, und habe ein langes Leben vor sich. Vielleicht würde sie sogar eines Tages einen neuen Mann kennenlernen.

Doch das waren nur leere Worte. In ihrem Blick war Wind, sie war unmöglich zu erhaschen, flatterte davon wie die Kronblätter, wenn die Blütezeit vorbei war.

Bald schaffte sie es nicht mehr, zur Arbeit auf das Feld zu gehen, und war nur noch zu Hause. Sie war immer schon mager gewesen, jetzt aß sie fast nichts mehr. Sie begann zu schniefen, zu husten, wurde immer kraftloser und erkrankte kurz darauf an einer Lungenentzündung.

Eines Tages öffnete sie nicht die Tür, als ich sie besuchen wollte. Ich klingelte mehrmals, doch nichts geschah. Mit meinem Ersatzschlüssel schloss ich auf.

Die Wohnung war sauber und ordentlich, nur die alten Möbel, die zur festen Einrichtung gehörten, waren noch da. Ihr persönlicher Besitz war komplett verschwunden; das Sofakissen, das sie sich immer in den Rücken schob, der Bonsai, den sie so unermüdlich pflegte, die bestickte Decke, die sie einmal in der Mitte faltete und über ihre Beine breitete, als würde sie dort ganz besonders frieren.

Am selben Nachmittag erfuhr ich, dass man sie nach Norden geschickt hatte. Ihr ginge es gut, versicherte der Gesundheitsbeauftragte des Bezirks und gab mir den Namen ihres Pflegeheims. Man zeigte mir einen Werbefilm von dort. Alles wirkte hell und schön, große Zimmer, hohe Decken, lächelndes Personal. Doch als ich um die Erlaubnis bat, sie zu besuchen, sagte man mir, ich müsse warten, bis die Blütezeit vorbei sei.

Einige Wochen später erhielt ich die Nachricht, sie sei von uns gegangen.

Von uns gegangen. Diese Worte hatten sie verwendet, als wäre sie aus dem Bett aufgestanden und einfach gegangen. Ich versuchte, mir nicht vorzustellen, wie ihre letzten Tage gewesen waren. Rasselnder Husten, Fieber, Angst und Einsamkeit. So sterben zu müssen.

Aber ich hätte nichts tun können. Kuan sagte das auch. Es gab nichts, was ich hätte tun können. Er sagte es wieder und wieder, und ich sagte es mir selbst.

Bis ich es auch fast glaubte.

William

Edmund?«

»Guten Tag, Vater.«

Er stand allein an meinem Bett. Ich hatte keine Ahnung, wie lange er sich schon im Zimmer aufhielt. Er hatte sich verändert, war größer geworden, und die Nase – als ich sie zuletzt gesehen hatte, war sie viel zu groß gewesen. Nasen wachsen bei jungen Menschen bekanntlich gern in ihrem eigenen Tempo, nehmen Reißaus vor dem übrigen Körper, aber jetzt harmonierte sie mit seinem Gesicht, das sich der Nase angepasst hatte. Er war hübsch geworden, eine Schönheit, die immer schon in ihm geschlummert hatte, und elegant, aber ein wenig nachlässig gekleidet. Ein flaschengrüner Schal hing locker um seinen Hals, das Stirnhaar war ein wenig zu lang, was ihm gut stand, doch konnte man ihm nur schwer in die Augen sehen. Noch dazu war er blass. Schlief er nicht genug?

Edmund, mein einziger Sohn. *Thildas* einziger Sohn. Es hatte nicht lange gedauert, bis ich verstanden hatte, dass er ganz und gar ihr gehörte. Seit dem Tag unseres Kennenlernens hatte sie immer wieder angedeutet, dass ihr größter Wunsch ein Junge sei, und als er im Jahr darauf zu uns kam, war ihre Lebensaufgabe erfüllt. Dorothea, Charlotte und die fünf anderen Mädchen waren lediglich seine Schatten. Bis zu einem gewissen Grad konnte ich Thilda verstehen. Meine sieben Töchter bereiteten mir fortwährend Kopfschmerzen. Ihr unablässiges Kreischen, Jauchzen, Heulen, Kichern, Schlurfen, Trampeln, Husten, Schniefen und nicht zuletzt Plappern – wie diese kleinen Mädchen reden konnten, ihr Mundwerk stand keine Sekunde still! –, all diese Geräusche verfolgten mich von morgens bis abends, und nicht nur das, auch nachts waren sie da. Es gab immer ein Kind, das weinte, weil es schlecht geträumt hatte, immer eines, das nur mit einem Nachthemd bekleidet zu uns hereintapste, die langen Unterhosen abgestreift, sodass die nackten Füße auf den kalten Bodendielen platschten, und dann mit irgendeinem Geräusch in unser Bett kletterte, einem bitterlichen Geheule oder einer nahezu aggressiven Forderung danach, sich zwischen uns ins Bett drängen zu dürfen.

Anscheinend konnten sie unmöglich ruhig sein, und deshalb konnte ich unmöglich arbeiten, unmöglich schreiben. Denn ich hatte es wirklich versucht, hatte nicht sofort aufgegeben, wie Rahm glaubte. Es nützte aber nichts. Selbst wenn ich meine Tür mit der klaren Ansage an die ganze Familie schloss, dass Vater jetzt arbeiten müsse und sie Rücksicht nehmen sollten, selbst wenn ich mir ein Tuch um den Kopf band oder Watte in die Ohren stopfte, um dem Lärm zu entfliehen – selbst dann hörte ich sie noch. Es half nichts. Im Laufe der Jahre blieb mir immer weniger Zeit für meine eigene Forschung, und bald war ich nur noch ein einfacher Händler, der schuftete, um diese nimmersatten Mädchenmäuler zu stopfen, sie waren ein Fass ohne Boden. Der aussichtsreiche Naturforscher musste einem abgearbeiteten, alternden Saatguthändler weichen, der müde Füße hatte von den vielen Stunden hinter der Theke und raue Stimmbänder von der ewigen Konversation mit den Kunden, und dessen Finger immer nur das Geld zählten, das doch nie reichte. Und all dies nur wegen des Lärms, den die Mädchen veranstalteten.

Edmund stand vollkommen still, wie festgefroren. Früher war sein Körper wie die See an einer Landzunge gewesen, Winde und Wellen trafen zusammen und kämpften chaotisch und regellos gegeneinander. Seine Unruhe war nicht allein körperlich, sie saß auch in seiner Seele. Sein Inneres gehorchte keinem System. Im einen Moment konnte er sich von seiner besten Seite zeigen und aus reiner Freundlichkeit einen Eimer Wasser holen, nur um ihn im nächsten Moment auf dem Boden auszugießen, weil er, so begründete er es selbst, einen Binnensee erschaffen wollte. Zurechtweisungen zeigten keine Wirkung bei ihm. Wenn wir die Stimme erhoben, lachte er nur und rannte davon. Immer in Bewegung, so hatte ich ihn in Erinnerung, die kleinen Füße hielten nie still, flohen stets vor irgendeiner Katastrophe, die er selbst angerichtet hatte, dem verschütteten Eimer, einer zerschmetterten Porzellantasse, einer aufgeknüpften Strickarbeit. Wenn so etwas passierte, und das war nicht selten der Fall, blieb mir keine andere Wahl, als ihn zu fangen und festzuhalten, während ich zugleich den Gürtel aus meiner Hose zog. Ich hasste das zischende Geräusch von Leder auf Stoff und das Klirren, wenn die Schnalle auf die Dielen traf. Die Sorge über das, was kommen würde, war beinahe schlimmer als die eigentlichen Schläge. Das Leder in der Hand und die Gürtelschnalle, die ich umklammerte, denn ich schlug nie mit dieser Seite, nicht wie mein Vater, der die Schnalle stets durch die Luft schnellen ließ, bis sie brutal meinen Rücken traf. Ich dagegen umklammerte sie krampfhaft, bis sie sich in meine Handfläche bohrte und rote Abdrücke hinterließ. Dann das Leder auf dem nackten Rücken, die roten Striemen, die auf der weißen Haut glühten wie verschlungene Lianen. Bei den meisten anderen Kindern führten diese roten Gewächse irgendwann zu einer Mäßigung, die Erinnerung an die Strafe blieb im Bewusstsein haften, sodass sie denselben Fehler möglichst nicht noch einmal machten. Nicht so bei Edmund. Es war, als würde er einfach nicht begreifen, dass seine Dreistigkeit immer wieder zum Gürtel führte, dass es einen Zusammenhang zwischen dem Binnensee auf dem Küchenfußboden und den anschließenden Schlägen gab. Trotzdem lag es in meiner Verantwortung, konsequent zu bleiben, und ich hoffte, dass er tief in seinem Inneren auch meine Liebe spürte und verstand, dass mir keine andere Wahl blieb. Ich züchtigte, ergo war ich ein Vater. Ich schlug meinen Sohn, während mir die Tränen den Hals zuschnürten, während mir der Schweiß hinabrann und meine Hände zitterten, ich wollte die Unruhe aus ihm hinausprügeln, doch es half nichts.

»Wo sind die anderen?«, fragte ich, denn im Haus war es plötzlich seltsam still.

Ich bereute meine Frage sofort. Ich hätte nicht nach

den anderen fragen sollen, jetzt, da er endlich zu mir gekommen war. Jetzt, da wir endlich zu zweit waren.

Edmund wankte ein wenig, als hätte er Gleichgewichtsprobleme und wüsste nicht, auf welchem Bein er stehen sollte.

»In der Kirche.«

Also war Sonntag.

Ich versuchte, mich im Bett aufzusetzen, und hob dabei die Decke ein wenig an. Meine eigenen Dünste schlugen mir entgegen. Wann hatte ich mich zuletzt gewaschen?

Falls er den Geruch bemerkt hatte, ließ er es sich jedenfalls nicht anmerken.

»Und du?«, fragte ich. »Warum bist du zu Hause geblieben?«

Es klang wie ein Vorwurf, dabei wäre ein Dank angebracht gewesen.

Er sah mich nicht an, starrte über das Bettgestell hinweg an die Wand.

»Ich ... ich hatte gehofft, mit dir reden zu können«, stammelte er schließlich.

Ich nickte bedächtig und bemühte mich, mir nicht ansehen zu lassen, wie überglücklich mich sein Besuch machte.

»Das ist gut«, sagte ich. »Ich freue mich sehr, dich zu sehen ... und habe schon lange auf deinen Besuch gehofft.«

Ich versuchte, gerade zu sitzen, aber es war, als könnte mein Skelett mich nicht mehr aufrecht halten, also stützte ich mich auf ein Kissen. Allein das war schon Kraftanstrengung genug. Ich widerstand meinem Drang, mir die Decke bis über die Schultern zu ziehen, um meinen Gestank einzusperren. Ich ertrug meine eigenen Körpergerüche selbst kaum. Wieso war mir nicht früher aufgefallen, wie dringend ich ein Bad gebraucht hätte? Ich führte die Hand zum Gesicht. Meine Bartstoppeln, die nie besonders dicht und schnell gewachsen waren, hatten sich inzwischen zu einem mehrere Zentimeter langen Gestrüpp entwickelt. Ich musste aussehen wie ein Waldschrat.

Edmund starrte auf meine Zehen, die unter der Decke hervorragten. Meine Fußnägel waren lang und schmutzig. Hastig zog ich sie wieder zurück.

»Edmund. Nun erzähl mal. Was beschäftigt dich?«

Er sah mich nicht an, brachte sein Anliegen aber trotzdem ohne Scheu vor.

»Kann Vater vielleicht bald aufstehen?«

Mir stieg die Schamesröte ins Gesicht. Thilda hatte mich darum gebeten. Die Mädchen hatten mich gebeten. Der Doktor. Edmund jedoch noch nie …

»Ich weiß es so sehr zu schätzen, dass du kommst«, sagte ich mit zitternder Stimme. »Ich möchte es dir so gern erklären.«

»Erklären?« Er fuhr sich mit der Hand durchs Haar. »Ich brauche keine Erklärung. Ich bitte dich nur darum, aufzustehen.«

Was sollte ich sagen? Was erwartete er von mir? Ich klopfte einladend mit der Hand auf die Matratze. »Setz dich her, Edmund. Lass uns ein bisschen reden. Was hast du in letzter Zeit so getrieben?«

Er rührte sich nicht vom Fleck.

»Erzähl mir, wie du mit dem Lernen vorankommst. Bei deinem klugen Kopf ist es dir sicher ein Leichtes?«

Im Herbst sollte er auf eine Schule in der Hauptstadt wechseln und bereitete sich darauf vor. Wir hatten emsig für seine Schulausbildung gespart, und jetzt war es bald so weit. Plötzlich fuhr mir der Schreck in die Glieder. Es war doch hoffentlich nicht so, dass Thilda an das Schulgeld ging, während ich darniederlag?

»Ich nehme doch an, es hat sich nichts geändert? Die Schulpläne stehen noch?«, fragte ich schnell.

Er nickte ohne große Begeisterung. »Ich lerne, wenn ich die Inspiration dafür habe.«

»Gut. Inspiration ist ein guter Antrieb.«

Ich streckte die Hand nach ihm aus. »Komm, setz dich doch. Lass uns ein ordentliches Gespräch führen. Das haben wir lange nicht mehr getan.«

Aber er blieb einfach stehen. »Ich muss … wieder nach unten.«

»Nur ein paar Minuten?« Ich versuchte, möglichst unbekümmert zu klingen.

Er warf den Kopf zur Seite, um sich von den Stirnfransen zu befreien, und sah mich nicht an. »Ich muss lernen.«

Ich war froh, dass er so fleißig war, aber dennoch, etwas mehr Zeit konnte er doch wohl opfern, jetzt, da er endlich einmal hier war.

»Ich möchte nur kurz deine Hand halten«, bat ich. »Nur eine Minute.«

Er stieß einen kaum hörbaren Seufzer aus, kam aber trotzdem zu mir. Dann setzte er sich endlich auf meine Bettkante, zögerte einen Moment und reichte mir seine Hand.

»Danke«, sagte ich leise.

Die Hand fühlte sich warm und glatt an. Etwas strahlte von ihr ab und wurde zu einem Band zwischen uns, als würde sein frisches Blut durch mich hindurchströmen. Am liebsten wäre ich einfach so sitzen geblieben, aber seine andauernde Unruhe war wieder einmal spürbar. Er konnte den Arm nicht ruhig halten, rutschte hin und her, und seine Füße zuckten.

»Tut mir leid, Vater.« Er sprang abrupt auf.

»Nein«, sagte ich. »Du brauchst dich nicht zu entschuldigen. Ich verstehe das. Natürlich musst du lernen.«

Er nickte. Sein Blick war starr auf die Tür gerichtet. Er wollte einfach nur weg, mich wieder allein hier vegetieren lassen.

Nachdem er einige Schritte getan hatte, hielt er inne, als wäre ihm etwas eingefallen, und drehte sich wieder um.

»Aber Vater ... kannst du denn nicht wenigstens versuchen, den Willen aufzubringen, wieder aufzustehen?«

Ich schluckte, denn ich war ihm eine Antwort schuldig geblieben.

»An Willen mangelt es nicht. Es ist ... die Leidenschaft, die ich verloren habe.«

»Die Leidenschaft?« Er hob den Kopf, als hätte das Wort etwas in ihm geweckt. »Dann musst du sie eben wiederfinden«, sagte er schnell. »Und dich von ihr antreiben lassen.«

Ich musste lächeln. Das waren große Worte für einen so ungelenken Jungen.

»Ohne Leidenschaft sind wir nichts«, schloss er mit einem Nachdruck, wie ich ihn nie zuvor bei ihm erlebt hatte.

Mehr sagte er nicht. Er verließ einfach den Raum, und das Letzte, was ich von ihm hörte, waren seine Schritte draußen auf den Dielen. Sie verschwanden die Treppe hinab, dann waren sie weg. Aber ich fühlte trotzdem, dass ich ihm nie so nah gewesen war.

Rahm hatte recht; ich hatte die Leidenschaft vergessen und mich von Trivialitäten aufhalten lassen. Bei der Arbeit zeigte ich keinerlei Hingabe, und deshalb hatte ich Rahm verloren. Aber Edmund war nach wie vor da, ihm konnte ich weiterhin etwas beweisen, ihn konnte ich stolz machen. So würden wir einander näherkommen. Im Glanz des Ruhms, den ich über den Namen der Familie brächte, würde unsere Beziehung aufblühen und Früchte tragen. Auf diese Weise könnte ich vielleicht auch einen Weg zurück zu Rahm finden, und am Ende wären wir doch ein Dreigespann: Vater, Sohn und Mentor.

Ich rollte mich auf die Seite, riss die Decke von meinem stinkenden Körper und verließ das Bett. Ein für alle Mal.

GEORGE

Ich stand im Schuppen und zimmerte Bienenstöcke. Damit war ich zu dieser Jahreszeit oft beschäftigt. Wenn der Frühling vor der Tür stand, die Natur in sämtlichen Grüntönen leuchtete und alle davon redeten, wie schön das wäre und nur noch hinauswollten, um das Wetter zu genießen, war ich drinnen unter den knisternden Neonröhren und zimmerte wie ein Verrückter. Dieses Jahr noch eifriger als sonst. Seit Toms Abreise hatten Emma und ich nicht viel miteinander geredet. Ich hielt mich meistens im Schuppen auf. Um ehrlich zu sein, hatte ich Angst davor, mich in ein Gespräch mit ihr verwickeln zu lassen. Sie konnte besser als ich mit Worten umgehen, wie es bei Frauen wohl häufig der Fall war, und so erreichte sie nicht selten das, was sie wollte. Wenn ich genauer darüber nachdachte, hatte sie meistens auch recht. Diesmal jedoch nicht. So viel wusste ich sicher.

Deshalb war ich also im Schuppen. Von morgens bis abends. Ich reparierte alte Bienenstöcke und baute neue. Es war keine massenproduzierte Standardware, nicht in dieser Familie. Wir hatten unseren eigenen Bauplan. Die Skizzen hingen im Esszimmer an der Wand – gerahmt. Dafür hatte Emma seinerzeit gesorgt. Sie hatte die Zeichnungen in einer Kleiderkiste auf dem Dachboden entdeckt, wo sie gelagert hatten, weil sowieso alle in meiner Familie die Maße auswendig kannten. Die Kiste, ein echter Amerikakoffer, könnte man sicher zu Geld machen, wenn man sie an ein Antiquitätengeschäft verkaufen würde. Doch ich fand, es war schön, sie dort oben zu haben. Sie erinnerte mich an meine Herkunft. Die Kiste war von Europa über den Großen Teich gereist, als das erste Mitglied meiner Familie einen Fuß auf amerikanischen Boden setzte. Eine alleinstehende Dame. Alles stammte von ihr ab, von dieser Kiste, diesen Zeichnungen.

Das dünne, vergilbte Papier zerfiel beinahe, aber Emma rettete es mit Glas und schweren Goldrahmen. Sie sorgte sogar dafür, dass die Zeichnungen nicht direkt der Sonne ausgesetzt waren.

Ich brauchte sie sowieso nicht. Ich hätte diese Magazinbeuten blind zimmern können, so oft hatte ich es schon getan. Die Leute lachten uns aus, weil wir sie selbst bauten, kein anderer Imker, den ich kannte, stellte seine eigenen Beuten her. Es nahm zu viel Zeit in Anspruch. Aber wir hatten es immer schon getan. Es waren unsere Bienenstöcke. Ich sprach nie laut darüber, weil ich nicht prahlen wollte, aber ich war mir sicher, dass sich die Bienen darin wohler fühlten als in den Standardmodellen. Sollten die Leute doch lachen.

Jeden Morgen lag mein Werkzeug zusammen mit den dicken, duftenden Holzlatten im Schuppen bereit.

Ich begann mit den Kisten. Sägte mit der elektrischen Säge Schlitze ans Ende der Latten und hämmerte sie mit einem Gummihammer zusammen. Es ging schnell, der Erfolg war bald sichtbar. Die Rahmen brauchten länger. Zehn Rahmen pro Kiste. Das Einzige, was wir fertig kauften, war das Absperrgitter für die Königin mit 4,2 Millimeter großen Öffnungen, die dafür sorgten, dass sie im Bienenstock blieb und die kleineren Arbeiterinnen frei hindurchfliegen konnten. Man musste Grenzen setzen.

Die Arbeit hielt mich vom Schlafen ab. Hier draußen im Schuppen, wo die Sägespäne wie Schneeflocken durch die Luft wirbelten, überkam mich die Müdigkeit nicht so stark wie im Haus. Beim wütenden Kreischen der elektrischen Säge konnte man sowieso unmöglich einschlafen. Normalerweise benutzte ich einen Gehörschutz, aber jetzt nahm ich ihn ab, und der Lärm erfüllte meinen Kopf. Für etwas anderes war dort gerade sowieso kein Platz.

Ich merkte nicht, wie Emma hereinkam. Vielleicht hatte sie schon lange so dagestanden und mich betrachtet. Immerhin hatte sie die Zeit gehabt, einen Gehörschutz aufzusetzen. Ich entdeckte sie, als ich mich umdrehte, um weitere Latten zu holen. Sie stand einfach nur mit dem großen, gelben Ohrenschutz auf dem Kopf im Raum und lächelte.

Ich schaltete die Säge aus.

»Hallo?«

Sie zeigte auf ihren Gehörschutz und schüttelte den Kopf. Ach so. Sie konnte mich nicht hören. So blieben wir eine Weile stehen. Sie hörte nicht auf zu lächeln. Es war unmissverständlich, dieses Lächeln. Heutzutage waren die Wechseljahre ein großes Thema, die Frauen unterhielten sich flüsternd darüber, wenn sie glaubten, wir würden sie nicht hören, über Hitzewallungen, Harndrang, nächtliches Schwitzen und ja, auch das bekamen wir mit: verminderte Lust. Aber Emma war so wie immer. Und jetzt stand sie dort mit ihrem Gehörschutz, und es war unschwer zu erkennen, was sie von mir wollte.

Das letzte Mal war schon lange her gewesen, jedenfalls für unsere Verhältnisse. Noch vor Toms Besuch. Wenn er im Haus war, wurden wir schüchtern, aus Angst, er könnte uns hören, als wäre er immer noch der kleine Knopf, der in unserem Zimmer schlief. Sobald wir ins Bett gingen, begannen wir zu flüstern. Bewegten uns vorsichtig, legten uns gleich unter die Decke und blätterten leise in unseren Büchern. Und später, nachdem er sich auf den Heimweg gemacht hatte, war es einfach kein Thema gewesen. Ich hatte nicht einmal daran gedacht.

Sie legte die Arme um mich, schloss die Augen und küsste mich auf den Mund.

»Ich weiß nicht…«, sagte ich. Mein Körper war steif und schwerfällig, ich hatte keinen Schwung. »Ich bin ein bisschen müde.«

Sie lächelte nur und zeigte wieder auf den Gehörschutz.

Ich versuchte, ihn ihr abzunehmen, aber sie lenkte meine Hand weg.

So blieben wir stehen. Ich hielt ihre Hand. Sie lächelte beharrlich.

»Okay.« Ich nahm mir auch einen Gehörschutz. »Ist es das, was du willst?«

Aus irgendeinem Grund erwachte ich zu neuem Leben, nachdem ich ihn aufgesetzt hatte. Es war nicht still darunter, es war nie still, wenn man alles andere aussperrte.

Das Rauschen des Gehirns, die eigenen Atemzüge, die Herzschläge, all das drängte sich in den Vordergrund.

Wir küssten uns, ihre Zunge war sanft, ihr Mund offen und warm, ich packte sie an den Hüften und setzte sie auf meine Hobelbank. Jetzt befanden sich unsere Köpfe auf selber Höhe. Die Luft war kalt, meine Finger waren wie Eiszapfen auf ihrer Haut. Sie zuckte zusammen, wich jedoch nicht zurück. Ich probierte, in meine Hände zu pusten, aber es half wohl nicht viel, denn sie schauderte, als ich sie unter ihren Pullover schieben wollte. Sie lehnte sich auf der Bank zurück, während ihre Beine in der Luft baumelten. Ich küsste ihren Bauch, aber sie schob meinen Kopf nach unten. Als meine Zunge sie berührte, erzitterte sie. Vielleicht stöhnte sie auch, aber ich hörte es nicht.

Dann legten wir uns beide auf die Bank, ich unten, sie oben. Es dauerte nicht lange, dafür war es zu kalt, und das Holz unter meinen Schulterblättern zu hart.

Anschließend nahm sie den Gehörschutz ab, schlüpfte wieder in ihre Hose und zog sie hoch. Noch bevor ich etwas sagen konnte, war sie gegangen.

Aber die Wärme ihres Körpers blieb, sie hing in der Luft über der Hobelbank.

Gulf Harbors. Da war es wieder. Gulf Harbors. Die beiden Wörter wollten nicht verschwinden, spukten weiter in meinem Gehirn herum, Gulf Harbors, wurden durchgeknetet wie ein Teig, Gulf Harbors, Harb Gulfors, Bors Gulfharb, ich schüttelte heftig den Kopf, wollte sie loswerden, aber sie waren trotzdem noch da, Gulf Borsharb, Bors Harbgulf, Harb Forsgulf.

Dort war es jetzt warm. Ich hatte gestern heimlich den

Wetterbericht verfolgt. Ich weiß nicht warum, ich war einfach nur zufällig auf die landesweite Vorhersage gestoßen und sitzen geblieben, bis Tampa dran war. Zu dieser Jahreszeit war, wie ich sehen konnte, mit wenig Niederschlag zu rechnen. Während hier immer noch nasskalter Frühling war, herrschte dort bereits ein Traumsommer. Leben im Freien. Grillen. Delphine. Seekühe.

Gulf Harbors.

Die Wörter hatten sich unwiderruflich festgesetzt, ich wurde sie nicht wieder los. Also durften sie bleiben.

Emma war eine Klasse für sich. Ich konnte mich glücklich schätzen, dass ich sie hatte. Was auch passierte. Das würde sich nie ändern, selbst wenn wir nach Florida zögen.

tao

Dann kam endlich der Ruhetag. Unangemeldet, wie jedes Jahr. Erst am Vorabend hatte das Komitee seinen Beschluss bekanntgegeben, die Bevölkerung habe sich endlich einen freien Tag verdient. Das wurde von Li Xiara verkündet, der Vorsitzenden des Komitees. Eine Frau, die uns ständig die neuesten Beschlüsse verlas, über das Radio oder auf zerkratzten Infoschirmen. Ihre sonore Stimme klang immer gleich, egal, ob die Botschaft ans Volk gut oder schlecht war. Die Bestäubung sei abgeschlossen, vermeldete sie nun, und die Blütezeit bald vorbei. Sie könnten uns das gönnen, sagte sie, wir, die Gemeinschaft, könne es sich gönnen.

Wir hatten schon seit Wochen auf diesen Tag gehofft, der letzte freie Tag war über zwei Monate her gewesen. Während sich unsere Sehnenscheiden vom immer gleichen Pinselstrich entzündeten, während unsere Arme und Schultern immer steifer wurden und unsere Füße immer müder, arbeiteten wir weiter und warteten.

Ausnahmsweise wurde ich nicht vom Wecker wach, sondern vom Licht. Die Sonne wärmte mir das Gesicht, und ich blieb liegen und spürte mit geschlossenen Augen, wie die Temperatur im Raum langsam anstieg. Dann gelang es mir endlich, sie zu öffnen und mich umzusehen. Das Bett war leer. Kuan war schon aufgestanden.

Ich ging zu ihm in die Küche. Er saß mit einer Tasse Tee in der Hand da und blickte auf die Felder, während Wei-Wen auf dem Boden spielte. Es war so still, ein Ruhetag für uns alle, so wie es angeordnet worden war. Sogar Wei-Wen spielte besonnener als sonst. Langsam schob er ein rotes Spielzeugauto über den Boden und brummte nur leise.

Der kurzgeschnittene Nacken, die dicken kleinen Finger, die das Auto hielten, der Mund, der so eifrig brummte, dass sich kleine Speichelblasen auf seinen Lippen sammelten. Sein Enthusiasmus. Er hätte sicher noch Stunden so sitzen können, kleine Straßen dort unten bauen, mit allen Fahrzeugen, die er besaß, Städte voller Leben.

Ich setzte mich zu Kuan und nahm einen Schluck aus seiner Tasse. Der Tee war fast kalt, also musste er schon lange hier sitzen.

»Was möchtest du unternehmen?«, fragte ich ihn schließlich. »Wie sollen wir unseren freien Tag verbringen?«

»Tja … ich weiß nicht … was möchtest du denn?«

Ich stand auf. Er wusste genau, was er wollte, ich hatte ihn schon mit ein paar Arbeitskollegen darüber sprechen hören, was heute in dem Zentrum des kleinen Orts stattfand, den wir Stadt nannten, der Platz wurde für ein großes Essen hergerichtet, mit langen Tischen und einem Unterhaltungsprogramm.

»Ich möchte unseren Tag mit Wei-Wen verbringen«, sagte ich unbekümmert.

Er lächelte milde. »Das möchte ich auch.«

Aber er sah mir nicht in die Augen.

»Wir haben viele Stunden, da können wir einiges schaffen. Ich würde ihm so gern das Zählen beibringen«, erklärte ich.

»Hm.« Noch immer dieser ausweichende Blick, als würde er nachgeben, obwohl ich wusste, dass das Gegenteil der Fall war.

»Du hast mich gefragt, was ich möchte«, sagte ich. »Und das möchte ich.«

Er stand auf, dann ging er zu mir, legte mir die Hand auf die Schulter und massierte sie leicht. Es war eine Massage, mit der er mich überreden wollte, er versuchte, meinen wunden Punkt zu treffen, und wusste, dass ich ihm verbal zwar widerstehen konnte, aber nur selten physisch.

Ich wand mich vorsichtig aus seinem Griff, er durfte nicht gewinnen. »Kuan ...«

Doch er lächelte mich nur an und nahm meine Hand. Dann zog er mich zum Fenster und stellte sich hinter mich, während er seine Hände von meinen Schultern die Arme hinab bis zu meinen Händen gleiten ließ.

»Sieh hinaus«, sagte er leise und verschränkte seine Finger mit meinen.

Ich versuchte, mich vorsichtig loszumachen, aber er hielt mich fest. »Sieh hinaus.«

»Warum?«

Er drückte mich ruhig an sich, und ich tat, was er sagte. Die Sonne schien. Es schneite weiße Blütenblätter. Der ganze Boden war damit bedeckt. Die Blätter wirbelten durch die Luft, leuchteten phosphoreszierend weiß im

Licht. Die Reihen der Birnbäume schienen unendlich. Angesichts dieser Menge von Blüten wurde mir schwindelig. Ich sah sie jeden einzelnen Tag, jeden einzelnen Baum. Aber nie so wie heute. Als Ganzes.

»Ich finde, wir sollten uns etwas Schönes anziehen und in den Ort gehen. Uns schick machen, etwas Leckeres zu essen kaufen.« Seine Stimme war mild, als wäre er fest entschlossen, nicht wütend zu werden.

Ich versuchte zu lächeln, ihm entgegenzukommen, ich konnte diesen Tag nicht mit einem Streit anfangen. »Nicht in die Stadt, bitte.«

»Aber alle sind da.«

Er wollte mit den anderen in einer Reihe laufen, wie jeden Tag. Ich holte Luft.

»Können wir nicht einfach für uns bleiben?«

Er zog die Mundwinkel hoch, als versuchte er zu lächeln. »Das ist mir egal. Hauptsache, wir gehen nach draußen.«

Ich drehte mich wieder zum Fenster, zu den Blüten, dem weißen Meer. Dort draußen waren wir nie allein.

»Vielleicht können wir einfach nur dorthin gehen?«

»Dorthin? Zu den Feldern?«

»Ja, das ist doch auch draußen?« Ich versuchte zu lächeln, aber er lächelte nicht zurück.

»Ich weiß nicht …«

»Das wird schön. Nur wir drei.«

»Eigentlich hatte ich mich schon halb verabredet …«

»Dann brauchen wir mit Wei-Wen auch nicht den weiten Weg zu gehen. Es wäre doch gut, wenn wir ihm das ausnahmsweise ersparen würden?«

Ich legte die Hand auf seinen Oberarm, eine liebevolle Geste, und erwähnte den Unterricht bewusst nicht mehr. Aber er hatte mich durchschaut.

»Und die Bücher?«

»Wir können doch welche mitnehmen? Ich verspreche auch, dass ich nicht den ganzen Tag damit verbringen werde.«

Endlich sah er mich an. Resigniert, aber mit einem milden Lächeln.

William

Ich stand am Schreibtisch. Ich hatte ihn vor das Fenster geschoben, wo die Lichtverhältnisse am günstigsten waren, der am besten geeignete Ort im Zimmer und der gemütlichste. Dennoch hatte ich schon seit Monaten nicht mehr hier gesessen.

Auf dem Tisch lag ein einsames Buch. Hatte Edmund es dort hingelegt, während ich schlief?

Es war von einer dünnen Staubschicht bedeckt, die Seiten waren vergilbt, und der braune Ledereinband fühlte sich trocken und rissig an, als ich es in die Hand nahm. Jetzt erkannte ich das Werk wieder, ich hatte es zu meiner Studentenzeit in der Hauptstadt gekauft, damals verzichtete ich durchaus einmal eine Woche lang auf mein Frühstück, um mir ein neues Buch leisten zu können. Doch genau dieses hier hatte ich nie gelesen, vermutlich hatte ich es in der Schlussphase meines Studiums gekauft. Das Buch war 1806, vor bald 45 Jahren, in Edinburgh erschienen, sein Verfasser hieß François Huber und der Titel lautete *New Observations on the Natural History of Bees.*

Es handelte von Bienen, vom Bienenstock, diesem

Superorganismus, in dem jedes Individuum, jedes kleine Insekt, dem großen Ganzen untergeordnet war.

Warum hatte Edmund dieses Buch aus dem Regal gezogen? Ausgerechnet dieses?

Ich holte meine Brille, die ich erst mit dem Hemdzipfel vom Staub befreien musste, und setzte mich hin. Die Lehne des Schreibtischstuhls am Rücken zu spüren, war wie ein Wiedersehen mit einem alten Freund.

Der Deckel des Buchs knarrte widerspenstig, als ich es aufschlug. Sorgfältig strich ich das Titelblatt beiseite, dann begann ich zu lesen.

François Hubers Lebensgeschichte kannte ich noch aus der Studienzeit, hatte mich jedoch nie ernsthaft mit seinen Theorien beschäftigt. Er war im Jahr 1750 als Spross einer wohlhabenden Schweizer Familie geboren. Der Vater hatte der Familie zu ihrem Reichtum verholfen, und im Gegensatz zu ihm musste der kleine François nie arbeiten, aber die Familie hatte klare Erwartungen, er solle sich intellektuell beweisen. Er sollte etwas von so großer Wichtigkeit erschaffen, dass sowohl sein Name als auch der seiner Familie in aller Munde war, sollte dafür sorgen, dass sie in die Annalen eingingen. Und François setzte alles daran, seinem Vater Genüge zu tun. Er war ein intelligentes Kind, das schon mit jungen Jahren inhaltsschwere Werke las. Hinter einem Stapel dicker Bücher verborgen, blieb er bis spät in die Nacht wach und las, bis seine Augen brannten und tränten. Am Ende wurde es ihm zu viel, der Druck wurde zu groß, und die Augen konnten nicht mehr. Seine Lektüre führte ihn nicht zu geistiger Erleuchtung, sondern in die Dunkelheit.

Im Alter von fünfzehn Jahren war er fast blind. Er wurde aufs Land geschickt mit der Auflage, sich auszuruhen und jede Anstrengung zu vermeiden, er durfte einfache Arbeiten auf dem Hof ausführen, mehr nicht.

Doch der junge François kam nicht zur Ruhe, denn er hatte die Hoffnungen, die einst auf ihm gelegen hatten, nicht vergessen, und sein Gemüt war derart beschaffen, dass er in der Blindheit keine Behinderung sah, sondern eine Chance. Denn was er nicht länger zu sehen im Stande war, konnte er immer noch hören, und überall um ihn herum war Leben. Die Vögel sangen, die Eichhörnchen keckerten, der Wind rauschte durch die Bäume und die Bienen summten.

Vor allem Letztere erregten sein Interesse.

Langsam begann er mit seiner wissenschaftlichen Arbeit, die auch die Grundlage für jenes Werk bildete, das ich nun in den Händen hielt. Mit der Hilfe seines treuen Lehrlings und Namensvetters François Burnen begann er, die verschiedenen Lebensphasen der Honigbiene zu erforschen.

Die erste große Entdeckung der beiden betraf die Befruchtung. Bislang hatte niemand verstanden, wie die Königin begattet wurde, denn niemand hatte es je gesehen, obwohl alle möglichen Wissenschaftler zu allen Zeiten das Leben im Bienenkorb studiert hatten. Huber und Burnen aber verstanden das Entscheidende – dass die Befruchtung eben nicht im Bienenkorb stattfand, sondern außerhalb. Die frischgeschlüpften Königinnen verließen ihr Heim und flogen davon, und auf diesen Ausflügen geschah es. Wenn die Königin zurückkam, war sie mit dem Sperma der Drohnen gefüllt, aber auch mit deren Geschlechtsorganen bedeckt, die während des Aktes abbrachen. Auf die Frage, warum die Natur den Drohnen ein so irrsinniges Opfer abverlangte, fand Huber nie eine Antwort. Dass die Natur in Wirklichkeit ein noch viel größeres Opfer von ihnen forderte, nämlich den Tod, entdeckte man erst später, und vielleicht war es auch gut, dass Huber das nie verstanden hatte, vielleicht hätte der blinde Forscher es nicht verkraftet, dass die einzige Aufgabe im Leben der Drohne darin bestand, sich fortzupflanzen und damit auch zu sterben.

Huber studierte die Bienen nicht nur, sondern trug auch dazu bei, ihre Lebensbedingungen zu verbessern. Er hatte sich in den Kopf gesetzt, einen neuen Typ von Bienenstock zu bauen.

Lange Jahre war der menschliche Kontakt zu den Bienen auf den Raub von natürlichen Bienenstöcken beschränkt gewesen, diesen halbmondförmigen Wabengebilden, die die Bienen selbst an Ästen oder in Hohlräumen bauten. Mit der Zeit aber waren die Menschen so besessen vom Gold der Bienen, dass sie diese als Nutztiere halten wollten. Mit wenig Erfolg versuchte man zunächst, Stöcke aus Keramik zu bauen, später entwickelte man den Strohkorb, der zu Hubers Zeit in Europa am meisten Verbreitung fand. In meiner Gegend war diese Variante nach wie vor am häufigsten, sie standen auf Wiesen und an Wegesrändern wie ein Teil der Natur. Ich hatte noch nie über die Bienenstöcke nachgedacht, erst jetzt, als ich mich mit Hubers Buch auseinandersetzte, fiel mir auf, dass sie ihre Fehler und Mängel hatten. Der Bienenkorb aus Stroh ermöglichte kaum Einblick, und wenn der Honig geerntet wurde, musste er aus den Waben hinausgepresst werden, wobei man gleichzeitig auch Eier und Larven zerstörte und den Honig verunreinigte. Vor allem aber zerstörte man die Bienenwaben, das Zuhause der Bienen.

Um den Honig zu ernten, musste man den Bienen also die Lebensgrundlage entziehen.

Dies zu ändern, hatte Huber sich vorgenommen. Er entwickelte einen Bienenstock, der die Honigernte erleichterte. Er ließ sich öffnen wie ein Buch, in dem jedes Blatt wie ein Rahmen für Brut und Honig war: die sogenannte Blätterbeute.

Ich studierte die Bilder von Hubers Bienenstock im Buch, die Rahmen, die optisch ansprechende, aber auf den ersten Blick ziemlich unzweckmäßige Blattformation. Es musste doch möglich sein, ihn weiterzuentwickeln, eine bessere Lösung zu erarbeiten, mit der man, ohne den Bienen zu schaden, den Honig ernten konnte und noch dazu einen besseren Überblick über Königin, Brut und Produktion hatte?

Ich merkte, wie ich vor Eifer zitterte. Genau das wollte ich, das weckte meine Leidenschaft. Ich konnte meinen Blick kaum von den Zeichnungen lösen. Ich wollte dort hinein. In den Bienenstock!

tao

Engelchen, Engelchen, flieg!«

Wir folgten dem Pfad über die Felder. Wei-Wen lief zwischen Kuan und mir und trug mein altes, rotes Tuch um den Hals. Er liebte es und hätte es sich am liebsten jeden Tag umgebunden, durfte es aber nur, wenn ihn niemand sah. Das Tuch war schließlich ein Ehrenzeichen und kein Kleidungsstück. Aber mir gefiel es, wenn er es umhatte, vielleicht würde es ihn inspirieren, vielleicht wünschte er sich, eines Tages ein eigenes Tuch zu besitzen.

Wei-Wen hielt uns beide an den Händen und verlangte, dass wir ihn in hohem Bogen durch die Luft wirbelten. »Mehr, mehr.« Das Tuch wehte ihm ins Gesicht, bedeckte es fast, und er machte eine unbewusste Handbewegung, um sich zu befreien.

»Guckt mal!«, rief er und deutete in alle Richtungen, auf die Bäume, den Himmel und die Blüten. Es war ein neues Gefühl für ihn, hier draußen zu sein, normalerweise konnte er die Felder nur vom Fenster aus sehen, bevor er in die Schule oder ins Bett gehen musste.

Wir wollten zu einer Anhöhe unweit des Waldes laufen und dort picknicken. Von unserem Haus aus konnten wir sie nicht sehen, aber sie lag nicht mehr als dreihundert Meter entfernt und somit nicht zu weit für Wei-Wen, und wir wussten, dass wir von dort eine schöne Aussicht auf den Ort und die Felder haben würden. Wir hatten gebratenen Reis, Tee und eine Decke mitgenommen, und eine Dose mit eingelegten Pflaumen, die wir uns für einen ganz besonderen Tag aufgehoben hatten. Anschließend würden wir die Schreibsachen hervorholen, im Schatten sitzen und lernen. Ich hoffte, ich könnte ihm beibringen, bis zehn zu zählen. Heute würde es einfacher werden. Wei-Wen war ausgeruht, und ich war es auch.

»Engelchen, flieg!«

Wir hoben ihn erneut in die Luft, sicher schon zum fünften oder sechsten Mal.

»Höher!«, rief er.

Über Wei-Wens Kopf hinweg warfen wir uns leicht entnervte Blicke zu. Dann wirbelten wir ihn noch einmal hoch. Er konnte gar nicht genug davon bekommen, das wussten wir. Es lag in der Natur eines Dreijährigen, nicht genug zu bekommen. Und er war es gewohnt, zu bekommen, was er wollte.

»Wie es wohl sein wird, wenn er uns nicht mehr für sich allein hat«, sagte ich zu Kuan.

»Das wird hart für ihn.« Er lächelte.

Wir waren ganz nah dran, nur noch wenige Monate, dann hätten wir genügend Geld. Alles, was wir übrig hatten, wanderte in die abgegriffene Blechdose im Küchenschrank. Wenn wir eine entsprechende Summe vorweisen konnten, würden wir die Erlaubnis erhalten. 36 000 Yuan waren erforderlich. Wir hatten 32 476. Und es eilte, denn bald waren wir zu alt, die Grenze verlief bei dreißig Jahren, und wir waren beide schon achtundzwanzig.

Wei-Wen sollte ein Geschwisterchen bekommen. Vermutlich wäre es ein Schock für ihn. Teilen zu müssen.

Ich versuchte, seine Hand loszulassen.

»Jetzt kannst du ein Stückchen selbst gehen, Wei-Wen.«

»Neiiiiin!«

»Doch. Nur ein bisschen. Bis zu dem Baum da.« Ich deutete auf einen Baum, der fünfzig Meter weit entfernt stand.

»Welchem denn?«

»Dem da hinten.«

»Aber sie sehen alle gleich aus.«

Ich konnte mir ein Lächeln nicht verkneifen. Er hatte recht. Ich schielte zu Kuan hinüber. Er grinste mich an, offen und glücklich. Zum Glück war er nicht verstimmt, weil wir hier waren, sondern mit dem Kompromiss zufrieden. Genau wie ich war er fest entschlossen, dass wir uns einen schönen Tag machten.

»Trag mich!«, bat Wei-Wen und klammerte sich an mein Bein.

Ich befreite mich.

»Komm, nimm meine Hand.«

Aber er quengelte weiter.

»Trag mich!«

Dann flog er plötzlich neben mir durch die Luft, als Kuan ihn mühelos auf seine Schultern hob.

»So. Jetzt bin ich ein Kamel, und du bist der Reiter.«

»Was ist ein Kamel?«

»Dann eben ein Pferd.«

Er wieherte, und Wei-Wen lachte. »Jetzt musst du rennen, Pferd.«

Kuan sprang ein paar Schritte, blieb dann aber stehen. »Nein, dieses Pferd rennt nicht. Es ist ein altes und müdes Pferd, und außerdem will es neben der Pferdemama herlaufen.«

»Stute«, korrigierte ich. »Das heißt Stute, nicht Pferdemama.«

»Na gut. Neben der Stute.«

Er lief mit Wei-Wen auf den Schultern weiter und suchte nach meiner Hand. Ein paar Meter gingen wir Hand in Hand, aber dann begann Wei-Wen dort oben bedrohlich zu schwanken, und Kuan beeilte sich, ihn wieder festzuhalten. Wei-Wens gesamter Körper wogte mit jedem Schritt, er hatte den Kopf hoch erhoben, sah sich um und entdeckte mit einem Mal, dass er eine ganz neue Position innehatte.

»Ich bin der Größte!«

Er lächelte zufrieden; so glücklich, wie es nur ein Dreijähriger sein konnte.

Wir erreichten den höchsten Punkt. Die Landschaft breitete sich vor uns aus. Reihen mit Bäumen, wie mit dem Lineal gezogen, blühende, symmetrisch angeordnete Wattebäusche auf braunem Boden, wo das Gras gerade erst durch das verfaulte Laub vom Vorjahr zu sprießen begann.

Der Wald lag schattig und weit ausgestreckt vor uns, nur hundert Meter entfernt. Er war dunkel und verwildert, für uns Menschen gab es dort nichts zu holen, aber auch er sollte bald gerodet werden, um die Fläche zu kultivieren.

Ich drehte mich um. In nördlicher Richtung erstreckten sich die Obstbäume bis zum Horizont. Lange, bepflanzte Linien, Baum um Baum um Baum. Ich hatte von Reisen gelesen, die Menschen in früheren Zeiten unternommen hatten. Von Touristen, die nur gekommen waren, um Gegenden wie diese im Frühling zu sehen, um die blühenden Bäume zu sehen. Waren sie wirklich so schön? Ich wusste es nicht. Sie waren unser Job. Jeder einzelne Baum bedeutete um die zehn Stunden Arbeit. Ich konnte sie nicht ansehen, ohne daran zu denken, dass sie bald wieder Früchte trugen und wir erneut hinaufklettern mussten. Das Obst mussten wir genauso behutsam pflücken, wie wir die Bäume bestäubten, jede einzelne Birne vorsichtig in Papier wickeln, als wäre sie aus Gold. Eine unüberwindbare Menge Birnen, Bäume, Stunden, Jahre.

Und trotzdem waren wir heute hier draußen. Weil ich es wollte.

Kuan breitete die Decke auf dem Boden aus. Wir holten die Dosen mit dem Essen heraus. Wei-Wen aß hastig und kleckerte. Bei den Mahlzeiten hatte er es immer eilig, er fand Essen langweilig, mochte nur wenige Gerichte, aß nicht viel, obwohl wir immer damit warteten, unsere Portionen aufzuessen, um ihm etwas abzugeben, falls er es wollte.

Doch als wir die Dose mit den eingelegten Pflaumen hervorholten, wurde er plötzlich ruhig, vielleicht weil Kuan und ich so still waren. Wir stellten sie zwischen uns. Der Dosenöffner knirschte im Metall, als Kuan ihn drehte. Er bog den Deckel nach oben, und wir sahen auf das gelbe Obst hinab. Es roch süß. Vorsichtig angelte ich mit der Gabel eine Pflaume heraus und legte sie auf Wei-Wens Teller.

»Was ist das?«, fragte er.

»Eine Pflaume«, sagte ich.

»Ich mag keine Pflaume.«

»Das kannst du gar nicht wissen, weil du sie noch nie probiert hast.«

Er beugte sich über den Teller, streckte die Zunge hinaus und testete eine Sekunde lang den Geschmack. Dann lächelte er und verschlang sie wie ein ausgehungerter Hund, die ganze Pflaume auf einmal, der Saft triefte aus seinen Mundwinkeln.

»Mehr?«, fragte er mit vollem Mund.

Ich zeigte ihm die Dose. Sie war leer. Eine für jeden, das war alles.

»Aber du kannst meine haben«, sagte ich und legte ihm die Pflaume hin.

Kuan sah mich besorgt an. »Du brauchst auch Vitamin C«, sagte er leise.

Ich zuckte mit den Schultern. »Wenn ich eine esse, will ich nur noch mehr haben. Da ist es besser, ich lasse es gleich sein.«

Kuan lächelte. »Na, wenn das so ist.« Dann ließ auch er seine Pflaume von seinem Teller auf Wei-Wens gleiten.

Nach nicht einmal zwei Minuten hatte Wei-Wen alle Pflaumen gegessen. Er war wieder auf den Beinen, wollte auf Bäume klettern. Und wir mussten ihn bremsen.

»Die Äste können abbrechen.«

»Ich will aber!«

Ich öffnete meine Tasche, um das Schreibzeug herauszuholen.

»Ich dachte, wir könnten stattdessen hier sitzen und ein bisschen mit Zahlen spielen.«

Kuan verdrehte die Augen, und Wei-Wen schien mich gar nicht erst gehört zu haben.

»Guckt mal! Ein Boot!« Er hielt einen Stock hoch.

»Schön«, sagte Kuan. »Und da drüben ist Wasser.« Er zeigte auf eine Schlammpfütze ein Stück entfernt.

»Ja!«, rief Wei-Wen und rannte davon.

Ich legte die Schreibsachen kommentarlos wieder in die Tasche und kehrte Kuan den Rücken zu. Er raufte mir durchs Haar. »Der Tag ist noch lang.«

»Die Hälfte ist schon um.«

»Komm her.« Er zog mich auf die Decke. »Fühl doch mal, wie schön es ist, einfach nur so dazuliegen. Und sich zu entspannen.«

Ich ertappte mich selbst beim Lächeln. »Na gut.«

Er nahm meine Hand und drückte sie. Ich drückte zurück. Wir lachten beide. Unsere übliche Anspannung war verflogen.

Ich rollte mich auf den Rücken, machte mich ganz lang, ohne Angst zu haben, dass mich jemand aus meiner Pause wegkommandierte. Die Sonne blendete. Ich schloss ein Auge, die Welt verlor ihre Tiefe. Der knallblaue Himmel verschmolz mit den weißen Blüten des Baums über uns. Sie wurden zu ein und derselben Fläche. Zwischen jedem Blütenblatt brach der Himmel hervor. Wenn ich lange genug hinsah, wechselten der Vordergrund und der Hintergrund ihre Plätze. Als wäre der Himmel ein blauer

Häkelteppich mit Lochmuster vor einem weißen Hintergrund.

Ich schloss beide Augen. Spürte Kuans Hand in meiner, ganz ruhig lag sie dort. Wir hätten uns unterhalten können. Miteinander schlafen. Aber keiner von uns wollte etwas anderes, als einfach so dazuliegen. Unten bei der Pfütze hörten wir Wei-Wen brummen, sein Boot fuhr hin und her.

Nach einer Weile musste ich meine Position ändern. Meine Schulterblätter bohrten sich in den Boden, und mein Kreuz begann allmählich zu schmerzen. Ich drehte mich auf die Seite und stützte den Kopf auf die Hand. Kuan war natürlich eingeschlafen, er schnarchte leise. Er hätte sicher eine Woche am Stück schlafen können, wenn er die Möglichkeit gehabt hätte. Er war immer ein bisschen zu dünn, zu blass, sein Körper war stets ein wenig im Rückstand. Er bekam weniger Schlaf, als er brauchte, und weniger Essen, als er verbrannte. Trotzdem hielt er sich tapfer, arbeitete länger als ich und war nie unzufrieden. Er klagte nur selten.

Wie still es hier draußen war … ohne die Arbeiterinnen um mich herum fiel es noch mehr auf. Selbst Wei-Wens Bootsmotorengebrumm war inzwischen verstummt. Kein Wind in den Bäumen, nur die völlige Abwesenheit von Geräuschen, völlige Leere.

Mit einem Ruck setzte ich mich auf. Wo war er? Ich drehte mich zur Schlammpfütze um. Sie lag verlassen im Sonnenlicht, das braune Wasser glitzerte.

Ich stand auf.

»Wei-Wen?«

Keine Antwort.

»Wei-Wen, wo bist du?«

Meine Stimme reichte nur ein paar Meter weit, dann wurde sie von der Stille verschluckt.

Ich entfernte mich einige Schritte von der Decke, um die Landschaft zu überblicken.

Er war nirgends zu sehen.

»Wei-Wen?«

Kuan wurde von meinen Rufen wach, kam auf die Beine und begann, ebenfalls Ausschau zu halten.

»Siehst du ihn?«

Er schüttelte den Kopf.

Erst jetzt wurde mir schlagartig bewusst, wie groß das Gebiet war. Und alles sah gleich aus. Feld um Feld mit Birnbäumen. Keine anderen Orientierungspunkte als die Sonne und der Wald. Und ein Dreijähriger, der hier allein unterwegs war.

Wir eilten zur Pfütze. Der Stock schaukelte auf der Oberfläche.

»Gehst du da lang, und ich suche hier?« Kuans Stimme klang sachlich und unaufgeregt.

Ich nickte.

»Bestimmt hat er sich einfach selbst vergessen«, sagte Kuan. »Er kann nicht weit gekommen sein.«

Ich hastete nach unten, joggte über den unebenen Boden entlang des Pfades nach Norden. Ja, er hatte sich sicher selbst vergessen. Hatte irgendetwas so Spannendes gefunden, dass er unsere Rufe nicht mitbekam.

»Wei-Wen? Wei-Wen?«

Vielleicht hatte er das Glück gehabt, ein kleines Tier

zu entdecken, ein Insekt. Oder einen Baumstumpf, der wie ein Drache aussah. Etwas, das ihn aufgehalten hatte, ihn dazu gebracht hatte, sich wegzudenken, alles um sich herum zu vergessen, vielleicht auch etwas Neues zu lernen. Einen Regenwurm. Ein Vogelnest. Einen Ameisenhaufen.

»Wei-Wen? Wo bist du? Wei-Wen!«

Ich versuchte, hell und sanft zu klingen, doch ich hörte selbst, wie schrill meine Stimme war.

Ein Stück entfernt ertönten Kuans Rufe. »Wei-Wen? Hallo?«

Seine Stimme war ruhig. Nicht so wie meine. Ich klammerte mich daran. Versuchte, mit derselben Ruhe zu rufen. Er war hier. Natürlich war er hier. Irgendwo saß er und spielte und hatte sich selbst vergessen.

»Wei-Wen?«

Die Sonne brannte mir auf den Rücken.

»Wei-Wen? Mein Kleiner?«

Mir war, als wäre die Temperatur plötzlich angestiegen.

»Wei-Wen! Antworte doch, mein Schatz!«

Ich atmete unregelmäßig. Stoßweise. Als ich mich umdrehte, bemerkte ich, dass ich mich schon mehrere hundert Meter vom Hang entfernt hatte. So weit konnte er auf keinen Fall gekommen sein. Ich lief zurück, änderte jedoch meinen Kurs, orientierte mich am Pfad, der einige Meter von mir verlief.

Mir fiel ein, dass er das rote Tuch trug. Wei-Wen trug das rote Tuch. Er musste leicht zu sehen sein. Vor der braunen Erde, den grünen Wiesen und den weißen Blüten musste sich das rote Tuch leuchtend abheben.

»Tao! Tao! Komm her!« Es war Kuans Stimme, ungewohnt scharf.

»Hast du ihn gefunden?«

»Komm her!«

Ich änderte meine Richtung und lief auf ihn zu. Meine Kehle schnürte sich zu, das Atmen wurde immer schwerer, als würde die Luft nicht bis in meine Lunge gelangen.

Zwischen den Bäumen konnte ich Kuan erahnen, er kam auf mich zugerannt, der Wald lag groß und dunkel hinter ihm. Kam er von dort? War Wei-Wen dorthin verschwunden?

»Stimmt etwas nicht? Ist was passiert?«, rief ich mit gepresster Stimme.

Erst jetzt sah ich ihn richtig. Er stürmte auf mich zu. Sein Gesicht war erstarrt, die Augen weit aufgerissen. Er hielt etwas in den Armen.

Das rote Tuch.

Ein Schuh, der wippte im Takt seiner Schritte, ein schaukelnder Kinderkopf.

Ich eilte zu ihm.

Ein Laut entfuhr mir, ich unterdrückte einen Schrei.

Denn Wei-Wen japste nach Luft. Sein Gesicht unter den schwarzen Haaren ganz weiß. Seine Augen sahen mich an, sie flehten um Hilfe. Hatte er sich etwas gebrochen? War er verletzt? Blutete er? Nein. Er war wie gelähmt.

Kuan sagte etwas, ich sah nur seine Lippen, die sich bewegten, doch ich hörte ihn nicht

Kuan hielt nicht an, er rannte weiter.

Ich schrie etwas. *Die Sachen. Unsere Sachen!* Als ob die

jetzt wichtig gewesen wären. Doch Kuan hielt nicht an, er lief einfach mit Wei-Wen in den Armen weiter.

Ich folgte ihm. Folgte ihm und dem Kind zu den Häusern, dorthin, wo es Hilfe gab.

Der wippende Schuh. Der Wind, in dem das rote Tuch flatterte.

Den ganzen Weg bis in den Ort rannten wir. Ich hielt den Blick auf meinen Jungen gerichtet, seine Augen waren groß und angsterfüllt, aber ich konnte nichts tun, als zu rennen.

Wieder und wieder sagte ich seinen Namen, doch jetzt reagierte er nicht mehr.

Sein Körper wurde schlaffer, er wurde noch blasser, Schweiß trat ihm auf die Stirn, seine Augen waren geschlossen.

Wie weit es war. Wie weit wir vorhin gelaufen waren. War es wirklich so weit gewesen?

Schließlich tauchten die ersten Häuser vor uns auf. Aber wir kamen aus einer anderen Richtung als der, in die wir zuvor aufgebrochen waren. Die Pfade ähnelten sich so, dass wir keinen Unterschied bemerkt hatten.

Stille. Wo steckten sie alle?

Endlich sahen wir einen Menschen, eine ältere Frau. Auf dem Weg aus dem Haus. Sie hatte sich schick gemacht, das fiel mir auf, sie hatte Lippenstift aufgelegt und trug ein Kleid. »Stopp!«, rief Kuan. »Stopp! Bitte helfen Sie uns.« Die Frau war einen Moment lang verwirrt, dann sah sie das Kind.

Der Krankenwagen kam schon nach wenigen Minuten. Als er heranraste, wirbelte er den Staub von der trockenen Straße auf, der sich über Wei-Wens Haar, seine Schuhe und seine Wimpern legte. Weißgekleidete Sanitäter sprangen heraus. Vorsichtig hoben sie Wei-Wen aus Kuans Armen und nahmen ihn mit. Sein Arm entglitt dem Griff des Sanitäters und baumelte hinab. Das war das Letzte, was wir von ihm sahen. Kuan und ich wurden zum Auto geführt, aber nicht zu ihm nach hinten, wir mussten uns in die Fahrerkabine setzen. Jemand erinnerte uns daran, dass wir die Sicherheitsgurte anlegen sollten.

Sicherheitsgurte. Was sollten wir damit?

GEORGE

Eine Stunde und 22 Minuten, bevor der Wecker klingelte, wurde ich wach. Die Bettwäsche war schweißnass, ich riss die Decke beiseite, wusste jedoch, dass ich unmöglich wieder einschlafen konnte. Heute war der Tag der Kontrolle meiner Bienenstöcke, die erste Inspektion nach dem Winter. In der Nacht davor schlief ich oft schlecht, war mit den Gedanken schon bei den Magazinbeuten. Wachs, Waben und Brut beschäftigten mich. Ich wusste nie, was mich erwartete, wenn ich die Bienenstöcke öffnete, ich hatte schon erlebt, dass im Winter bis zu 50 Prozent meiner Bienen gestorben waren. Und wenn man dort stand und sah, dass in der Hälfte aller Beuten weder Königin noch Brut überlebt hatten, war das ein schlimmes Gefühl. Dieser Winter war jedoch normal gewesen, weder besonders kalt noch besonders warm, und es bestand kein Grund für eine derartige Abweichung.

Trotzdem stand ich zitternd da, als ich auf Rick und Jimmy wartete. Ich hatte sie gebeten, um halb acht zu kommen, weil ich möglichst früh anfangen wollte. Am liebsten hätte ich schon längst losgelegt, aber wir drei hatten die Tradition, dass wir uns am ersten Kontrolltag immer hier auf dem Hof trafen, und es mussten die richtigen Dinge gesagt und die richtigen Getränke getrunken werden.

Rick kam wie immer als Erster. Er war groß und dünn und sah aus, als wäre er nicht richtig zusammengesetzt worden. Ein wenig erinnerte er an James Stuart, nur ohne dessen gewinnendes Lächeln. Seine Nase war lang und markant, die Augen lagen tief, und das Haar wurde licht, obwohl er nicht einmal dreißig war. Er wand sich umständlich aus dem Auto heraus. Rick bewegte sich immer zehnmal mehr als eigentlich nötig, bei allem, was er tat, war er von Kopf bis Fuß unstrukturiert, dabei aber eifrig. Er hatte per Fernstudium eine landwirtschaftliche Ausbildung gemacht und las eine Menge, immerzu. Zu allem, was wir taten, konnte er einen Hintergrund liefern. Und die historischen Zusammenhänge. Und die Theorie. Es war, als würde man eine Münze einwerfen. Der Mann war der reinste Wissensautomat. Er träumte von einem eigenen Hof, obwohl er, wenn man ehrlich war, besser davon hätte träumen sollen, hinter einem Schreibtisch zu sitzen und seinen Kopf einzusetzen.

Er blieb stehen und schwang die Arme, konnte wie immer nicht stillhalten.

»Na dann …«, sagte er.

»Na dann«, sagte ich.

»Tja … hast du schon eine Ahnung, wie die Dinge liegen?«

»Nein. Gut? Gut, denke ich. Es gibt keinen Grund, etwas anderes anzunehmen.«

»Nein, das stimmt, es gibt keinen Grund.«

Er runzelte die Stirn und raufte sich das schüttere Haar. »Oder na ja.« Jetzt kratzte er sich mit beiden Händen so hektisch am Kopf, dass man glauben konnte, er hätte Läuse. »Man kann nie wissen.«

»Nein. Man kann nie wissen. Aber nach so einem Winter …«

»Nein. Das ist klar.«

»Ja.«

»Aber es gibt natürlich auch diesen seltsamen Schwund.«

»Ach ja, das.«

Ich tat, als hätte ich nicht daran gedacht. Aber natürlich hatte ich. Schließlich verfolgte ich das Geschehen. Sogar *The Autumn Tribune* hatte über den mysteriösen Kollaps geschrieben, der einige Imker im Süden getroffen hatte. Im November hatte ein Mann in Florida berichtet, dass seine Bienenstöcke plötzlich leer gewesen seien. David Hackenberg hieß er. Plötzlich redeten alle davon, was auf seinem Hof passiert war. Und seither waren immer wieder Fälle gemeldet worden, aus Florida, Kalifornien, Oklahoma und Texas.

Es war immer die gleiche Geschichte. Im einen Moment waren die Bienenvölker gesund, hatten genug Nahrung und Brut, alles in bester Ordnung. Und plötzlich, im Laufe weniger Tage, ja sogar Stunden, war der Bienenstock so gut wie leer. Die Bienen waren weg, hatten ihre eigene Brut verlassen, alles verlassen. Und kamen nie wieder zurück.

Wie gesagt waren Bienen reinliche Tiere. Auch um zu sterben, flogen sie davon, weil sie nicht liegen bleiben und ihren eigenen Stock beschmutzen wollten. Vielleicht war das der Grund für den Schwund gewesen. Aber normalerweise blieb die Königin immer da, zusammen mit einer kleinen Zahl Jungbienen. Diesmal waren die Arbeitsbienen nicht zurückgekehrt und hatten Mutter und Junge allein ihrem Tod im Bienenstock überlassen. Das war wider ihre Natur.

Niemand konnte sicher erklären, warum es so war. Als ich zum ersten Mal davon hörte, dachte ich, es läge an der schlechten Pflege, dieser Hackenberg hätte sich nicht ordentlich um seine Bienen gekümmert. Ich kannte viele Imker, die anderen die Schuld gaben, obwohl sie eigentlich bei ihnen lag. Zu wenig Zucker, zu viel Wärme oder Kälte. Wir betrieben ja nicht gerade Quantenphysik. Aber nach und nach häuften sich die Fälle, sie waren sich zu ähnlich, tauchten zu plötzlich auf.

»Das ist doch nur im Süden«, sagte ich.

»Ja. Da unten geht es härter zu«, erwiderte Rick.

Im selben Moment brauste Jimmys grüner Pick-up auf den Hofplatz. Breit grinsend stieg er aus dem Auto. Während Rick sich immer allzu viele Sorgen machte und zu viel grübelte, war Jimmy das schlichte, unbekümmerte Gegenteil. Er machte keine überflüssige Bewegung und dachte nie mehr nach als unbedingt notwendig. Aber arbeiten konnte er, das musste man ihm lassen.

Was Jim an Grips fehlte, machte er mit seinem Aussehen wett. Er sah aus wie ein Mädchenschwarm von der Highschool. Blond, dichte Haare, die ihm ins Gesicht fielen, ein breites Kinn mit einem Grübchen und noch dazu die richtige Statur, er hätte den ganzen Tag in einem

Footballdress herumlaufen können. Zudem legte er Wert auf sein Aussehen, die Haare waren stets frisch gekämmt, die Hemden frisch gebügelt. Aber für wen er sich hübsch machte, war unklar, denn von Frauen war nie die Rede.

Er hielt eine Thermoskanne in der Hand, die er, wie ich feststellte, eigens für den heutigen Anlass gekauft hatte. Der blanke Stahl reflektierte für einen Moment die Sonne und blendete mich, ehe sie in einem anderen Winkel fiel.

Wir nahmen unsere Tassen. Jimmy hatte sie vor einigen Jahren für uns gekauft. Kleine, jagdgrüne Tassen aus der Campingabteilung des K-Mart, die man flach zusammenpressen konnte. Rick und ich falteten gleichzeitig unsere Tassen auseinander und reichten sie Jimmy, der kommentarlos die Thermoskanne aufschraubte.

»Frischgemahlene Bohnen«, sagte er und schenkte uns ein.

Ich bekam als Erster.

»Colombia. Röstaromen, dunkle Würze.«

Von mir aus hätte er auch Instantpulver nehmen können. Kaffee war Kaffee. Für Jimmy aber war Kaffee eine Kunst. Er bestellte die Bohnen im Internet. Sie mussten frisch sein, meinte er, fertiggemahlener Kaffee war Teufelswerk. Außerdem musste der Kaffee bei der richtigen Temperatur gefiltert werden. Die Temperatur war das »A und O«. Deshalb hatte er in eine europäische Filterkaffeemaschine investiert, die wochenlang beim Zoll festgesteckt hatte, ehe sie ihm endlich geliefert worden war.

Wir stießen mit den Tassen an. Weiches Plastik gegen weiches Plastik – beinahe lautlos. Dann nahmen wir einen Schluck.

Jetzt kam der Moment, wo wir den Kaffee in den höchsten Tönen loben und etwas Kluges darüber sagen mussten. Das gehörte dazu. Zum Schein schloss ich die Augen, während ich den Kaffee schlürfte wie ein Weinkenner.

»… voll im Geschmack … würzig …«

»Mmh«, machte Rick. »Da kommen auch die Röstaromen.«

Jimmy nickte zufrieden und sah uns hoffnungsvoll an wie ein Junge am Nationalfeiertag. Er erwartete mehr.

»Das ist wahrlich etwas ganz anderes als dieses Pulver«, sagte ich.

»Der beste Kaffee des Jahres«, pflichtete Rick mir bei.

Jimmy nickte erneut. »Man muss sich nur eine Mühle besorgen und natürlich ordentliche Bohnen. Ihr könntet das zu Hause auch so hinkriegen.«

Das sagte er immer, obwohl er genau wusste, dass uns niemals eine Kaffeemühle ins Haus käme. Bei uns war Emma für den Kaffee zuständig, und sie bevorzugte das gefriergetrocknete Pulver. In letzter Zeit hatte sie auch einen Mischmasch ausprobiert, der schon mit Milchpulver und Zucker versetzt war, aber ich selbst blieb lieber beim schwarzen.

»Wusstet ihr, dass die älteste Erwähnung des Kaffees eine Geschichte aus Äthiopien vor fünfzehnhundert Jahren ist?«, fragte Rick.

»Nein. Was du nicht sagst«, antwortete Jimmy.

»Doch. Sie handelt vom Ziegenhirten Kaldi. Eines Tages hat der entdeckt, dass sich seine Ziegen merkwürdig benehmen, wenn sie rote Beeren gegessen hatten. Sie

konnten nicht mehr schlafen. Das hat er einem Mönch erzählt.«

»Gab es in Äthiopien vor fünfzehnhundert Jahren wirklich Mönche?«, fragte ich.

»Ja …«

Er sah mich irritiert an, sein Blick flackerte leicht.

Jimmy machte eine beschwichtigende Handbewegung. »Natürlich gab es dort Mönche.«

»Das waren doch wohl keine Christen? Ich meine, Äthiopien, ist das nicht in Afrika, und zu der Zeit …?«

»Egal. Jedenfalls wurde das Interesse des Mönchs geweckt. Dem fiel es nämlich schwer, beim Beten nicht einzuschlafen. Also goss er versuchsweise heißes Wasser über die Beeren und trank es. Voilà! Da haben wir den Kaffee.«

Jimmy nickte vergnügt. Rick hatte sich informiert, dem Kaffee sei Dank.

Wir tranken aus. Im Frühlingswind kühlte der Kaffee schnell ab, und der letzte Schluck war lauwarm und bitter. Dann gingen wir zu unseren Autos, um die Bienenstöcke anzusteuern.

Erst als ich die Hand aufs Lenkrad legte, merkte ich, wie sehr ich schwitzte. Ich rutschte am Leder ab und musste die Hand an meiner Arbeitshose abwischen, um es richtig greifen zu können, und auch mein Pullover klebte am Rücken. Ich wusste nicht, was auf mich zukam. Ich hatte Angst.

Wir mussten nur ein paar hundert Meter über einen holprigen Feldweg fahren, das Auto schaukelte im Takt mit meinen zitternden Händen, dann waren wir an der Wiese am Alabast River angelangt.

Ich stieg aus und verschränkte die Hände hinter dem Rücken, um mein Zittern zu verbergen.

Rick stand schon bereit und trippelte auf der Stelle. Er wollte loslegen.

Dann stieg auch Jimmy aus seinem Auto. Er streckte die Nase in die Luft und schnupperte.

»Wie warm ist es eigentlich?« Er schloss die Augen und sah aus, als wollte er sich am liebsten keinen Millimeter bewegen und schon gar nicht mit der Arbeit anfangen.

»Warm genug.« Ich begab mich sofort zu den Magazinbeuten. Es war wichtig, mit gutem Beispiel voranzugehen. »Wir können sofort anfangen.«

Ich kontrollierte das Flugbrett des ersten Bienenstocks, einer pistazienfarbenen Beute, deren Anstrich sich mit dem unter ihr aus dem Boden sprießenden Gras biss. Es war voller Bienen, ganz wie es sein sollte. Ich hob den Deckel ab und rechnete mit dem Schlimmsten, aber auch drinnen war alles in bester Ordnung. Die Königin war nicht zu sehen, doch waren reichlich Eier und Brut in allen Stadien vorhanden, sechs Rahmen voll. Dieser Bienenstock konnte so stehen bleiben, wie er war, hier herrschte genug Leben, er musste nicht mit einem anderen zusammengelegt werden.

Ich drehte mich zu Jimmy um. Er nickte zu dem Stock, den er geöffnet hatte.

»Hier ist alles gut.«

»Hier auch«, rief Rick.

Wir arbeiteten weiter.

Während die Sonne brannte und wir Bienenstock für Bienenstock öffneten und kontrollierten, spürte ich, wie meine Hände trocken und warm wurden, und auch mein Hemd löste sich wieder vom Rücken. Natürlich gab es an einigen Stellen Probleme. Einige Bienenvölker mussten zusammengelegt werden, und in manchen Beuten konnten wir keine Königin finden. Doch das war alles im normalen Bereich. Es schien, als wäre der Winter nett zu den Bienen gewesen und als wäre der Gestank des Massensterbens im Süden nicht bis zu uns herübergeweht. Warum auch. Sie wurden gut gepflegt. Es fehlte ihnen an nichts.

Wir kamen zur Mittagspause zusammen, hockten uns auf die knirschenden Campingstühle und aßen in der Sonne unsere aufgeweichten Sandwiches. Aus irgendeinem Grund schwiegen wir andächtig, bis Rick irgendwann nicht mehr an sich halten konnte.

»Kennt ihr eigentlich die Geschichte von Cupido und den Bienen?«

Keiner antwortete. Noch eine Geschichte. Ich hatte nicht das Gefühl, sie mir auch noch anhören zu müssen.

»Kennt ihr sie?«, fragte er noch einmal.

»Nein«, antwortete ich. »Du weißt genau, dass wir die Geschichte von Cupido und den Bienen noch nicht kennen.«

Jimmy grinste.

»Cupido war eine Art Liebesgott«, erklärte Rick. »Bei den alten Römern.«

»Der mit den Pfeilen«, sagte ich.

»Ja, genau der. Der Sohn von Venus. Er sah aus wie ein Riesenbaby und lief mit Pfeil und Bogen durch die Gegend. Wenn seine Pfeile Menschen trafen, wurde deren Leidenschaft geweckt.«

»Igitt, ist das nicht ein bisschen pervers, wenn ein Gott der Leidenschaft wie ein Baby aussieht?«, fragte Jimmy.

Ich lachte, aber Rick warf mir einen bösen Blick zu.

»Wusstet ihr, dass er seine Pfeile in Honig getaucht hat?«

»Kann ich nicht behaupten. Nein.«

»Ich wusste nicht einmal, wer Cupido überhaupt ist«, gestand Jimmy.

»Doch, er tauchte seine Pfeile in Honig, den er vorher geklaut hatte«, sagte Rick und streckte sich, dass der Stuhl quietschte.

Wir mussten wegen des lauten Geräuschs grinsen, Rick jedoch nicht. Er wollte weitererzählen.

»Dieses Baby hat den Bienen also einfach den Honig geklaut. Ganze Bienenkörbe hat Cupido mitgenommen. Bis zu jenem Tag…« Er machte eine Kunstpause. »Bis zu jenem Tag, an dem die Bienen genug bekamen und ihn attackierten.« Er ließ die Worte in der Luft hängen. »Und Cupido war natürlich splitterfasernackt, wie es die Götter zu der Zeit gerne waren. Er wurde überall gestochen. Und wenn ich überall sage, meine ich wirklich überall.«

»Er hatte es aber auch nicht besser verdient«, kommentierte ich.

»Mag sein. Aber ihr dürft nicht vergessen, dass er ein kleiner Junge war. Also lief er zu Venus, seiner Mutter, um sich von ihr trösten zu lassen. Er schrie und heulte und war überrascht, dass etwas so Kleines wie eine Biene so große Schmerzen verursachen kann. Aber glaubt ihr, die Mutter hätte ihn getröstet? Nein! Sie hat nur gelacht.«

»Gelacht?«, fragte ich.

»Genau. ›Du bist auch klein‹, hat sie gesagt. ›Aber deine Pfeile verursachen noch viel mehr Schmerzen als ein Bienenstich.‹«

»Du lieber Himmel«, sagte ich. »Und dann? Was ist dann passiert?«

»Nichts. Mehr ist nicht passiert«, antwortete Rick.

Jimmy und ich starrten ihn ungläubig an.

»Das war die ganze Geschichte?«, fragte Jimmy.

Rick zuckte mit den Schultern. »Ja. Es sind massenhaft Bilder darüber gemalt worden. Die Venus steht einfach nur da. Sie ist schön, wisst ihr, Porzellanhaut und üppige Formen. Und auch nackt. Sie steht lachend neben dem Baby, das noch die Waben in der Hand hält, während die Bienen es stechen.«

Ich schauderte.

»Was für eine Mutter«, sagte Jimmy.

»Das kannst du laut sagen«, erwiderte Rick.

Dann herrschte endlich wieder Schweigen. Ich schloss die Augen und versuchte, das Bild von dem heulenden, von geschwollenen Stichen übersäten Baby wieder aus meinem Kopf zu kriegen.

Die Sonne wärmte den Nacken. Es war das, was Emma einen schönen Tag nannte. Ich versuchte zu spüren, wie schön er war. Und wie schön es war, dass die Sonne schien. Denn Sonne bedeutete Honig. Das Jahr ließ sich gut an. Ein gutes Jahr brachte Geld ein. Und das Geld konnte ich in den Hof investieren. So sollte es sein. Wer brauchte schon Florida. Genau das würde ich ihr heute Abend sagen: Wer braucht schon Florida?

tao

Es war Abend, aber wir schliefen nicht. Natürlich schliefen wir nicht. Wir hatten geglaubt, wir würden in unser kleines Provinzkrankenhaus im Ort fahren, doch stattdessen waren wir in die große Klinik in Shirong gebracht worden. Sie deckte den ganzen Bezirk ab. Niemand hatte uns erzählt, warum wir hierher gebracht worden waren. Der führerlose Krankenwagen hatte auf halber Strecke die Richtung gewechselt, und weil wir allein in der Fahrerkabine saßen, konnten wir niemanden fragen.

Wir wurden in einen Warteraum für Angehörige gebracht. Manchmal hörten wir auf dem Flur Menschen vorbeigehen, aber nie öffnete jemand die Tür, und wir hatten den Raum für uns allein.

Ich stand am Fenster. Von hier aus blickte man auf die Zufahrt zur Notaufnahme, die in der Mitte des Gebäudekomplexes lag, wie fünf weiße Finger fächerten sich die einzelnen Flügel von dort aus auf. Nur hinter manchen Fenstern brannte Licht, ein ganzer Flügel lag im Dunkeln. Die Klinik war in einer anderen Zeit gebaut worden, für weit mehr Einwohner, als der Bezirk heute hatte. Manchmal fuhren Autos auf den Platz vor der Notaufnahme, einmal landete sogar ein Hubschrauber. Ich konnte mich nicht erinnern, wann ich zuletzt einen gesehen hatte. Es musste Jahre her sein; sie wurden nicht länger eingesetzt, weil sie zu viel Treibstoff verbrauchten. Die knatternden Rotoren wirbelten die Luft auf, und die weißen Kittel des Personals blähten sich, als würden sie gleich abheben. Die Tür glitt auf, eine Frau im Kostüm und zwei Männer kamen heraus. Keiner von ihnen sah krank aus, sie hetzten zum Haupteingang, als hätten sie wenig Zeit.

Manchmal ertönte eine laute und grelle Sirene, wenn ein neuer Rettungswagen kam. Dann eilte das Personal herbei und reihte sich auf, um die Patienten in Empfang zu nehmen. Sie wurden in hohem Tempo aus dem Wagen und in die Klinik geschoben und schon währenddessen von Ärzten und Schwestern versorgt. So war es auch bei unserer Ankunft gewesen, aber wir hatten es kaum wahrgenommen. Alles war so schnell gegangen. Als wir die Fahrerkabine verlassen durften, war Wei-Wen schon weggebracht worden. Wir sahen das Personal nur noch von hinten, wie es mit der Bahre verschwand. Wahrscheinlich lag er darauf, aber ich konnte ihn nicht sehen, weil die weißen Rücken ihn verdeckten. Ich rannte ihnen nach, wollte ihn einfach nur sehen. Doch die Tür glitt vor mir wieder zu und war verschlossen.

Und so blieben wir auf dem Platz davor stehen. Ich streckte die Hand nach Kuan aus, aber er stand zu weit weg. Ich konnte ihn nicht erreichen, vielleicht wollte er auch nicht erreicht werden.

Kurz darauf ging die Tür zur Notaufnahme wieder auf,

und zwei Männer in weißen Kitteln kamen heraus, vielleicht waren es Ärzte, vielleicht auch Krankenpfleger.

Sie legten uns behutsam die Hände auf den Arm und baten uns mitzukommen.

Ich folgte ihnen und stellte ununterbrochen Fragen. Wo war Wei-Wen? Was fehlte ihm? War er verletzt? Durften wir ihn bald sehen? Aber sie hatten keine Antworten. Sie sagten nur, dass unser Sohn – *Ihr Sohn,* sagten sie, wahrscheinlich kannten sie nicht einmal seinen Namen – in guten Händen sei. Und dass es gut gehen werde. Dann setzten sie uns in diesem Raum ab und verschwanden.

Ich stand seit Stunden am Fenster, als die Tür endlich aufging und eine Ärztin hereinkam. Sie stellte sich als Dr. Hio vor und schloss die Tür hinter sich, ohne uns in die Augen zu sehen.

»Wo ist er? Wo ist Wei-Wen?«, fragte ich. Meine Stimme klang, als käme sie aus weiter Ferne.

»Meine Kollegen kümmern sich noch um Ihren Sohn«, sagte die Frau und trat in den Raum.

Sie hatte graue Haare, ihr Gesicht war jedoch glatt und ausdruckslos.

»Er heißt Wei-Wen«, sagte ich. »Darf ich zu ihm?«

Ich trat einen Schritt zur Tür. Sie musste mich zu ihm bringen, das musste doch möglich sein. Vielleicht nicht ganz bis zu ihm, sondern nur bis zu einer Glasscheibe, solange ich ihn nur sehen konnte.

» Kümmern sich – wie meinen Sie das?«, fragte Kuan.

Sie hob den Kopf und sah ihn an. Meinem Blick wich sie aus.

»Wir tun, was wir können.«

»Er wird doch überleben, oder?«

»Wir tun, was wir können«, wiederholte sie sanft.

Kuan biss sich in die Hand. Mich überkam ein plötzlicher Schüttelfrost.

»Wir müssen ihn sehen«, sagte ich, doch meine Worte waren so leise, dass sie fast untergingen.

Sie antwortete nicht, schüttelte nur leicht den Kopf.

Es konnte nicht stimmen. Das musste ein Irrtum sein. Alles, was passiert war, musste ein Irrtum sein. Es war gar nicht Wei-Wen, der dort lag. Er war in der Schule oder zu Hause. Es war ein anderes Kind. Ein Missverständnis.

»Sie müssen uns vertrauen«, sagte Dr. Hio leise und setzte sich. »Und in der Zwischenzeit müsste ich Ihnen ein paar Fragen stellen.«

Kuan nickte und setzte sich ebenfalls.

Sie nahm Stift und Papier zur Hand, um sich Notizen zu machen.

»War Ihr Sohn früher schon einmal krank?«

»Nein«, antwortete Kuan brav und wandte sich dann an mich. »Oder? Kannst du dich an etwas erinnern?«

»Nein. Nur eine Ohrenentzündung«, sagte ich. »Und eine Grippe.«

Sie notierte sich etwas. »Also nichts Außergewöhnliches?«

»Nein.«

»Andere Atemwegserkrankungen? Asthma?«

»Nein, nichts«, antwortete ich barsch.

Dr. Hio wandte sich wieder an Kuan.

»Wo genau war er, als Sie ihn gefunden haben?«

Kuan beugte sich vor und krümmte sich, als wollte er sich vor ihren Fragen schützen.

»Zwischen den Bäumen, bei Feld 458 oder vielleicht auch 457. Direkt am Waldrand.«

»Und was hat er gemacht?«

»Er saß einfach nur da. Zusammengesunken. Blass und schwitzend.«

»Und Sie haben ihn gefunden?«

»Ja.«

»Er hatte Angst«, sagte ich. »Er hatte solche Angst.«

Sie nickte.

»Wir hatten vorher Pflaumen gegessen«, fuhr ich fort. »Wir hatten eingelegte Pflaumen dabei. Er durfte die ganze Dose leeressen.«

»Danke«, sagte sie und machte sich eine Notiz.

Dann wandte sie sich wieder an Kuan, als würde er alle Antworten kennen. »Glauben Sie, dass er aus dem Wald kam?«

»Ich weiß es nicht.«

Sie zögerte. »Was haben Sie dort eigentlich gemacht?«

Kuan beugte sich wieder vor. Er sandte mir einen ausdruckslosen Blick zu, der nicht verriet, was er dachte.

Meine Kehle schnürte sich zu, ich bekam kaum noch Luft und konnte nicht antworten. Ich fixierte ihn, bat ihn mit flehendem Blick, die Wahrheit zu vertuschen. Er sollte sagen, dass es unsere gemeinsame Idee gewesen wäre, dorthin zu gehen, vielleicht sogar seine, obwohl es nur meine gewesen war.

Es war meine Idee und meine Schuld.

Kuan erwiderte meinen Blick nicht. Stattdessen wandte

er sich wieder der Ärztin zu und holte Luft. »Wir haben einen Ausflug gemacht«, sagte er dann. »Wir wollten an unserem freien Tag etwas Schönes unternehmen.«

Vielleicht gab er mir keine Schuld, vielleicht war er nicht wütend. Ich sah ihn weiter an, aber er blickte nicht mehr in meine Richtung. Er gab mir nichts, aber er machte mir auch keine Vorwürfe.

Und womöglich war es so, womöglich war das die Wahrheit. Wir hatten zusammen beschlossen, hinauszugehen. Eine Entscheidung, die gemeinschaftlich und einstimmig getroffen worden war, ein Kompromiss, und nicht allein meine Idee.

Wahrscheinlich bemerkte Dr. Hio nicht, was zwischen uns vorging – sie sah nur vom einen zum anderen, mitfühlend und mehr als nur professionell. »Ich verspreche Ihnen, dass ich wieder zu Ihnen komme, sobald ich mehr weiß.«

Ich ging einen Schritt vor. »Aber was ist passiert? Was ist mit ihm?« Jetzt zitterte meine Stimme. »Irgendetwas müssen Sie doch wissen?«

Die Ärztin schüttelte nur langsam den Kopf.

»Versuchen Sie sich ein bisschen auszuruhen. Ich schaue mal, ob ich Ihnen etwas zu essen organisieren kann.«

Sie verschwand durch die Tür, und wieder blieben wir zurück.

An der Wand hing eine Uhr. Die Zeit verging ruckartig. Wenn ich hinüberblickte, waren mal zwanzig Minuten verstrichen, mal nur zwanzig Sekunden.

Kuan befand sich immer auf der anderen Seite des Zimmers. Wo ich auch stand, er war weit weg. Es lag ebenso sehr an mir wie an ihm. Was zwischen uns stand, war so groß, dass wir nicht daran vorbeikamen. Damit konfrontiert, wurden wir beide wie dünnes Eis, wie die erste zarte Schicht, die sich im Herbst auf den Pfützen bildete und die bei der kleinsten Belastung brach.

Ich trank einen Schluck Wasser. Es schmeckte abgestanden, altes Wasser aus einem Tank.

Inzwischen war es dunkel geworden, doch keiner von uns schaltete das Licht ein. Wozu brauchten wir Licht? Seit uns die Ärztin verlassen hatte, war eine Stunde vergangen.

Erneut spähte ich in den Flur, am Empfang saß niemand.

Ich ging weiter, stieß jedoch nur auf verschlossene Türen. Als ich mein Ohr an eine von ihnen legte, hörte ich nichts. Das laute Brummen der Lüftungsanlage übertönte alle anderen Geräusche.

Also wieder zurück. Einfach nur da sein. Warten.

GEORGE

Wir waren bei den Bienenstöcken in der Nähe von Satis Farm angekommen. Ich kümmerte mich um diejenigen, die näher an der Hauptstraße lagen. In der Ferne konnte ich gerade noch Jimmy und Rick erahnen, die sich in Richtung Ebene vorarbeiten. Ich war angenehm müde, aber nicht erschöpft. Heute Abend würde ich sicher sofort einschlafen, als hätte man mir den Stecker gezogen.

Als ich gerade den Deckel von der letzten Magazinbeute heben wollte, kam Gareth. Gareth Green.

Sein Trailer donnerte durch die Landschaft. Dahinter folgten drei weitere. Als er mich sah, bremste er. Das war ja klar. Und die Fahrer der Trailer hinter ihm mussten in der Zwischenzeit brav anhalten, mit dem Motor im Leerlauf und der Sonne direkt auf der Fensterscheibe, nur um auf Gareth zu warten. Das war sicher nicht das erste Mal.

Braungebrannt, mit einer verspiegelten Sonnenbrille und einem breiten Grinsen im Gesicht, stieg er aus. Außerdem trug er eine grasgrüne Kappe mit der Aufschrift *Clearwater Beach, Spring Break 2006.* Vielleicht hatte er sie im Süden im Schlussverkauf erstanden. Gareth hatte es gern billig, am liebsten aber so, dass es die Leute nicht merkten, denn er beeindruckte sie gern. Er ließ die Tür offen und den Motor laufen.

»Na, alles in Ordnung hier oben?«

Er nickte mir und meinen Bienenstöcken zu, die in unregelmäßigen Abständen über die Ebene verteilt waren. Viele waren es nicht, sie wirkten ein wenig kümmerlich.

»Ja, sieht prima aus«, sagte ich. »Ein guter Winter. Hab nur wenige verloren.«

»Schön. Freut mich sehr. Wir auch. Kaum Ausfälle.« Gareth redete immer von Ausfällen, wenn er über die Bienen sprach. Als wären sie Nutzpflanzen.

Er blickte in die Landschaft. »Wir werden uns jetzt auch mal für eine Runde hier niederlassen. Birnen.«

»Keine Äpfel?«

»Nein. Dieses Jahr sind Birnen dran. Ich habe einen größeren Hof an Land gezogen. Ich habe jetzt mehr Bienen, weißt du. Hudsons Farm ist zu klein für uns geworden.«

Ich sagte nichts, nickte nur.

Er nickte auch.

So standen wir da und nickten und sahen aneinander vorbei. Wie diese Spielzeugfiguren, die es in meiner Kindheit gab, bei denen der Kopf lose sitzt und nur einen kleinen Anstoß braucht, um ewig zu nicken und dabei ins Leere zu starren.

Er nickte ein weiteres Mal, diesmal in Richtung der Trailer. »Sie sind jetzt schon lange unterwegs. Es wird ihnen guttun, hier oben einen Platz zu finden.«

Ich folgte seinem Blick. Übereinandergestapelte Magazinbeuten, allesamt fertigproduziert aus Isopor, waren mit Seilen auf den Trailern festgespannt und mit einem grünen, feinmaschigen Netz bedeckt. Das Motorengeräusch übertönte das Summen der Bienen in den Beuten.

»Kommt ihr gerade aus Kalifornien?«, fragte ich. »Wie viele Meilen sind das eigentlich bis hier?«

»Du hast wirklich keine Ahnung.« Er lachte. »Kalifornien war im Februar. Die Mandeln. Die Saison ist längst vorbei. Jetzt kommen wir aus Florida. Zitronen.«

»Ach ja, die Zitronen.«

»Und Blutorangen.«

»Ja, richtig.«

Blutorangen. Mit normalen Orangen gab Gareth sich natürlich nicht ab.

»Wir waren einen Tag und eine Nacht unterwegs«, fuhr er fort. »Aber kein Vergleich mit der Fahrt, die wir davor gemacht haben. Von Kalifornien nach Florida. Eine ordentliche Strecke. Allein Texas zu durchqueren dauert ja schon fast einen Tag. Ist dir klar, wie breit dieser Staat eigentlich ist?«

»Nein. Ich kann nicht behaupten, dass ich darüber schon mal nachgedacht hätte.«

»Breit. Der breiteste Staat, den wir haben. Abgesehen von Alaska natürlich.«

»Natürlich.«

Gareths 4000 Bienenstöcke waren das ganze Jahr auf Achse, sie kamen nie zur Ruhe. Den Winter verbrachten sie in den südlichen Staaten; erst blühte die Paprika in Florida, dann die Mandel in Kalifornien, danach ging es wieder zurück nach Florida zu den Orangen – oder besser gesagt Blutorangen, die in diesem Jahr anscheinend neu dazugekommen waren – und anschließend für drei oder vier Stationen im Laufe des Sommers nach Norden. Äpfel oder Birnen, Blaubeeren, Kürbisse. Nur im Juni waren sie zu Hause. Dann verschaffte er sich den Überblick, wie er es sagte, machte sich einen Eindruck von den Verlusten, legte einige Stöcke zusammen, besserte Schäden aus.

»Übrigens habe ich Rob und Nellie da unten getroffen«, sagte er.

»Ach, wirklich?«

»Ich habe vergessen, wie der Ort hieß – Gulf Village?«

Interessant. Er war also da gewesen. Im angeblichen Paradies.

»Gulf Harbors.«

»Sieh an. Du hast also auch schon davon gehört. Gulf Harbors, genau. Ich habe das neue Haus gesehen. Direkt am Kanal. Sie haben sich einen Jetski angeschafft. Rob hat mich eine Runde mitgenommen. Ob du es glaubst oder nicht, wir haben sogar Delphine gesehen!«

»Delphine, na sowas. Keine Seekühe?«

»Nein. Seekühe? Was soll das denn sein?«

»Rob und Nellie haben damit angegeben. Dass sie direkt vor ihrem Haus Seekühe hätten.«

»Du liebe Güte. Nein, Kühe habe ich nicht gesehen. Na, jedenfalls haben sie eine gute Wahl getroffen. Ein schönes Fleckchen.«

»Ja, das habe ich inzwischen auch verstanden.«

Einer der Trailer ließ ungeduldig den Motor aufheulen, aber Gareth blieb ungerührt. So war er. Mir kribbelte es längst in den Beinen, aber er stand immer noch genauso ruhig da, er fand wohl nie den Absprung.

»Und du?« Er nahm seine Brille ab und sah mich an. »Machst du auch ein paar Touren?«

»Ja klar«, antwortete ich. »In ein paar Wochen geht es los. Maine.«

»Blaubeeren, wie immer?«

»Ja, Blaubeeren.«

»Dann sehen wir uns vielleicht. Ich habe dieses Jahr auch Maine bekommen.«

»Was du nicht sagst. Ja, dann sehen wir uns wohl.« Ich rang mir ein Lächeln ab.

»White Hill Farm, weißt du, wo das ist?« Er kratzte sich unter der Mütze, seine Hand war grün von der Sonne, die durch den Stoff fiel.

»Nein«, behauptete ich, dabei war es der größte Hof im Umkreis von mehreren Meilen. Alle, selbst das kleinste Baby und jeder dahergelaufene Köter, mussten ihn kennen.

Er grinste und erwiderte nichts, wahrscheinlich wusste er genau, dass ich log. Dann drehte er sich endlich wieder zu seinem Trailer, hob die Hand zum militärischen Gruß an die Mütze, zwinkerte mir schelmisch zu und setzte sich hinters Steuer.

Die Staubwolke verdeckte für einen Moment die Sonne, als sie verschwanden.

Gareth und ich waren zusammen in die Schule gegangen. Er war ein Faulpelz gewesen, hatte zu viel gegessen und zu wenig Sport gemacht, und noch dazu hatte ihn ein Ekzem geplagt. Die Mädchen waren nicht an ihm interessiert gewesen. Wir Jungs auch nicht. Aus irgendeinem Grund hatte er aber eine Vorliebe für mich entwickelt.

Vielleicht weil ich es nicht über mich brachte, ihn die ganze Zeit schlechtzumachen. Wahrscheinlich hatte er erkannt, dass ein menschliches Wesen in mir steckte. Außerdem lag mir meine Mutter ständig in den Ohren. *Man muss zu allen nett sein, vor allem zu denen, die nur wenige Freunde haben.* Und Gareth gehörte eindeutig in die Kategorie Leute mit wenig Freunden. So war meine Mutter. Es war unmöglich, bösartig zu sein, wenn man ständig ihre Stimme im Kopf hatte. Sie zwang mich sogar mehrmals, ihn zu mir nach Hause einzuladen. Und Gareth schien beinahe außer sich vor Freude, bei uns auf den Hof zum Essen kommen zu dürfen. Mein Vater nahm uns mit zu den Bienen. Gareth stellte einen Haufen Fragen. Er war viel wissbegieriger, als ich es je gewesen war, oder jedenfalls mehr, als ich es zeigte. Und mein Vater antwortete natürlich liebend gern.

Auf der Highschool verloren wir zum Glück den Kontakt zueinander, oder besser gesagt, es wurde leichter, ihm aus dem Weg zu gehen. Gareth stürzte sich ins Lernen und in die Arbeit. Er hatte einen Nebenjob in einem Eisenwarengeschäft angenommen und fing schon damals an, Geld zu sparen. Mit der Zeit purzelten auch seine Pfunde, und er legte sich wohl so eine Höhensonne zu, die gegen das Ekzem half und seiner Haut das ganze Jahr über einen goldenen Schimmer verlieh. Zugegeben, es sah nicht übel aus.

Außerdem war es ihm gelungen, sich ein ziemlich nettes Mädchen zu angeln. Nach der Schule kaufte er sich ein kleines Stück Land, und natürlich musste er auch mit der Imkerei anfangen. Der Betrieb lief hervorragend, offenbar hatte Gareth ein Händchen dafür. Er expandierte, kaufte weitere Magazinbeuten. Seine Frau und er bekamen Kinder, die hübscher gerieten als ihr Vater, keines von ihnen litt unter einem Ekzem. Und jetzt war er eine große Nummer. Eine der größten Nummern im Ort. Sonntags kutschierte er seine Familie in einem riesigen deutschen SUV umher. Er war Mitglied im Country Club geworden und bezahlte im Jahr 850 Dollar dafür, dass die ganze Familie bei jedem Wetter dort auf dem Rasen stehen und Golfbälle in die Luft schlagen konnte – ja, ich hatte tatsächlich nachgesehen, was die Mitgliedschaft kostete.

In die neue Bibliothek hatte er auch investiert. Ein blankpoliertes Messingschild verriet allen, die es lesen wollten, und das waren nicht wenige, dass die örtliche Bevölkerung dem Betrieb Green Apiaries zu tiefer Dankbarkeit verpflichtet sei, weil er einen so großzügigen Beitrag zum Bau der Bibliothek geleistet habe.

Es war die Rache der Nerds. Und wir anderen, die nie richtig uncool gewesen waren, sondern angemessen beliebt in der Schule, mussten zusehen, wie Gareth mit jedem Jahr mehr Kohle scheffelte.

Alle, die sich mit Bienen auskannten, wussten, dass man mit Honig eigentlich nicht reich werden konnte. Auch Gareth hatte sein Vermögen nicht damit erwirtschaftet. Das große Geld lag in der Bestäubung, denn ohne Bienen war die Landwirtschaft aufgeschmissen. Meilen von blühenden Mandelbäumen oder Blaubeersträuchern waren unbrauchbar, wenn die Bienen die Pollen nicht von einer Blüte zur anderen trugen. Die Bienen konnten mehrere Kilometer am Tag bewältigen, viele tausend Blüten. Ohne sie waren die Blüten genauso nutzlos wie Teilnehmerinnen eines Schönheitswettbewerbs. Eine Weile lang schön anzusehen, auf längere Sicht aber ohne jeden Wert. Die Blüten welkten und starben, ohne Früchte zu tragen.

Gareth hatte sich schon vom ersten Tag an auf die Bestäubung spezialisiert. Seine Bienen waren ein reisendes Volk. Immer unterwegs. Ich hatte gelesen, dass es sie stresste und sie es nicht gut vertrugen, aber Gareth behauptete, seine Bienen würden das gar nicht merken und es ginge ihnen genauso gut wie meinen.

Und vielleicht hatte Gareth auf diesen Bereich gesetzt, gerade weil er von außen in die Branche hineinkam. Er hatte verstanden, in welche Richtung die Entwicklung ging: dass kleine Honigfarmen wie meine eigene, die schon seit mehreren Generationen geführt wurden, nicht die Kasse klingeln ließen. Das war früher nicht der Fall gewesen, und jetzt erst recht nicht. Jede kleine Investition war ein Kraftakt, und wir lebten von der Gnade der netten örtlichen Bankfiliale. Die Mitarbeiter dort nahmen es mit den Rückzahlungsfristen der Kredite nicht so genau. Sie verließen sich darauf, dass die Bienen auch in diesem Jahr ihre Arbeit machten, und vertrauten mir, wenn ich behauptete, der billige, wässrige Mist aus China, der unter dem Namen Honig verkauft wurde und jedes Jahr in noch größeren Mengen auf unseren Markt drängte, wäre nicht von Bedeutung, die Honigpreise würden sich auf dem gleichen Niveau halten, die Aussichten auf einen regelmäßigen Ertrag wären gut, der unberechenbare Klimawandel hätte keinerlei Auswirkungen auf uns, und wir könnten auch im Herbst einen guten Verkauf garantieren. Das Geld würde hereinkommen, wie immer.

Das war alles gelogen. Und deshalb musste ich umdisponieren. Einer wie Gareth werden.

William

»Soll ich das übernehmen?«, fragte Thilda. Mit meinem Rasierzeug und einem Spiegel in den Händen stand sie in der Tür.

»Du könntest dich am Messer schneiden«, antwortete ich.

Sie nickte. Sie wusste genauso gut wie ich, dass sie noch nie eine ruhige Hand gehabt hatte.

Dann verließ sie das Zimmer und kam kurz darauf mit Waschschüssel, Seife und Bürste zurück. Sie stellte alles auf den Nachttisch, den sie näher ans Bett heranschob, damit ich eine gute Arbeitsposition hatte. Zuletzt legte sie den Spiegel ab. Sie blieb stehen und wartete, als ich ihn hob. Fürchtete sie meine Reaktion?

Es war ein anderer Mann, der mich da anstarrte. Ich hätte erschrecken müssen, aber dem war nicht so. Denn das Schwache, Weichliche war weg. Weg war der freundliche Kaufmann. Der Mann, der mich anstarrte, war einer, der etwas erlebt hatte. Es war ein Paradox, hatte ich doch monatelang nur im Bett gelegen und nichts erlebt, war von nichts umgeben gewesen als meinen eigenen, niederen Gedanken. Doch das Spiegelbild sagte etwas anderes.

Es erinnerte an einen Segler, der nach Monaten auf dem Stillen Ozean wieder an Land ging, oder einen Grubenarbeiter, der nach einer langen Schicht wieder das Tageslicht sah, oder einen Wissenschaftler, der nach einer langen und dramatischen Forschungsreise durch den Dschungel wieder nach Hause zurückkehrte. Dieser Mann sah markant aus, schlank, auf elegante Weise abgehärtet. Er verkörperte gelebtes Leben.

»Hast du eine Schere?«

Thilda sah mich verwirrt an.

»Der Bart ist zu lang, als dass ich gleich mit dem Messer anfangen könnte.«

Sie verstand und nickte. Im nächsten Moment war sie mit einer Nähschere wieder da, die unpraktisch klein war, für flinke Frauenfinger gemacht, aber mir gelang es trotzdem, das schlimmste Gestrüpp damit zu beseitigen.

Sachte tauchte ich den Pinsel ins Wasser und rieb ihn dann gegen die Seife. Sie schäumte frisch und duftete nach Wacholder.

»Wo ist das Messer?« Ich sah mich um.

Sie stand nur da, die Hände vor der Schürze verschränkt, den Blick starr zu Boden gerichtet.

»Thilda?«

Endlich reichte sie mir das Rasiermesser, das sie in der Tasche gehabt hatte. Es zitterte in ihren Händen, als wollte sie es mir nicht ganz überlassen. Ich griff danach und begann die Rasur. Die Klinge kratzte auf der Haut, sie war stumpf.

Thilda blieb stehen und sah mich an.

»Danke. Du kannst jetzt gehen«, sagte ich zu ihr.

Doch sie blieb. Sie heftete ihren Blick auf mich und das Messer. Und plötzlich verstand ich, was sie fürchtete. Ich ließ die Hand sinken.

»Hältst du es denn nicht für ein Zeichen der Genesung, dass ich mich rasiere?«

Sie musste darüber nachdenken, wie immer.

»Ich bin überaus dankbar, dass du die Kraft dafür aufbringst«, antwortete sie schließlich, blieb aber dennoch stehen.

Plante man Derartiges tatsächlich, galt es, eine Methode zu finden, es wie einen ganz normalen Todesfall aussehen zu lassen. Auf diese Weise wollte ich Edmund schonen. Ich hatte mehrere Vorgehensweisen im Kopf – ich hatte schließlich genug Zeit gehabt, sie zu ersinnen –, aber das konnte Thilda natürlich nicht wissen. Sie vermutete, wenn sie mich mit einem scharfen Gegenstand im Zimmer allein ließe, würde ich sofort die Gelegenheit beim Schopfe packen, als gäbe es keine andere. Ein solch schlichtes Gemüt war sie.

Hätte ich einen Strich unter alles ziehen wollen, hätte ich mich längst in den Schnee hinausbegeben, lediglich mit meinem Nachthemd bekleidet. Dann wäre ich am nächsten Tag erfroren aufgefunden worden, mit Eiskristallen an Bart und Wimpern, und es hätte genau so ausgesehen – wie ein ganz normaler Todesfall. Der Saatguthändler hatte sich in der Dunkelheit verirrt und war erfroren, der Ärmste.

Oder Pilze. Im Wald wimmelte es nur so von ihnen, und einige davon hatten letzten Herbst ihren Weg in die oberste Schublade der Kommode ganz links im Laden gefunden, sorgfältig verschlossen, mit einem Schlüssel, auf den nur ich Zugriff hatte. Die Pilze wirkten schnell, im Laufe weniger Stunden wurde man schlaff und träge und schließlich bewusstlos, dann folgten einige wenige Tage, in denen der Körper zersetzt wurde, ehe seine Funktionen ganz aufhörten. Ein Arzt würde als Todesursache lediglich Organversagen feststellen. Niemand würde erfahren, dass man sein Ableben selbst herbeigeführt hatte.

Oder Ertrinken. Der Fluss hinter unserem Haus war selbst im Winter ein reißendes Gewässer.

Oder ich ging zum Hundehof der Blakes, wo immer mindestens sieben wilde Köter am Zaun geiferten.

Oder zu dem steilen Hang im Wald.

Die Möglichkeiten waren mannigfaltig, aber jetzt saß ich hier und rasierte mir den Bart ab und hatte keinerlei Absicht, mich einer von ihnen zu bedienen, auch nicht des Messers in meiner Hand. Denn ich war aufgestanden, und ich würde keine dieser Möglichkeiten je wieder in Betracht ziehen.

»Ich will dich nicht aufhalten«, sagte ich zu Thilda. »Du hast doch sicher zu tun da draußen.«

Ich zeigte auf die Tür, wie als Verweis auf das restliche Haus, das mit weiblichen Augen betrachtet offenbar unaufhörlich danach verlangte, dass Staub gewischt und Essen gekocht wurde, Kleider und Böden geschrubbt wurden und was es sonst noch alles zu erledigen gab.

Sie nickte erneut, dann ging sie endlich.

Es gab Momente, in denen ich den Eindruck hatte, Thilda wäre mehr als dankbar gewesen, ich hätte mir ein Rasiermesser, oder besser noch ein Tranchiermesser an den

Hals gelegt und das Blut aus meiner Hauptschlagader pulsieren lassen, bis nichts von mir übriggeblieben wäre als eine leere Hülle, ein verlassener Kokon. Sie hatte es nie ausgesprochen, aber wir wussten wohl beide, dass wir im Nachhinein die Sonne verfluchten, die vor über siebzehn Jahren im Gemeindehaus ausgerechnet auf ihre Nase gefallen war. Es hätten so viele andere sein können, oder auch keine.

Damals war ich fünfundzwanzig Jahre alt und etwa ein Jahr zuvor in dieses Dorf gekommen. Ich weiß nicht, ob in diesem Monat irgendein besonderes Wetter geherrscht hatte, vielleicht war ein trockener Wind über die Gegend hinweggefegt, sodass ihre Lippen rot und trocken geworden waren und sie sie unentwegt mit Speichel befeuchtet hatte, oder ob sie heimlich darauf herumgekaut hatte, wie es junge Mädchen zu tun pflegen, damit ihre Münder verlockend aussehen. Jedenfalls bemerkte ich an diesem Tag nicht, dass sie fast keine Lippen besaß. Ich erinnere mich nur, dass ich mitten in meinem Vortrag war, als ich sie sah.

Ich war unglaublich gut vorbereitet gewesen, in erster Linie wegen Rahm, denn ich wünschte mir nichts mehr, als einen hervorragenden Eindruck bei ihm zu machen. Mir war bewusst, welches Glück ich gehabt hatte. Vielen meiner Kommilitonen waren weit weniger interessante Aufgaben zugeteilt worden. Als Absolvent durfte man kaum Ansprüche stellen, und von einem anerkannten Forscher unter die Fittiche genommen zu werden, war der beste Weg, um später selbst einmal Erfolg zu haben. Zu diesem Zeitpunkt in meinem Leben war Rahm der einzige Mensch, der für mich von Bedeutung war. Von dem

Moment an, als ich die Schwelle zu seinem Studierzimmer betreten hatte, war ich fest entschlossen gewesen: Er sollte meine wichtigste Bezugsperson sein, mir nicht nur ein Seelenverwandter und Mentor sein, sondern auch ein Vater. Zu meinem eigenen Vater hatte ich keinen Kontakt mehr und wünschte auch keinen, jedenfalls redete ich mir das immer wieder ein. Doch unter den Augen des Professors könnte ich wachsen und gedeihen. Er sollte mich zu dem machen, der ich eigentlich war.

Auch meiner mangelnden Erfahrung ist es zu verdanken, dass ich so gut vorbereitet war. Ich hatte schlicht und ergreifend noch nie vor einem Publikum gesprochen. Als Rahm mich bat, einen Beitrag zu seinem kleinen zoologischen Themenabend für die Bewohner von Maryville zu leisten, hielt ich es zunächst für eine Bagatelle. Doch mit jedem Tag, der verging, erschien mir die Aufgabe größer und wuchs sich zu etwas beinahe Unüberwindbarem aus. Wie würde es sich anfühlen, dort vor so vielen Menschen zu stehen, die alle meiner Stimme lauschten und ihre Aufmerksamkeit auf mich richteten? Auch wenn die Menschen im Dorf, um es vorsichtig auszudrücken, etwas schlichter waren als mein universitäres Umfeld, handelte es sich doch um einen wissenschaftlichen Vortrag. Wäre ich überhaupt in der Lage, eine solche Aufgabe zu bewältigen?

Nicht allein die Tatsache, dass ich zum ersten Mal in meinem Leben einen Vortrag halten würde, sondern auch die Bedeutung, die dieser für andere erlangen könnte, erfüllte mich mit Ehrfurcht. Die Naturwissenschaft war ein unbekanntes Terrain für die Dorfleute, ihre Weltanschauung gründete sich auf der Bibel, dem einzigen Buch, dem sie über den Weg trauten. Schlagartig wurde mir bewusst, dass ich die Möglichkeit hätte, ihnen mehr aufzuzeigen: Zusammenhänge zwischen dem Kleinen und dem Großen, zwischen Schöpfung und Schöpferkraft. Jetzt hatte ich die Gelegenheit, ihnen die Augen zu öffnen und ihren Blick auf die Welt, ja, auf die Existenz an sich zu verändern.

Allein, wie demonstrierte man so etwas am besten? Die Wahl des Themas wurde zu einer unlösbaren Aufgabe, die ich immer weiter vor mir herschob. Nahezu jeder Gegenstand war interessant, wenn man ihn aus naturwissenschaftlicher Perspektive betrachtete. Die Frucht der Erde, die Entdeckung Amerikas, die Jahreszeiten. Welche Wahlmöglichkeiten!

Am Ende traf Rahm die Entscheidung für mich. Er legte seine kühle Hand auf meine klamme und lächelte über meinen verwirrten Eifer. »Erzählen Sie etwas über das Mikroskop«, sagte er. »Welche Möglichkeiten es uns gebracht hat. Die meisten Zuschauer wissen nicht einmal, was ein solches Gerät eigentlich ist.«

Es war eine brillante Idee, auf die ich nie selbst verfallen wäre, und so nahm ich mich ihrer an.

Der Tag zog herauf, es wehte ein trockener Wind, und die Sonne stand hoch am Himmel. Wir waren unsicher, wie viele Zuhörer kommen würden. Einige ältere Dorfbewohner hatten darauf hingewiesen, dass unser Tun gottlos sei, denn man brauche keine anderen Bücher als die Bibel. Doch offensichtlich hatte bei den meisten die Neugier gesiegt, und das Gemeindehaus war bald so gefüllt, dass die

Temperatur im Saal sommerlich anstieg, obwohl draußen noch frisches Aprilwetter war. Ereignisse wie diese hatten Seltenheitswert im kleinen Maryville.

Ich war als Erster dran, das war Rahms Wunsch. Vielleicht wollte er mich vorzeigen wie einen neugeborenen Säugling, vielleicht war er zu diesem Zeitpunkt noch stolz auf mich. Nach einigen langen Minuten, in denen meine Stimme mit meinen Knien um die Wette zitterte, wurde ich sicherer. Ich stützte mich auf die Worte, die ich so gründlich vorbereitet hatte, und entdeckte, dass sie nicht etwa ihre Glaubwürdigkeit verloren und zwischen mir und den Zuschauern in der Luft hängen blieben, wenn sie das Papier verließen, sondern ihr Ziel erreichten.

Ich begann mit einem kurzen Abriss der Geschichte, erzählte von der Sammellinse, die schon seit dem 16. Jahrhundert in Gebrauch war, und anschließend von den zusammengesetzten optischen Mikroskopen, wie sie unter anderem im Jahre 1610 von Galileo Galilei beschrieben worden waren. Um die Bedeutung des Mikroskops in der Praxis zu zeigen, hatte ich beschlossen, von einer bestimmten Person auszugehen. Ich wählte den niederländischen Zoologen Jan Swammerdam. Er hatte im 17. Jahrhundert gelebt und war von seinen Zeitgenossen nie richtig anerkannt worden, vielleicht gerade weil er die Schöpfung in all ihren natürlichen Facetten so deutlich in Beziehung zur Schöpferkraft setzte.

»Swammerdam«, sagte ich und ließ meinen Blick über die Zuhörer schweifen. »Merken Sie sich seinen Namen. Seine Arbeit hat uns gezeigt, dass die verschiedenen Stadien im Leben eines Insekts, Ei, Larve und Puppe, tatsächlich verschiedene Formen ein und desselben Lebewesens sind. Swammerdam entwickelte selbst ein Mikroskop, das es ihm ermöglichte, die Insekten im Detail zu studieren. Während dieser Beobachtungen fertigte er Zeichnungen an, wie wir sie noch nie gesehen haben.«

Mit einer dramatischen Handbewegung, die ich genau einstudiert hatte, zog ich eine Wandkarte hinter mir herab.

»Hier sehen sie Swammerdams Darstellung der Anatomie der Bienen, so wie er sie in seiner *Biblia Naturae* gezeichnet hat.«

Ich gönnte mir eine Kunstpause und ließ meinen Blick auf der Versammlung ruhen, während diese die außergewöhnlich detaillierte Zeichnung auf sich wirken ließ. Genau in diesem Augenblick hatte die Frühlingssonne bei ihrer Wanderung über das Gemeindehaus das Fenster zu meiner Linken erreicht. Ein einsamer Sonnenstrahl fiel in den Raum, der offenbar nicht häufig genug geputzt wurde, erleuchtete die Fettflecken auf der Scheibe und die wirbelnden Staubkörner und strich über die Bankreihen hinweg, um schließlich eine Person zu treffen, die am äußersten Rand neben ihren beiden Freundinnen saß: Thilda.

Im Nachhinein verstand ich, dass unsere Begegnung für sie gar nicht im selben Maße überraschend gewesen war wie für mich. Natürlich war ich manch einer jungen Dame aufgefallen; der Naturforscher, in der Hauptstadt ausgebildet, modern gekleidet, redegewandt, ein wenig klein vielleicht und nicht eben athletisch – denn um ehrlich zu sein, kämpfte ich schon damals gegen mein beginnendes Übergewicht –, doch was ich an körperlichen Vorzügen missen ließ, machte ich mit meinem Intellekt wieder wett. Davon zeugte schon die Brille auf meiner Nase. Ich pflegte sie ein Stück nach unten zu schieben, damit ich klug über ihren Rand hinwegblinzeln konnte. Als die Brille neu war, brauchte ich einen ganzen Abend, um die perfekte Position für sie zu finden, exakt die Stelle auf der Nase, wo sie sicher saß und ich die Leute direkt ansehen konnte, ohne durch die kleinen, ovalen Gläser blicken zu müssen, deren konkave Linsen die Augen kleiner wirken ließen. Auch wusste ich, dass viele junge Frauen meine volle Haarpracht attraktiv fanden. Ich trug das Haar halblang, damit es zur vollen Geltung kam. Vielleicht hatte Thilda mich schon lange im Auge gehabt, mich begutachtet und mit den anderen jungen Burschen im Dorf verglichen. Hatte gesehen, mit welchem Respekt man mir entgegentrat, tiefe Verbeugungen und demütige Blicke, ganz ungleich den anderen jungen Männern in ihrem Umfeld, die sich vermutlich genauso grob gebärdeten, wie sie sich kleideten, und dementsprechend behandelt wurden.

Thilda trug ein blaues Sonntagsgewand, ein Kleid oder vielleicht auch eine Bluse, die sich hübsch an ihre Brust schmiegte. Ihr rundes Gesicht war von Korkenzieherlocken umrahmt, die bis auf die Schultern fielen, jene uniforme Frisur, die sie mit all ihren Freundinnen teilte und die man auch an vielen verheirateten Frauen sah – auch wenn man meinen sollte, Letztere hätten nun keinen Anlass mehr zu solch einem äußerlichen Firlefanz. Indessen waren es weder die Locken noch die Kleidung, die ich wahrnahm. Was der Sonnenstrahl durch die stickige Luft hindurch ertastet hatte, war eine außergewöhnlich gerade und wohlproportionierte Nase, die wie eine Illustration aus einem Anatomielehrbuch aussah. Es war eine klassische Nase, die mir sofort Lust machte, sie zu zeichnen, zu studieren, eine Nase, deren Form perfekt ihrer Funktion entsprach. Wie sich später herausstellte, stimmte meine Beobachtung allerdings nicht mit Thildas Wirklichkeit überein, weil die Nase infolge eines immerwährenden Schnupfens stets rot war und lief. Doch an jenem Tag leuchtete sie mir entgegen, und sie war weder gerötet noch tropfend, sondern einfach nur ungeheuer an mir und meinen Worten interessiert, und ich konnte den Blick nicht mehr davon abwenden.

Meine Kunstpause geriet zu lang. Das Publikum wurde unruhig, und ich hörte ein lautes, aufgesetztes Räuspern von Rahm, der hinter mir stand. Die Karte hing noch immer unkommentiert da und schaukelte hin und her.

Ich beeilte mich, darauf zu deuten. »Ganze fünf Jahre verwandte Swammerdam darauf, das Leben im Bienenstock zu studieren. Immer mit Hilfe des Mikroskops, das ihm die Möglichkeit gab, jedes kleinste Detail zu erfassen … Hier, ja … hier sehen Sie die Ovarien der Bienenkönigin. Mit seinen Studien konnte Swammerdam tatsächlich beweisen, dass jede Bienenkönigin Eier legt, aus denen alle drei verschiedenen Bienentypen entstehen – Drohnen, Arbeiterinnen und neue Königinnen.«

Die Zuhörer starrten mich an, einige wanden sich auf ihren Stühlen, keiner schien mich zu verstehen. »Seinerzeit war das bahnbrechend, weil man bis dato dachte, ein Bienenkönig, also eine männliche Biene, würde den Hofstaat regieren. Noch faszinierter und enthusiastischer aber widmete Swammerdam sich den Geschlechtsorganen der männlichen Biene. Und hier sehen Sie das Ergebnis.« Ich zog eine neue Karte herunter.

»Dies also sind die Genitalien der männlichen Biene.«

Leere Gesichter.

Wieder kam Unruhe im Saal auf. Einige Zuhörer richteten die Blicke auf ihre eigenen Arme, um einen losen Faden im Stoff zu mustern, andere interessierten sich mit einem Mal leidenschaftlich für die Wolkenformationen am Himmel.

Mit einem Mal wurde mir schlagartig bewusst, dass keiner von ihnen wusste, was Ovarien oder Genitalien waren, und ich verspürte das dringende Bedürfnis, es ihnen zu erklären. Nun folgte jener Teil meiner Rede, den Thilda stets ausließ, wenn sie den Kindern von unserem Kennenlernen erzählte, und genauso wenig hatte er je zwischen uns Erwähnung gefunden. Allein der Gedanke daran, was nun kam, trieb mir noch Jahre später die Schamesröte ins Gesicht.

»Die Ovarien sind also dasselbe wie die Eierstöcke … Also das Reproduktionssystem, in dem die Eier entstehen … die wiederum zu Larven werden.«

Kaum hatte ich die Worte ausgesprochen, wurde mir klar, wo ich mich hineinbegeben hatte, aber jetzt gab es kein Zurück mehr. »Und die Genitalien sind also dasselbe wie … äh, die reproduzierenden Organe der männlichen Biene. Diese sind unerlässlich im Prozess der … Produktion neuer Bienen.«

Ein Raunen ging durch den Saal, als sie verstanden,

wovon sie da Zeichnungen sahen. Warum hatte ich nicht vorausgesehen, welchen Effekt dieses Thema auf sie haben würde? Für mich war es ein selbstverständlicher Teil der Naturwissenschaft, für sie hingegen etwas Sündiges, was man für sich behielt und worüber man niemals sprach. In ihren Augen war meine Leidenschaft mit Schmutz behaftet.

Aber keiner ging, keiner hielt mich auf. Hätte es bloß jemand getan. Doch lediglich ein paar gedämpfte Geräusche kündeten von der bevorstehenden Katastrophe, Hinterteile, die auf Holzbänken hin- und herrutschten, Stühle, die über den Boden scharrten, leises Räuspern. Thilda senkte den Kopf. Errötete sie? Ihre Freundinnen warfen sich amüsierte Blicke zu, und ich Rindvieh fuhr einfach fort, in der Hoffnung, der Rest meiner Rede würde die Aufmerksamkeit von den soeben gesagten Worten weglenken und hin zu dem, was wirklich wichtig war.

»Drei ganze Seiten hat er ihnen in seinem Lebenswerk, der *Biblia Naturae* oder auch *Bibel der Natur* gewidmet. Hier sehen wir einige seiner ungewöhnlich detaillierten Zeichnungen der Drohnen und ihrer … Geni… Genitalien.« Das Wort kam mir kaum noch über die Lippen. »Die verschiedenen Stadien, wie sie sich öffnen, entfalten und … zu ihrer vollen Größe expandieren.« Hatte ich das wirklich gesagt? Ein flüchtiger Blick ins Publikum verriet mir, dass dem so war. Ich zwang meinen Blick wieder auf das Manuskript und las weiter, obwohl ich es damit nur umso schlimmer machte.

»Swammerdam beschrieb sie selbst als … exotische Seeungeheuer.«

Jetzt kicherten die Freundinnen.

Ich wagte es nicht, zu ihnen hinüberzusehen. Stattdessen nahm ich Swammerdams Werk zur Hand und zitierte die fabelhaften Worte, über die ich selbst so oft nachgesonnen hatte, ich klammerte mich an das Buch und hoffte, meine Zuhörer würden nun endlich nachvollziehen können, worin die wahre Leidenschaft bestand.

»Aus so wenigen Beispielen kann man ersehen, was für Wunder an den Insekten zu bemerken sein müssen, und wie dienlich uns die Untersuchung ihrer natürlichen Beschaffenheit zur Verherrlichung des göttlichen Rahmens sein könne, der große Dinge tut, die man nicht ergründen kann, und Wunder, die man nicht erzählen kann.«

Ich erdreistete mich aufzusehen, und mir wurde deutlich, ja, vollkommen klar, dass ich verloren hatte, denn die Gesichter, die mich anstarrten, waren im besten Fall erschüttert, im schlimmsten sogar erbost, und endlich verstand ich das ganze Ausmaß dessen, was ich getan hatte. Es war mir nicht im Entferntesten gelungen, ihnen von den Wundern der Natur zu berichten. Ich hatte hier oben gestanden und ihnen vom Niedersten des Niederen erzählt und noch dazu Gott in diese Sache mit hineingezogen.

Den Rest der Geschichte ließ ich aus. Der arme Swammerdam war anschließend zu nichts mehr im Stande gewesen und hatte seine Karriere beendet. Durch das Studium der Bienen war er in einen Strudel religiöser Grübeleien geraten, denn die Perfektion der Bienen erschreckte ihn, und er musste sich ständig in Erinnerung rufen, dass nur Gott allein – und nicht dieses kleine Wesen – seine

Liebe und Aufmerksamkeit verdient hatte. Angesichts der Biene konnte man nur schwer glauben, dass es dort draußen etwas noch Perfekteres gab, nicht einmal Gott. Die fünf Jahre, die er beinahe im Bienenstock gelebt hatte, richteten ihn für immer zu Grunde.

Doch in diesem Moment sah ich ein, dass ich nicht nur das Gespött der Menschen auf mich ziehen würde, sondern auch ihren Hass, wenn ich ihnen das erzählte, denn den Allmächtigen forderte man nicht heraus.

Ich schob mein Manuskript zusammen, während mir die Röte ins Gesicht stieg, und als ich vom Podium steigen wollte, stolperte ich wie ein kleiner Junge. Rahm, den ich mit meinem Vortrag mehr hatte beeindrucken wollen als jeden anderen, musste sich offensichtlich das Lachen verkneifen, denn sein Gesicht war zu einem sonderbaren Grinsen erstarrt. Er erinnerte mich an meinen Vater, an meinen eigentlichen Vater.

Nach dem Vortrag schüttelte ich mehreren Anwesenden die Hand. Einige wussten nicht, was sie sagen sollten, und ich bemerkte, wie die Leute um mich herum tuschelten, einige kichernd und ungläubig, andere wütend und schockiert. Meine Röte wanderte vom Gesicht nach unten, kroch das Rückgrat entlang, setzte sich bis in die Beine fort und verwandelte sich in ein unkontrolliertes Zittern, das ich vergebens vor meiner Umgebung zu verbergen suchte. Zumindest Rahm musste es gesehen haben, denn er legte mir eine Hand auf die Schulter und sagte leise: »Sie sind im Trivialen gefangen, das müssen Sie verstehen. Sie werden nie so sein wie wir.«

Die Worte verfehlten ihre tröstende Wirkung, sie verdeutlichten nur umso mehr den Unterschied zwischen uns, denn er hätte niemals Beispiele gewählt, an denen sich das Publikum stieß. Er verstand genau, wie viel man ihnen zumuten konnte, er beherrschte die Balance zwischen uns und ihnen, und er wusste, dass die Welt der Wissenschaft und die Welt der Menschen zwei unterschiedliche Orte waren. Als wollte er dies und mein fehlendes Verständnis für die Zuhörerschaft noch einmal betonen, lachte er plötzlich. Es war das erste Mal, dass ich sein Lachen hörte, es war kurz und leise, aber ich erschrak dennoch. Ich wandte mich ab, konnte ihn nicht ansehen, sein Lachen wog zu schwer für mich, es nahm dem Trost all sein Gewicht, es brannte so stark in mir, dass ich mich wegdrehen und einen Schritt von ihm zurückweichen musste.

Und da stand sie.

Vielleicht sorgte meine Schwäche, diese schlecht verborgene Verletzlichkeit an jenem Tag dafür, dass Thilda sich zu mir vorwagte. Ich war nicht länger der geheimnisvolle Zugezogene, der beim Herrn Professor mit irgendetwas Abgehobenem und Unverständlichem beschäftigt war. Denn sie lachte nicht. Sie reichte mir ihre behandschuhte Hand, knickste und bedankte sich für den »äh … fabelhaften« Vortrag. Im Hintergrund giggelten ihre Freundinnen noch immer. Doch ihr Gekicher verschwand für mich, *sie* verschwanden, ich sah auch Rahm nicht mehr, nur ihre Hand. Sie verhöhnte mich nicht, sie lachte nicht über mich, und dafür war ich ihr unendlich dankbar. Die Augen dieses bezaubernden Wesens glitzerten, sie standen weit auseinander, waren so empfänglich für die Welt und das Leben, in erster Linie aber für mich. Nicht auszudenken, für mich! Nie zuvor hatte mich eine junge Frau so angesehen, es war ein Blick, der mir sagte, dass sie willens war, sich vollkommen hinzugeben, mir alles zu geben, und zwar nur mir, denn sie sah keinen der Umstehenden so an wie mich. Bei dem Gedanken begannen meine Knie sofort wieder zu zittern, bis ich schließlich nach unten sah. Es war, als hätte man mir eine Sehne durchschnitten, wie ein körperlicher Schmerz, und ich wünschte mir nichts mehr, als den Blickkontakt wiederaufzunehmen und die Welt um mich herum fahren zu lassen.

Es dauerte Monate, ehe die Leute im Dorf nicht mehr über meinen Auftritt sprachen. War man mir früher ausschließlich mit Respekt und Ehrfurcht begegnet, kam es jetzt öfter vor, dass man mir etwas fester die Hand schüttelte, mir auf die Schultern klopfte, vor allem die Männer, und feixend und mit unverhohlener Ironie zu mir sprach. Und die Worte *zu ihrer vollen Größe expandieren, Bibel der Natur* und *exotische Seeungeheuer* verfolgten mich noch Jahre danach. Alle merkten sich den Namen Swammerdam, der später in vielen, sehr unterschiedlichen Zusammenhängen Verwendung fand. Paarten sich Pferde auf einer Wiese, wurde dies als »Swammerdam'sche Betätigung« bezeichnet; wenn sie austreten mussten, sagten betrunkene Männer im Wirtshaus, sie würden eben kurz »ihren Swammerdam lüften«, und die Spezialität der hiesigen Bäckerei, eine längliche, mit Fleisch gefüllte Pastete, wurde plötzlich nur noch »Swammerpie« genannt.

Es belastete mich erstaunlich wenig. In gewisser Weise hatte sich mein Abstieg gelohnt. Jedenfalls dachte ich das, als ich wenige Monate danach Mathilda Tucker heiratete. Als wir zum Altar schritten, hatte ich ihre schmalen, typisch britischen Lippen längst bemerkt. Beim Hochzeitsantrag hatte ich mich erdreistet, sie zu küssen, und zu meiner Enttäuschung bemerkt, dass sich ihr Mund, ganz entgegen meinen nächtlichen Phantasien, keineswegs wie eine große, geheimnisvolle, taubenetzte Blume öffnete oder entfaltete wie ein Swammerdam'sches Seeungeheuer. Er war genauso trocken und steif, wie er aussah. Und die Nase war, streng genommen, eine Ahnung zu groß. Dennoch waren meine Wangen heiß, als wir nun vom Pfarrer getraut werden sollten. Immerhin würde ich heiraten und ernsthaft erwachsen werden, ohne zu ahnen, dass das Erwachsenenleben Dinge voraussetzte, die einen Großteil meiner Träume unmöglich machen und mich zwingen würden, die Welt der Wissenschaft hinter mir zu lassen. Denn Rahm hatte recht. Auch wenn ich mit einfachen, halbherzigen Forschungsaufgaben fortfuhr, hatte ich mich doch gegen meine Leidenschaft für das Fach entschieden.

Aber ich war so sicher gewesen, so vollkommen überzeugt davon, dass Thilda die Richtige für mich war. Ihre Besonnenheit faszinierte mich enorm. Sie dachte immer genau nach, ehe sie eine Frage beantwortete. In gleicher Weise war ich von ihrem stolzen Wesen angetan, ich war voller Bewunderung, wie sie zu ihrer Meinung stand, eine Eigenschaft, die bei den jungen Damen sonst eher selten zu finden war. Erst später, jedoch nicht viel später, nach wenigen Ehemonaten schon, verstand ich, dass sie ihre Antworten nur deshalb so lange abwog, weil sie nicht gerade ein großer Geist war, und ich erkannte, was eigentlich hinter ihrem vermeintlichen Stolz steckte: eine unverbesserliche Sturheit. Denn wie sich herausstellen sollte, gab sie niemals nach. Niemals.

Den dringlichsten Grund, warum ich sie geheiratet hatte, wollte ich nicht einmal mir selbst eingestehen, erst jetzt, auf meinem Krankenlager, konfrontierte ich mich damit, und es war eine Erkenntnis, die mir zeigte, dass ich noch immer so primitiv und lüstern war wie der zehnjährige Junge von einst. Es war die Tatsache, dass sie ein lebendiger, weicher Körper war. Dass sie mein sein würde, mir zugänglich wäre. Dass ich bald die Gelegenheit hätte, mich an diesen Leib zu pressen, mich auf ihn zu legen und dagegenzustoßen, als wäre er frische, feuchte Erde.

Doch auch dies gestaltete sich am Ende nicht so, wie ich es mir ausgemalt hatte, sondern erwies sich als eine eher trockene und anstrengende Angelegenheit mit viel zu vielen Knöpfen und Bändern, mit Fischbeinen vom Korsett, kratzenden Wollstrümpfen und saurem Schweißgeruch. Trotzdem wurde ich mit dem Instinkt einer Tiers, einer Drohne, von ihr angezogen. Wieder und wieder, paarungsbereit, obwohl Nachkommen das Letzte waren, was ich mir wünschte. Und wie die Drohne opferte auch ich mein Leben der Fortpflanzung.

tao

Sie tun, was sie können. Sie haben gesagt, sie tun, was sie können.« Kuan streute Teeblätter in eine Kanne, die uns ein Pfleger gegeben hatte. Mit ruhigen Händen schenkte er den Tee in Tassen. Als wären wir zu Hause, als wäre dies Alltag.

Ein Tag. Ein neuer Abend. Hatte ich überhaupt etwas gegessen? Ich wusste es nicht. Sie brachten uns regelmäßig Essen und Trinken. Doch, ein wenig hatte ich zu mir genommen, ein Paar Löffel Reis, etwas Wasser, um das Ziehen in meinem Magen zu dämpfen. Die Reste waren in der Aluminiumschale hart geworden, ein kalter, trockener Klumpen. Aber ich hatte nicht geschlafen. Nicht geduscht. Trug dieselben Kleider wie gestern, bevor alles geschah. Ich hatte mich schick gemacht und meine feinste Garderobe angezogen, eine gelbe Bluse und einen Rock, der mir bis zu den Knien reichte. Jetzt hasste ich den synthetischen Stoff am Körper, die Bluse, die unter den Armen zu eng war und deren Ärmel zu kurz waren, sodass ich sie ständig nach unten zog.

»Aber warum geben sie uns keine Informationen?«

Ich stand, ich konnte mich nicht hinsetzen. Ich stand

und ging, lief einen Marathon auf wenigen Quadratmetern. Meine Hände waren die ganze Zeit klamm vom kalten Schweiß. Und mich umgab ein Geruch, den ich nicht kannte.

»Sie kennen sich besser aus als wir. Wir müssen uns einfach auf sie verlassen.«

Kuan trank einen Schluck Tee. Es machte mich rasend. Wie er trank, der Dampf, der aus der Tasse stieg und in seine Nase, sein leises Schlürfen. Das hatte er schon tausendmal getan. Und durfte es nicht jetzt tun.

Er hätte schreien, schimpfen, mir Vorwürfe machen können. Aber dass er einfach so dasaß, mit der Tasse in den Händen, und sich daran wärmte, diese vollkommen ruhigen Hände …

»Tao?« Er stellte abrupt die Tasse ab, als habe er verstanden, was ich dachte. »Bitte …«

»Was soll ich deiner Meinung nach sagen?« Ich starrte ihn unnachgiebig an. »Abwarten und Tee trinken hilft jedenfalls nichts!«

»Was?«

»Das war nur eine Redewendung.«

»Habe ich verstanden.« Jetzt glänzten seine Augen feucht.

Das ist unser Kind, wollte ich schreien. Wei-Wen! Aber ich drehte mich nur um, konnte seinen Anblick nicht ertragen.

Das Geräusch der Kanne, die er anhob, des warmen Tees, den er einschenkte. Er stand auf und kam auf mich zu.

Ich drehte mich um. Da stand er, hielt mir mit fester Hand eine Teetasse hin.

»Vielleicht hilft das«, sagte er leise. »Du musst etwas zu dir nehmen.«

Als ob es helfen würde, Tee zu trinken. War das sein Plan? Nichts zu unternehmen, einfach nur hier zu sitzen. So passiv, ohne den Willen, etwas zu ändern, die Kontrolle zu übernehmen, irgendetwas zu tun.

Ich drehte mein Gesicht wieder weg. Das alles konnte ich nicht sagen. Er hatte zu viel gegen mich in der Hand.

Die Kräfte zwischen uns waren nicht mehr gleich verteilt. Und trotzdem machte er mir keine Vorwürfe, gab mir nicht die Schuld. Er stand einfach nur da und hielt mir die Teetasse hin, den Arm fast unnatürlich gerade ausgestreckt. Er holte Luft, vielleicht wollte er noch mehr sagen.

Im selben Moment ging die Tür auf. Dr. Hio kam herein. Ihr Gesichtsausdruck war unmöglich zu deuten. Bedauernd? Abweisend?

Sie begrüßte uns nicht, nickte nur in Richtung des Gangs. »Sie können mich jetzt gern in mein Büro begleiten.«

Ich folgte ihr sofort. Kuan blieb mit der Tasse stehen, als wüsste er nicht, wohin damit.

Dann besann er sich endlich und stellte sie so abrupt auf den Tisch, dass ein wenig Tee überschwappte. Er bemerkte es und zögerte.

Wollte er sich etwa die Zeit nehmen, ihn aufzuwischen? Nein. Er richtete sich schnell auf und eilte uns nach.

Sie ging voran, Kuan und ich sahen uns nicht an, hatten unsere Blicke nur auf sie gerichtet, und all das zwischen uns blieb unausgesprochen. Ihr Rücken in dem weißen Kittel war gerade. Sie bewegte sich flink und leichtfüßig. Ihr Haar war zu einem Pferdeschwanz gebunden, der wippte wie der eines jungen Mädchens.

Sie öffnete eine Tür, und wir betraten einen graugestrichenen Raum. Ein unpersönliches Zimmer. Keine Kinderfotos an der Wand, nur ein Telefon auf dem Schreibtisch.

»Bitte setzen Sie sich.«

Sie deutete auf zwei Stühle und rollte ihren eigenen Stuhl herbei, damit der Schreibtisch nicht zwischen uns stand. Vielleicht hatte sie im Studium gelernt, dass einem so ein Schreibtisch Autorität verlieh und dass es, wenn man über etwas Ernstes reden musste, besser war, ein wenig mitmenschlicher zu wirken.

Etwas Ernstes. Sie würde etwas Ernstes sagen. Sofort wünschte ich, sie säße anders, nicht so dicht bei uns. Ich lehnte mich zurück, von ihr weg.

»Können wir ihn sehen?«, fragte ich schnell. Ich wagte es nicht, andere Fragen zu stellen. *Wie geht es unserem Sohn, was passiert mit ihm, was hat er.*

Sie sah mich an. »Es tut mir leid, aber Sie können ihn jetzt nicht sehen … und leider bin ich inzwischen nicht mehr für Ihren Sohn zuständig.«

»Nicht mehr zuständig? Aber warum …?«

»Was die Diagnose betrifft, haben wir mit verschiedenen Hypothesen gearbeitet. Aber sie ist immer noch unklar.« Ihr Blick flackerte. »Unabhängig davon ist dieser Fall so kompliziert, dass er außerhalb meines Fachgebiets fällt.«

Ich spürte einen Hauch von Erleichterung. Die schlimmsten Worte waren nicht gefallen. Sie sagte nicht *tot, fortgegangen, friedlich eingeschlafen.* Sie sagte, es sei kompliziert, und es gäbe verschiedene Diagnosen. Das bedeutete, sie hatten ihn noch nicht aufgegeben.

»Gut. Wer hat ihn übernommen?«

»Ein Team, das gestern Abend aus Peking eingeflogen wurde. Die Namen werde ich Ihnen mitteilen, sobald ich selbst Bescheid weiß.«

»Peking?«

»Dort sind die Besten.«

»Und in der Zwischenzeit?«

»Man hat mich gebeten, Ihnen auszurichten, dass Sie abwarten müssen. Und vorerst nach Hause fahren können.«

»Was? Nein!«

Ich drehte mich zu Kuan. Wollte er denn nichts sagen?

Dr. Hio wand sich auf dem Stuhl. »Er ist in besten Händen.«

»Wir werden nicht von hier wegfahren. Es geht um unser Kind.«

»Man hat mich gebeten, Ihnen zu sagen, dass es Zeit braucht, ehe sie mehr wissen. Und Sie können jetzt hier nichts ausrichten. Wei-Wens Fall war sehr außergewöhnlich.«

Ich erstarrte. *War.*

Als ich endlich den Mund öffnen konnte, war meine Stimme kaum hörbar.

»Was wollen Sie damit sagen?«

Ich wandte mich erneut hilfesuchend an Kuan, doch der saß nur reglos da. Seine Hände lagen ruhig in seinem Schoß. Er würde nichts fragen. Ich wandte mich wieder an die Ärztin.

Die Worte kamen tief aus meinem Inneren. »Lebt er? Lebt Wei-Wen?«

Sie beugte sich ein wenig vor, legte den Kopf in den Nacken und streckte ihn uns entgegen wie eine Schildkröte, die unter ihrem Panzer hervorspähte. Ihre Augen waren rund und flehend, als würde sie uns bitten, sie nicht mehr zu bedrängen.

»Lebt er?!«

Sie zögerte. »Als ich ihn zuletzt sah, wurde er ... künstlich am Leben erhalten.«

Kuan schluchzte neben mir. Ich sah, dass seine Wangen nass waren, aber es ging mich nichts an.

»Was bedeutet das? Heißt es, dass er noch am Leben ist?«

Sie nickte langsam.

Am Leben. Ich klammerte mich an diese beiden Wörter. Am Leben. Das Wichtigste war, dass er lebte.

»Ich will ihn sehen«, sagte ich laut. »Ich gehe nicht eher, als bis ich ihn gesehen habe.«

»Ich fürchte, das wird nicht möglich sein.«

»Er ist mein Sohn.«

»Wie gesagt fällt er nicht länger in meinen Verantwortungsbereich.«

»Aber Sie wissen, wo er ist.«

»Es tut mir wirklich leid ...«

Ich sprang auf. Kuan hob den Kopf und sah mich erstaunt an. Ich erwiderte seinen Blick nicht, sondern richtete mich an die Ärztin.

»Zeigen Sie mir, wo er ist!«

GEORGE

Ich schickte Rick und Jimmy gegen fünf nach Hause. Den Rest schaffte ich allein, es war nur noch ein Drittel, und ich konnte sie nicht für Arbeitsstunden bezahlen, die streng genommen überflüssig waren.

Als die Sonne unterging, war ich fertig. Ungefähr zur selben Zeit wurde die Ebene von schrecklich klebrigen Fliegen heimgesucht. Ich hatte keine Ahnung, wo sie sich tagsüber versteckten. Doch in der Dämmerung tauchten sie auf, in gewaltigen Wolken, und man wurde sie unmöglich los. Anscheinend mochten sie Menschen, denn sie hatten sich auf mich eingeschossen und folgten mir auf Schritt und Tritt.

Jetzt galt es, möglichst schnell nach Hause zu kommen. Ich war auf dem Weg zum Auto, als Tom anrief. Ich hatte die Nummer nicht gespeichert, weil ich, um ehrlich zu sein, nicht wusste, wie das ging, aber ich erkannte sie wieder.

»Hallo, Papa.«

»Hallo.«

»Wo bist du gerade?«

»Warum fragst du das?«, sagte ich grinsend.

»Tja, ich weiß auch nicht …«

»Früher haben die Leute am Anfang eines Telefonats gefragt, wie es einem geht, jetzt fragen sie, wo man ist«, fügte ich hinzu, um meine Gegenfrage zu erklären.

»Ja…«

»Ich bin auf den Feldern. Bei der Kontrolle.«

»Oh. Und wie sieht es aus?«

»Hervorragend.«

»Gut. Schön zu hören. Das freut mich wirklich sehr.«

Das freut mich wirklich sehr? Die Wörter klangen falsch aus seinem Mund. Sprach er neuerdings etwa so?

»Was sagt das deiner Meinung nach aus?«, fragte ich.

»Wie aussagen?«

»Über unsere Gesellschaft? Dass wir uns fragen, wo wir sind, anstatt zu fragen, wie es uns geht?«

»Papa…«

»War doch nur ein Scherz, Tom.«

Ich versuchte zu lachen. Wie gewohnt lachte er nicht. Wir schwiegen ein paar Sekunden lang. Dann lachte ich noch einmal lauter, weil ich hoffte, es würde helfen, doch als ich dort stand und meinen Mund aufsperrte wie ein Scheunentor, flog mir eine Fliege direkt in den Schlund, ganz tief hinein, ich könnte schwören, dass sie mein Zäpfchen traf. Es kitzelte fürchterlich, und ich wusste nicht, ob ich sie aushusten oder verschlucken sollte, also versuchte ich beides auf einmal. Es funktionierte nicht.

»Papa«, sagte Tom unvermittelt. »Weißt du noch, worüber wir geredet haben, als ich das letzte Mal zu Hause war?«

Die Fliege zappelte und kitzelte tief in meinem Hals.

»Bist du noch da?«

Ich hustete abermals. »Ja, als ich zuletzt nachgesehen habe, schon.«

Er war für einen Moment still.

»Jetzt habe ich ein Stipendium bekommen.«

Ich hörte, wie er die Luft anhielt. Es knisterte in der Leitung, als wollten die Telefonsignale gegen unser Gespräch protestieren.

»Es wird dich nicht einen Cent kosten, Papa. John hat sich um alles gekümmert.«

»John?« Meine Stimme war belegt, die Fliege steckte in meinem Hals fest.

»Ja. Professor Smith.«

Ich räusperte mich und hustete kräftig, doch weder die Fliege noch irgendein Satz kamen heraus.

»Weinst du, Papa?«

»Ich heule doch verdammt noch mal nicht!«

Ich hustete erneut. Endlich löste sich die Fliege, glitt den Rachen hinauf und blieb auf meiner Zunge liegen.

»Nein«, sagte er.

Eine neue Pause.

»Ich wollte es dir nur sagen.«

»Jetzt hast du es gesagt.«

Ich konnte sie nicht ausspucken, das würde er hören.

»Ja.«

»Ja.«

»Na dann, tschüss.«

»Tschüss.«

Ich warf einen ordentlichen Speichelklumpen aus, und die Fliege verschwand, ich sah nicht, wohin, wollte ihren Weg aber auch nicht weiter verfolgen.

Mit dem Telefon in der Hand blieb ich stehen. Ich hätte nicht übel Lust gehabt, es direkt auf den Boden zu schmettern und zu sehen, wie die dämliche Billigelektronik, die dafür sorgte, dass man selbst hier draußen auf der Wiese schlechte Nachrichten empfing, in tausend Stücke zersprang. Aber ich wusste, dass es furchtbar anstrengend wäre, ein neues zu beschaffen. Und dass es Geld kostete. Außerdem konnte ich nicht einmal sicher sein, dass das Handy kaputtgehen würde, denn das Gras war bereits lang und weich wie ein Daunenkissen. Also blieb ich einfach nur stehen, mit dem Telefon in den Händen und einer Heugabel im Herzen.

William

Ich war auf dem Weg heraus aus meiner Blindheit, aß gut und begann mich vorsichtig zu bewegen. Ich badete jeden Morgen, bat oft um frischgewaschene Kleidung, rasierte mich gern bis zu zweimal täglich. Nach all den Monaten als haariger Schimpanse wusste ich ein glattes Gesicht nun wieder zu schätzen, dieses Gefühl, die Luft direkt auf der Haut zu spüren.

Und ich las, bis mir die Augen brannten. Jeden Tag verkraftete ich mehr, immer mehr Worte, verbrachte viele Stunden mit der Lektüre, umgeben von all meinen Büchern, die aufgeschlagen auf dem Schreibtisch, dem Bett, dem Boden lagen.

Ich las wieder Swammerdam, seine Forschung war noch immer unangefochten. Ich studierte Hubers Bienenstock, dessen praktischen Aufbau, und bestellte zusätzlich alles, was ich an Broschüren und Zeitschriften zum Thema Imkerei finden konnte. Wie sich herausstellte, war das Angebot groß. Beim Bürgertum war das Imkern in den letzten Jahren zu einem Freizeitvergnügen geworden, mit dem man die langen Stunden zwischen Lunch und Tee ausfüllte. Doch die meisten dieser kleinen Anleitungen waren für den gewöhnlichen Mann geschrieben worden. In einer einfachen Sprache, mit leichten Strichzeichnungen. Jemand wie ich hatte sie schnell durchgeblättert. Einige schilderten Experimente mit Bienenstöcken aus Holz, manch einer meinte sogar, er hätte etwas erfunden, das zum neuen Standard werden müsste, doch bislang war es niemandem gelungen, einen Stock zu entwickeln, der dem Imker einen vollständigen Überblick gewährte. Nicht so wie der Bienenstock, den ich erschaffen würde.

Dorothea besuchte mich jetzt täglich. Sie kam mit roten Wangen und kleinen Gerichten, die sie selbst gekocht hatte, aus der Küche. Thilda musste sie darum gebeten haben, in der Hoffnung, ich würde mehr zu mir nehmen, wenn ich wüsste, dass mein eigenes Kind die Mahlzeit zubereitet hatte. Und mit dieser Annahme lag sie richtig, es schmeckte überraschend gut, offenbar entwickelte Dorothea sich zu einer richtigen Perle im Haushalt. Manchmal tauchte auch Georgiana auf. Wie eine hohe Welle brach sie über das Zimmer herein mit ihrer grellen Kleinkindstimme und spülte alles fort, worüber ich gerade sinniert hatte, bevor sie ebenso schnell wieder verschwand. Charlotte plagte mich am wenigsten. Sie steckte lediglich hin und wieder ihre spitze Nase zur Tür herein und bat in der Regel darum, ein Buch leihen zu dürfen, das ich selbst gerade nicht brauchte. Ständig holte sie Nachschub, so schnell, wie sie las, musste sie bald mein gesamtes Bücherregal durchhaben.

Nur Edmund kam nie. An den Nachmittagen konnte ich seine Stimme von unten oder aus dem Garten heraufdringen hören, ja manchmal sogar aus dem Flur vor meinem Zimmer, doch er beglückte mich nie mit seiner Gegenwart.

Schließlich ging ich zu ihm.

Es war am frühen Abend. Der Nachmittagstee war vorbei, und im Haus hatte sich wieder Ruhe eingestellt, die sich bald erneut zerstreuen würde, wenn das Abendessen serviert wurde, aber in genau diesem Moment war es still.

Ich klopfte vorsichtig an seine Tür. Keine Reaktion. Ich wollte nach der Klinke greifen, zögerte jedoch, denn ich wollte ihm Zeit geben. Stattdessen führte ich die Hand zum Gesicht und strich mir über das frischrasierte Kinn. Ich hatte mich vorbereitet, ehe ich zu ihm gegangen war, mir eine saubere Hose angezogen und mich gewaschen. Ich wünschte mir so sehr, dass er diese Version von mir wahrnähme und den Mann, dem er zuletzt begegnet war, vergäße.

Er kam noch immer nicht zur Tür, und ich klopfte erneut.

Wieder keine Reaktion.

Ob ich trotzdem hineingehen konnte? Es war sein Zimmer, sein privater Raum. Dennoch, ich war sein Vater, und es war mein Haus, und damit gehörte auch sein Zimmer mir.

Doch, ich konnte es. Es war mein gutes Recht.

Vorsichtig drückte ich die Klinke herunter. Die Tür glitt auf und blieb weit offen stehen, wie eine Einladung.

Sein Zimmer lag im Halbdunkel, nur von draußen drang etwas Licht herein, aber das Fenster ging nach Osten hinaus, sodass die Strahlen der untergehenden Sonne nicht bis hierher gelangten.

Ich trat hinein und entdeckte, dass der Schlüssel von innen steckte. Schloss er normalerweise ab? Die Luft war stickig, ein Duft von Moschus und ein leicht stechender Geruch, den ich nicht zuordnen konnte. Überall war Kleidung verstreut, eine Jacke über dem Stuhl, eine Hose und ein Hemd über dem Bett. Über dem Spiegel hing der flaschengrüne Schal, den er getragen hatte, als er mir einen Besuch abgestattet hatte. Auf dem Nachttisch standen schmutzige Tassen und Teller, auf dem Boden lagen, nachlässig dahingeworfen, ein Paar ungeputzte Schuhe.

Ich blieb einfach nur stehen. Unruhe überkam mich. Irgendetwas stimmte nicht mit diesem Zimmer.

War es der Mangel an Ordnung?

Nein. Er war jung. Und männlichen Geschlechts. Natürlich verhielt es sich so. Ich musste eine seiner Schwestern bitten, dass sie ihm dabei half, sein Zimmer aufzuräumen.

Nein, am Durcheinander lag es nicht.

Ich sah mich um. Kleidung, Teller, Schuhe, Tassen.

Es war etwas, das fehlte.

Und plötzlich wusste ich auch, was.

Sein Schreibtisch. Er war leer.

Das Regal an der Wand. Leer.

Wo waren seine Bücher? Sein Schreibzeug? Alles, was er für die Studienvorbereitung brauchte.

»Vater?«

Ich drehte mich hastig um. Wieder war er aufgetaucht, ohne dass ich es bemerkt hatte.

»Edmund.« Ich schwankte. Sollte ich schnell verschwinden? Nein. Ich hatte jedes Recht, hier zu sein.

»Ich habe etwas vergessen.« Er war außer Atem, die Wangen gerötet, anscheinend kam er von draußen. Auch heute war er anständig, aber gleichsam zufällig gekleidet, mit einer roten Samtweste, einem offenen Mantel und einem lässig um den Hals geschlungenen Schal. Er hielt ein Portemonnaie in der Hand und ging eilig zum Konsolentisch an der Schmalseite neben dem Bett. Dort stand ein kleines Kästchen, das er aufgeschlossen hatte und in dem er nun kramte. Münzen klimperten. Er öffnete das Portemonnaie und ließ einige Geldstücke hineinfallen. Dann drehte er sich endlich zu mir um.

»Ist etwas?«

Er war nicht verärgert, weil ich einfach in sein Zimmer gekommen war, offenbar hatte es keine Bedeutung für ihn.

»Wohin gehst du?«, fragte ich.

Er machte eine Kopfbewegung, die ins Nichts deutete. »Nach draußen.«

»Wo ist dieses Draußen?«

»Vater …« Er lächelte, ein wenig entnervt, wie es schien. Ich konnte mich nicht erinnern, wann ich ihn zuletzt so hatte lächeln sehen, und er hatte natürlich recht.

»Du musst mir verzeihen.« Ich lächelte auch. »Ich habe vergessen, dass du kein Kind mehr bist.«

Er ging wieder zur Tür. Ich trat einen Schritt vor. Wollte er wirklich schon gehen? Konnte er nicht noch ein wenig warten, sich die Zeit nehmen, mich zu sehen, mich ordentlich zu betrachten und zu bemerken, wie gesund ich war, wie gepflegt, wie anders als der, der ich bei unserem letzten Gespräch gewesen war?

Er zögerte und blieb stehen. So standen wir auf verschiedenen Seiten der Tür, die dunkel zwischen uns klaffte. Zwei Schritte weiter, und er war weg.

»Darf ich dich etwas fragen?«, sagte er.

»Natürlich. Du kannst mich fragen, worüber auch immer du nachdenkst.«

Ich lächelte entgegenkommend. Nun wäre das gute Gespräch bald im Gange, dies könnte der Anfang für uns sein, der Anfang von etwas ganz Neuem.

Er holte tief Luft. »Hast du Geld?«

Ich zuckte zusammen. »Geld?«

Er wedelte mit dem Portemonnaie und zog eine Grimasse. »Fast leer.«

»Ich …« Ich konnte nicht antworten. »Nein, tut mir leid.«

Er zuckte mit den Schultern. »Dann frage ich Mutter.«

Mit diesen Worten verschwand er.

Ich ging wieder in mein Zimmer, merkwürdig bedrückt. War ich in seinen Augen nur ein Dukatenesel? War Geld alles, was er von mir erwartete?

Ich setzte mich an den Schreibtisch. Nein, so konnte es nicht sein. Aber das Geld … für ihn repräsentierte es womöglich alles, was uns fehlte. Natürlich hatte die Armut, in der die Familie in den letzten Monaten gelebt hatte, Spuren hinterlassen, das war nur zu verständlich. Für ihn war der Mangel an Geld das deutlichste Zeichen für das Siechtum seines Vaters. Es war schön und gut, dass ich wieder aufgestanden war, doch ich hatte ihm noch immer nicht beschafft, was er wirklich brauchte. Er war jung.

Natürlich war dieses einfache, prekäre Bedürfnis für ihn am wichtigsten. Aber er musste mir Zeit geben. Denn die Idee, die mir gekommen war, würde ihm nicht nur das geben, was er unmittelbar brauchte, sondern überdies etwas, von dem auch er auf lange Sicht verstehen würde, dass es von viel größerer Wichtigkeit war.

Ich tauchte die Feder ins Tintenfass und kratzte über das Papier. Ich war nie ein großer Zeichner gewesen, bedauerlicherweise, denn die Studien sind ein wichtiger Teil der Arbeit eines Zoologen. Doch über die Jahre hinweg hatte ich mich gezwungen, meine Technik zu verbessern, und jetzt gelang es mir immerhin, die Feder als Werkzeug zu gebrauchen.

Es gab einige vage Gedanken, die ich zu Papier bringen musste, ehe sie wieder verschwanden. Ich hatte eine Kiste aus Holz mit abgeschrägtem Dach vor Augen. Die Bienenkörbe hatten eine organische Form, fast wie ein Nest, sie ließen sich kaum von den wogenden Kornfeldern unterscheiden. Ich wollte etwas anderes erschaffen, einen Bau, der in der Zivilisation verankert war, ein kleines Haus für die Bienen mit Türen und Fenstern und der Möglichkeit, hineinzusehen. Es sollte von Menschenhand geschaffen sein, denn nur wir Menschen konnten solche Bauten errichten, einen Bau, den man überwachen konnte und der nicht der Natur, sondern dem Menschen die Kontrolle gab.

Ich zeichnete mehrere Tage lang, versah die unterschiedlichen Teile mit Millimeterangaben im Hinblick darauf, wie der Bienenstock in Produktion gehen konnte, und legte all meine Kräfte ins Detail. Derweil lebte die

Familie unten im Haus ihr eigenes Leben, ich bemerkte sie kaum, aber Georgiana und Thilda besuchten mich täglich. Ebenso Charlotte.

Eines Vormittags kam sie besonders früh. Sie klopfte leise an die Tür, wie sie es immer zu tun pflegte.

Erst reagierte ich nicht, war zu sehr mit den Finessen des Dachs von meinem Bienenstock beschäftigt.

Es klopfte erneut.

»Jaha«, rief ich seufzend.

Die Tür ging auf. Sie blieb stehen, den einen Fuß vor den anderen gesetzt, als wollte sie Anlauf nehmen.

»Guten Tag, Vater.«

»Guten Tag.«

»Darf ich reinkommen?« Ihre Stimme war ruhig, aber ihr Blick flackerte nervös.

»Ich arbeite.«

»Ich möchte dich auch gar nicht stören. Ich wollte dir nur das hier zurückgeben.«

Sie streckte mir ein Buch hin, hielt es in beiden Händen, als wäre es etwas Wertvolles. Dann trat sie ein paar Schritte vor, hob den Kopf und sah mich an.

»Ich hatte gehofft, wir könnten uns vielleicht ein wenig darüber unterhalten?«

Ihre Augen waren graugrün und standen ein wenig zu eng beieinander. Ganz anders als Thildas. Überhaupt hatte sie so gut wie keine Ähnlichkeit mit ihrer Mutter.

»Stell es da hin.«

Ich deutete mit dem Kopf auf das Bücherregal und warf ihr einen vielsagenden Blick zu, der mich hoffentlich davor bewahren würde, sie direkt abweisen zu müssen.

»Ja.« Sie senkte erneut den Kopf, trat zum Regal und blieb davor stehen. Jetzt bereute ich es. Zwar hatte ich viel zu tun, aber das war noch lange kein Grund, unfreundlich zu ihr zu sein. »Ich bin gerade mit etwas beschäftigt, aber später kann ich gern mit dir sprechen«, sagte ich mit einer hoffentlich sanften Stimme.

»Wo soll es stehen?«

»Im Regal natürlich.«

»Ja, aber, ich meine... hast du sie denn nicht nach einem System geordnet?«

»Nein, stell es einfach irgendwohin.«

Sie sah auf, mit einem Mal eifrig.

»Soll ich sie vielleicht für dich sortieren?«

»Was?«

»Die Bücher. Ich könnte sie alphabetisch nach dem Namen des Verfassers stellen, wenn du willst.«

Sie ließ einfach nicht locker.

»Tja... ja, warum eigentlich nicht.«

Sie lächelte, beugte sich über das Regal und setzte sich auf den Boden. Ihr Nacken war in einer feinen Linie gebogen, das Haar auf schlichte Weise hochgesteckt, ohne diese Korkenzieherlocken über den Ohren, so etwas interessierte sie offenbar nicht. Sie rutschte ein wenig hin und her und setzte sich anders hin, bis sie anscheinend eine bequeme Position gefunden hatte, in der sie es eine Weile aushielt. Sie würde wohl lange hierbleiben.

Dann begann sie mit ihrer Aufgabe. Sie arbeitete schnell, mit zielstrebigen Bewegungen. Und wie fürsorglich sie die Bücher behandelte... als wären es Spatzenküken, die sie wieder ins Nest zurücksetzte.

Ich beugte mich wieder über die Zeichnung, versuchte sie fortzuführen, doch ich konnte den Blick einfach nicht von ihr abwenden. Die Begeisterung, die aus ihren Bewegungen sprach, die Sorgfalt, die Konzentration, die Ehrfurcht, jeder Buchrücken schloss genau mit dem nächsten ab, sie strich mit dem Finger darüber, um sich zu vergewissern, dass kein Buch aus der Reihe hervorragte. Genau so hatte ich meine Bücher selbst auch einmal behandelt. Sie musste meinen Blick gespürt haben, denn mit einem Mal drehte sie sich um und lächelte. Ich lächelte schnell zurück und wandte mich sofort wieder meiner Arbeit zu, mit dem unbegreiflichen Gefühl, ertappt worden zu sein.

Kurz darauf war sie fertig. Ich hörte, wie sie aufstand, tat jedoch so, als bemerkte ich es nicht und wäre tief in meinem eigenen Tun versunken. Doch sie verließ das Zimmer nicht, sie blieb einfach stehen.

Ich sah auf. »Danke.«

Sie nickte. Aber wollte sie denn nicht endlich gehen? Es war unmöglich, im Beisein dieses Schattens aus Fleisch und Blut zu arbeiten, der im Zimmer herumstand und atmete.

»Du … du darfst dich gern setzen«, sagte ich schließlich und zog einen Stuhl heran. Das war ich ihr wohl schuldig.

»Danke.« Sie beeilte sich, Platz zu nehmen, ganz vorn auf der Sitzfläche.

Ich nahm meine Arbeit wieder auf.

»Was ist das?«, fragte sie und deutete auf die Zeichnung.

Ich sah auf. »Was glaubst du?«

»Ein Bienenstock«, kam es umgehend von ihr.

Ich sah sie überrascht an. Dann fiel mir ein, dass sie natürlich die ganzen Hefte gesehen hatte, die ich mir hatte kommen lassen.

»Wirst du ihn bauen?«, fragte sie.

»Ich werde ihn bauen lassen.«

»Aber … ist es das, womit du anfangen willst?«

»Anfangen? Siehst du nicht die ganzen Bücher, die ich schon gelesen habe?« Ich breitete die Arme aus.

»Doch«, sagte sie nur. Dann starrte sie auf ihre Hände, die sittsam gefaltet in ihrem Schoß lagen.

Allmählich fiel sie mir auf den Geist. »Hast du nicht gesagt, du wolltest ruhig sein?«

»Entschuldigung. Jetzt bin ich still.«

»Aber ich höre doch, wie es in deinem Kopf arbeitet.«

»Es ist nur …«

»Was?«

»Du hast immer gesagt, man solle mit den Grundlagen anfangen.«

»Ach wirklich, habe ich das gesagt?«

Doch, hatte ich. Viele Male schon. Nicht direkt zu Charlotte, sondern zu Edmund, wenn er an seinen Schulaufgaben saß und sich direkt auf die schwierigen Gleichungen stürzen wollte, obwohl er nicht einmal eine einfache Multiplikation beherrschte.

Sie hob den Blick.

»Und dann hast du so viel darüber erzählt, wie in der Zoologie alles mit Beobachtungen anfängt.«

»Aha.«

»Du hast gesagt, das Fundament seien die Beobachtungen. Und erst dann finge das Denken an.«

Ein Band legte sich um meinen Kopf und wurde enger. Meine eigenen Worte in Charlottes Mund. Sie hatte verflixt noch mal recht.

tao

Dr. Hio nahm uns mit. Mit dem Fahrstuhl ging es hinauf, dann einen langen Gang entlang. Anschließend mit einem anderen Fahrstuhl wieder nach unten. Sie ging schnell, und manchmal warf sie einen Blick über die Schulter, vielleicht wollte sie nicht gesehen werden. Sie habe klare Anweisungen erhalten, sagte sie, niemand dürfe ihn besuchen. Er liege auf der Isolierstation. Niemand habe Zutritt.

»Aber«, fuhr sie fort, als spreche sie vor allem zu sich selbst. »Sie sind die Mutter.« Sie warf Kuan einen kurzen Blick zu, als sähe sie ihn jetzt erst, und korrigierte sich. »Sie sind die Eltern. Sie müssen ihn sehen dürfen.« Ihre Stimme zitterte, als wäre ihre Empathie nicht nur professioneller Natur.

Was würde uns erwarten? Wei-Wen in einem Krankenbett. Blass. Mit geschlossenen Augen. Die deutlichen Äderchen auf seinen Lidern. Sein kleiner Körper, der früher so voller Energie und Beharrlichkeit gewesen war, jetzt vollkommen erschlafft. Seine Arme daneben, in dem einen eine Kanüle mit einem Plastikschlauch. Die Arme, die sich sonst um meinen Hals geschlungen hatten, die

Wange, die sich so weich und glatt an meine gedrückt hatte: umgeben von Maschinen, piepsenden Apparaten, leuchtenden Bildschirmen. Steril. Weiß. Einsam?

Es war weit, oder ging sie einen Umweg? Immer wenn wir an jemandem vorbeikamen, nickte sie kurz und beschleunigte ihre Schritte noch mehr. Wir wurden vom Inneren des Gebäudes verschluckt, als befänden wir uns auf dem Weg zu einem Ort, von dem es kein Zurück gab.

Endlich hielt sie an. Wir standen vor einer Stahltür. Sie sah sich hastig um, als wollte sie sich vergewissern, dass niemand in der Nähe war, ehe sie auf einen Knopf drückte. Die Tür öffnete sich mit einem schmatzenden Laut, sie war von schwarzen Gummileisten umrahmt, die sie vollkommen abdichteten. Wir traten über die Schwelle. Drinnen war ein lautes Summen zu hören, eine Belüftungsanlage, die auf Hochtouren lief. Der Luftdruck änderte sich, die Tür glitt hinter uns zu und saugte sich wieder am Rahmen fest.

Ich hatte mit Pflegepersonal gerechnet. Mit weißgekleideten, sterilen Angestellten, die sich um uns scharten. Strengen Stimmen, Autoritäten. *Verschwinden Sie, hinaus mit Ihnen, dies ist eine Sperrzone.* Ich hatte im Kopf schon genau vorbereitet, was ich sagen würde. Mich darauf vorbereitet, Kuan gegenüber hart zu sein, denn sein Blick verriet mir, dass er sich schon wieder in sich zurückgezogen hatte, er war defensiv, wollte nicht hier sein, auf verbotenem Grund.

Aber der Gang vor uns war leer. Die Abteilung war leer. Wir gingen tiefer hinein, umrundeten eine Ecke. Ich erwartete eine Schranke, einen Empfang, Ärzte, die vorbeihasteten, doch auch hier war kein Mensch zu sehen. Dr. Hio schritt weiter voran. Ich sah ihr Gesicht nicht, aber ihre Schritte waren jetzt zögerlich, und sie wurde immer langsamer.

Sie blieb vor einer Tür stehen, die ebenfalls aus glänzendem Stahl war, keine Fingerabdrücke, keine Spuren von Leben, spiegelblank. In der Mitte befand sich ein rundes Fenster, das wie ein Bullauge auf einem alten Schiff aussah. Ich versuchte hineinzusehen, aber die Deckenleuchten waren zu grell, durch ihren grünlichen Widerschein konnte ich unmöglich etwas erkennen.

»Hier ist es. Hier liegt er«, sagte sie.

Einen Augenblick lang blieb sie unsicher stehen, dann zog sie sich zurück.

»Sie können allein hineingehen.«

Ich legte die Hand auf die Tür. Das Metall war so kalt, dass meine Hand kurz zurückzuckte. Sie hatte einen feuchten Abdruck inmitten all des Sterilen hinterlassen. Dann öffnete ich sie.

Ich trat in einen dunklen Raum und registrierte kaum, dass Kuan mir folgte. Es dauerte einen Moment, bis wir uns an die Dunkelheit gewöhnt hatten. Ich stieß fast gegen eine gläserne Wand, die nur einen Meter hinter der Tür vom Boden bis zur Decke reichte. Dahinter lag ein möbliertes Krankenzimmer. Ein Schrank. Ein Bett. Ein Nachttisch aus Stahl. Kahle, fensterlose Wände. Ein Bett.

Leer.

Das Bett war leer.

Das Zimmer war leer. Er war nicht da.

Ich stürmte auf den Gang, bremste jedoch abrupt wieder ab. Dort stand Dr. Hio mit einem anderen Arzt. Sie unterhielten sich schnell und flüsternd. Ihr Kollege beugte sich wütend vor, er wies sie zurecht.

Kuan war mir gefolgt und ebenfalls stehen geblieben.

»Wo ist er?«, fragte ich laut.

Der Arzt drehte sich zu uns um und verstummte sofort. Er war groß, dünn und blass. Seine Hände waren nervös, er versteckte sie in den Taschen seines Kittels.

»Ihr Sohn ist leider nicht mehr hier. Er wurde entlassen.«

»Was?«

»Man hat ihn verlegt.«

»Verlegt? Wohin denn?«

»Nach ...« Er wich fortwährend meinem Blick aus. »Peking.«

»Peking?«

»Wie Sie vielleicht schon erfahren haben, sind wir uns immer noch unsicher, woran ihr Sohn leidet. Deshalb hat man die Entscheidung getroffen, dass er bei einem Team von Spezialisten in besseren Händen ist.«

Kuan sagte nichts, er nickte nur.

»Nein«, sagte ich.

»Wie bitte?« Endlich sah der Arzt mich an.

»Nein. Sie können ihn nicht einfach wegschicken.«

»Wir haben ihn nicht einfach *weg*geschickt. Wir haben ihn zu den besten Ärzten dieses Landes geschickt. Sie sollten uns dankbar sein ...«

»Aber warum hat uns niemand etwas gesagt? Warum konnten wir ihn nicht begleiten?«

Schon wieder dasselbe. Erst Mama. Jetzt er. Von mir gerissen, ohne jede Erklärung.

»In welchem Krankenhaus ist er?«

»Das werden Sie noch erfahren.«

»Ich will es jetzt wissen. Sofort!«

»Fahren Sie erst mal nach Hause, dann werden wir Sie bald über alles Weitere informieren.«

Doch meine Grenze war erreicht, ich konnte nicht länger besonnen und vernünftig sein. Meine Stimme wurde laut und gellend. »Bringen Sie mich jetzt sofort zu meinem Sohn!«

In zwei Schritten war ich bei dem fremden Arzt und hatte ihn an den Schultern gepackt. »Ich will meinen Jungen sehen, kapieren Sie das nicht?«

Das Blut stieg mir in den Kopf, meine Wangen wurden feucht, ich versuchte ihn zu schütteln, aber er blieb einfach nur stehen und sah mich ungläubig an.

Dann griff jemand nach mir und hielt mich fest, umarmte mich von hinten, paralysierte mich, bis ich genauso gelähmt war wie er. Kuan. Gehorsam wie immer.

Im Zug nach Hause sprachen wir kein Wort. Die Fahrt dauerte fast drei Stunden. Wir mussten umsteigen und wurden zweimal kontrolliert, mussten unsere Fingerabdrücke abgeben und eine Menge Fragen beantworten. Wer wir waren, wo wir wohnten, wo wir hinwollten und wo wir gewesen waren. Kuan beantwortete alle Fragen ruhig, ich konnte nicht fassen, wie er das schaffte. Als wäre er ganz er selbst. Und doch nicht. Einmal, als ich ihn ansah, starrten fremde Augen zurück. Ich musste mich wegdrehen.

Das letzte Stück gingen wir zu Fuß. Wir waren nur

noch hundert Meter von unserem Haus entfernt, als wir die Hubschrauber bemerkten, die über unseren Köpfen kreisten. Das Knattern wurde lauter und leiser. Erst glaubte ich, sie wären direkt über unserem Haus, doch als wir näher kamen, erkannte ich, dass sie über die Felder flogen. Über die Birnbäume. Und über den Wald.

Wir bogen um die Ecke und hielten inne. Dort, vor unserem Haus, wo die Felder anfingen, sah ich unsere Kollegen in ihrer Arbeitskleidung. Sie waren bei ihrer Arbeit unterbrochen worden und standen in einer kleinen Gruppe tatenlos da. Einer hielt noch immer die Heckenscheren und Körbe für den Abfall in den Händen. Sie schwiegen, starrten nur verblüfft auf das vor ihnen liegende Gelände. Ein Stück entfernt sah ich die Kuppe, auf der wir unser Picknick gehalten hatten. Dahinter lag der wilde Wald. Der Luftraum über den Bäumen war voll mit verschiedenen Fluggeräten, und vor uns rückten leise brummend Reihen von Panzern an. Hinter den Panzern arbeiteten Soldaten. Sie waren dabei, einen hohen Zaun aus weißer Plane zu errichten, der mehrere hundert Meter lang war. Sie bildeten eine Mauer. Eine Mauer zwischen uns und den Feldern. Sie arbeiteten schnell und effektiv und redeten nicht, ich hörte nur das Klopfen ihrer Stöcke auf dem Boden. Hinter den Soldaten, jenseits des Schutzwalls, konnte ich Gestalten in Schutzanzügen und Helmen erkennen. Geschützt vor irgendetwas, das dort draußen lauerte.

GEORGE

Ich konnte nicht schlafen. Nach dem Gespräch mit Tom steckte die Heugabel immer noch zitternd in meinem Herzen, seine Worte schwirrten in meinem Kopf umher. *Habe ein Stipendium bekommen, wird dich nicht einen Cent kosten, John hat sich um alles gekümmert.*

Emma lag ruhig neben mir und atmete nahezu lautlos. Ihre Gesichtszüge waren glatt, sie sah jünger aus, wenn sie schlief. Es war beinahe unverschämt, wie sie dort liegen und schlafen konnte, während ich neben ihr zu kämpfen hatte.

Auf dem Hofplatz flackerte eine Birne. Eine Außenlampe war kurz davor, den Geist aufzugeben, oder hatte einen Wackelkontakt. Das Flackern wurde zum Diskolicht. Zuckende Stroboskope, deren Blitzlichter durch das Fenster fielen und mich bis hinter die Augenlider blendeten. Ich zog mir die Decke über den Kopf, aber es wurde nicht besser, ich bekam nur schlechter Luft.

Am Ende stand ich auf, versuchte die Gardine zurechtzuziehen, dichtete den Spalt an der Seite ab, durch den das Licht hereinfiel.

Aber es reichte nicht. Selbst durch die Gardine hindurch flackerte es. Vielleicht hatte Emma recht, dass wir uns solche Blendschutzvorrichtungen kaufen sollten. Sie hatte mir welche in einer Zeitschrift gezeigt, sie sahen aus wie normale Jalousien. Aber das musste warten. Jetzt galt es, die Lampe zu reparieren. Sofort. Es konnte doch nicht lange dauern, eine einfache, erträgliche Aufgabe, die sich schnell erledigen ließ. Ich hatte das Gefühl, dass ich nicht eher einschlafen konnte, bis ich mich darum gekümmert hatte.

Es war eine warme Nacht. Ich zog keine Jacke an, ging nur in dem T-Shirt hinaus, in dem ich mich auch ins Bett gelegt hatte. Es sah mich ja sowieso niemand.

Die Lampe hing hoch oben an der Wand, ich brauchte eine Leiter. Ich ging in den Schuppen, nahm die längste Leiter von der Wand, ging hinaus, stellte sie bei der Lampe auf, kontrollierte, ob sie einen sicheren Stand hatte, und kletterte hinauf.

Die runde Glaskuppel der Lampe saß bombenfest. Sie ließ sich keinen Millimeter bewegen. Noch dazu war sie heiß, so heiß, dass ich sie gerade so anfassen konnte, aber nicht lange. Ich versuchte es mit dem T-Shirt, hielt die Kuppel mit einem Stoffzipfel fest, während ich sie drehte, aber es ging nicht. Am Ende zog ich das T-Shirt aus.

Die Birne blinkte in unregelmäßigen Abständen, ohne jeden Rhythmus. Es würde mich nicht wundern, wenn es tatsächlich ein Wackelkontakt war. Emma protestierte jedes Mal, wenn ich mich selbst um die Elektrik kümmerte, aber die professionellen Elektriker nahmen ja schon Geld, wenn man sie nur ansah. Sie mussten unglaublich gut verdienen. Vielleicht hätte ich Elektriker werden sollen. Oder Tom. Das wäre besser gewesen, eine kurze Ausbildung, guter Lohn.

Stipendium. Wird dich nicht einen Cent kosten. John hat sich um alles gekümmert.

Es war eine Niederlage, aber sie war nicht schwer genug, um mich zu entmutigen.

Ich stand dort entblößt, in Boxershorts, Socken und Schuhen und drehte an der verdammten Lampenkuppel. Endlich gab sie nach. Ich hielt sie im T-Shirt in meiner linken Hand, während ich versuchte, die Glühbirne in Angriff zu nehmen.

»Verdammter Mist!«

Sie war glühend heiß. Ich musste mit der Kuppel in der Hand wieder heruntersteigen, sie auf dem Boden ablegen, dann wieder hinauf. Die Birne ließ sich zum Glück leicht herausdrehen. Doch dann fiel mir ein, dass ich, falls etwas mit der Spannung nicht in Ordnung war, die ganze Lampe abschrauben müsste, auch den Sockel. Sie so zu belassen, wäre brandgefährlich. Und es konnte auf keinen Fall kompliziert sein, sie ganz abzunehmen.

Also zurück in den Schuppen, um Werkzeug zu finden. Und wieder auf die Leiter.

Ich hasste Kreuzschlitzschrauben. Nur ein paar Umdrehungen, und schon war der Stern zu einem runden Loch geworden, in dem sich der Schraubenzieher drehte, ohne Halt zu finden. Und diese vier Exemplare im Sockel waren von der besonders sturen, rostigen Sorte. Aber ich war noch sturer. Ich würde nicht aufgeben. Ich nicht.

Ich strengte mich an und schraubte mit aller Kraft. Endlich waren alle vier Schrauben draußen, doch der

Sockel klebte immer noch an der Wand, festgemalt mit roter Beize. Aber das kleine bisschen Widerstand hielt mich nicht ab. Ich packte den Sockel und rüttelte daran.

Er löste sich. Nur die Leitungen hingen noch da, sie wanden sich aus der Wand wie Regenwürmer. Ich kam mit dem Finger daran.

»Verdammt!«

Der Stromschlag allein war nicht stark genug gewesen, um mich aus dem Gleichgewicht zu bringen, doch in der anderen Hand hielt ich den Sockel und den Schraubenzieher, und auch die Leiter stand etwas wackelig.

Ich lag auf dem Boden und wusste nicht, ob ich durch den Sturz ohnmächtig geworden war. Ich hatte noch ein verschwommenes Bild von der Leiter vor Augen, die durch die Luft gesaust war, mit mir ganz oben, wie eine Comicfigur. Jetzt spürte ich, dass ich an mehreren Stellen Schmerzen hatte. Höllische Schmerzen.

Weit über mir sah ich die Leitungen aus der Wand kriechen, abwärts, mir entgegen. Als ich die Augen zusammenkniff, blieben sie stehen.

Dann tauchte Emmas Gesicht in meinem Blickfeld auf. Blass vom Schlaf und mit wirrem Haar.

»Du liebes bisschen, George!«

»Es war die Lampe.«

Sie hob den Kopf und sah die Kabel, die aus dem Loch in der Wand ragten.

Ich setzte mich langsam auf. Zum Glück gehorchte mir mein Körper. Nichts war gebrochen. Und die Lampe war unten. Ich hatte es geschafft.

Sie deutete mit dem Kopf auf die Leiter.

»Musstest du das unbedingt mitten in der Nacht machen?« Sie streckte mir die Hand entgegen und half mir auf. »Hätte das nicht warten können?«

Ich ging ein paar Schritte. Meine Beine schmerzten, ich versuchte nicht zu zeigen, wie weh es tat. Eigentlich hätte ich beschämt sein müssen, aber ich war nur erleichtert, weil ich es geschafft hatte. Ich war ein harter Kerl. Keiner, der das Handtuch warf, wenn es schwierig wurde.

Sie reichte mir mein T-Shirt, das ich gleich über den Kopf ziehen wollte.

»Warte kurz.«

Sie klopfte mir den Rücken ab. Erst jetzt bemerkte ich, wie dreckig ich war. Von Kopf bis Fuß mit Staub und Kies bedeckt, die Hände mit dem zähen, schwarzen Schmutz der Lampe verschmiert.

Ich wich von ihr zurück, zog mir das T-Shirt über, spürte, dass noch immer kleine Steinchen an meinem Rücken klebten, eingeklemmt zwischen der Haut und der ausgewaschenen chinesischen Baumwolle. Es würde wehtun, darauf zu schlafen, ganz so, als hätte man einen Stein im Schuh. Aber es half nichts. Die Lampe war unten, und das war das Wichtigste.

Ich stellte die Lampe wieder auf und ging zum Schuppen. Schließlich musste ich das, was ich angefangen hatte, auch zu Ende bringen.

»Ich muss Isolierband holen«, erklärte ich. »Die Leitungen können nicht so hängen bleiben.«

»Aber wenigstens das kannst du doch auch morgen noch machen«, sagte sie.

Ich erwiderte nichts.

Sie seufzte. »Dann lass mich wenigstens für dich den Strom ausschalten«, sagte sie lauter.

Ich drehte mich um. Sie grinste vorsichtig. Hatte sie das ironisch gemeint? Weil ich das oberste Elektrikergebot vergessen hatte?

»Leg dich einfach wieder hin«, erwiderte ich nur.

Sie zuckte mit den Schultern. Dann drehte sie sich um und ging ins Haus zurück.

»Und du – Emma«, rief ich ihr nach.

»Ja?« Sie blieb stehen und wandte sich zu mir.

Ich richtete mich auf. Holte tief Luft.

»Florida kannst du dir aus dem Kopf schlagen. Nur dass du es weißt. Mit mir nicht. Da musst du dir schon einen anderen suchen. Ich werde hier wohnen bleiben. Aus Gulf Harbors wird nichts.«

William

Der Strohkorb, den ich bestellt hatte, wurde drei Tage später geliefert, und ich stellte ihn in den Halbschatten einer Espe in jenem Teil des Gartens, den wir wild wachsen ließen. Dort war er niemandem im Weg, keines der Kinder hielt sich an diesem Flecken auf, und ich würde wirklich in Ruhe arbeiten, ungestört meine Beobachtungen anstellen, Notizen machen und zeichnen können. Ein Bauer südlich des Dorfs hatte mir den Bienenkorb verkauft, ohne mit der Wimper zu zucken; vermutlich weil ich ihm einen guten Preis zahlte, ohne ihn erst zu fragen, was er dafür nehmen würde. Er versuchte mich nicht einmal hochzuhandeln, sondern schlug sofort ein, was mich zu der Vermutung veranlasste, dass ich den Korb auch für die Hälfte hätte erstehen können.

Er wollte mir etwas über die Ernte erzählen, aber ich winkte nur ab. Ich hatte mir den Bienenkorb wahrlich nicht des Honigs wegen angeschafft.

Thilda hatte mir aus einem alten weißen Laken eine Tracht genäht, die an den Anzug eines Fechters erinnerte. Während der Anfertigung musste sie ihn dreimal enger machen, anscheinend hatte sie noch immer nicht verstanden, dass meine alten Maße nicht mehr galten. An den Händen trug ich ein paar alte Handschuhe, in denen ich schwitzte, doch auch sie waren ein höchst notwendiger Schutz.

Und nun stand ich hier, unter der Espe, nun gab es nur mich und den Baum und die Bienen.

Ich nahm ein Notizbuch zur Hand. Observationsstudien erforderten größte Akribie, aber das pflegte mir zu gefallen, denn genau hier, in der Beobachtungsphase, fing alles an, hier wurde meine Leidenschaft entfacht. Wie hatte ich das vergessen können.

Als ich gerade die erste Notiz machen wollte, fiel mir noch etwas auf. Wie unerfahren ich doch im Laufe der Jahre geworden war – mir fehlte ein Stuhl.

Kurz darauf hatte ich mir einen einfachen Hocker geholt. Ich war atemlos, der Schweiß strömte unter dem Schutzanzug, der mir jetzt, als ich ihn auf der Haut spürte, doch ein kleines bisschen zu eng vorkam, er spannte unter den Armen und im Schritt.

Ich setzte mich hin und kam langsam zur Ruhe.

Viel gab es nicht zu beobachten. Die Bienen verließen den Korb und kehrten zurück; daran war nichts Überraschendes. Sie flogen aus, um Pollen und Nektar zu sammeln, Letzteren wandelten sie in Honig um, während sie mit den Pollen die Larven fütterten. Es war eine friedliche Arbeit, systematisch, instinktiv, ererbt. Sie waren Geschwister, denn die Königin war die Mutter aller, von ihr waren sie geschaffen, ohne ihr unterstellt zu sein – sie waren der Gesamtheit unterstellt.

Zu gern hätte ich die Königin gesehen, aber der Korb umschloss die Bienen, und alles, was sie dort drinnen taten, blieb im Verborgenen.

Vorsichtig hob ich den Korb an und blickte von unten hinein. Die Bienen flogen auf und umschwärmten mich in der Luft, sie wurden nicht gern gestört.

Ich sah volle Waben, die eine oder andere Drohne, ich sah Brut und Larven und beugte mich noch näher heran. In mir kribbelte es vor Erwartung, denn jetzt ging es los, endlich ging es los.

»Es gibt Essen!«

Thildas Stimme zerschnitt das Summen der Insekten und schlug die Vögel in die Flucht.

Ich beugte mich erneut über den Bienenstock. Ihre Rufe gingen mich nichts an, die gemeinsamen Mahlzeiten im Kreis der Familie waren nicht mehr Teil meines Lebens, ich hatte schon seit Monaten nicht mehr mit ihnen zusammen gegessen. Hinter mir strömten die Kinder ins Haus, eins nach dem anderen verschwand darin.

»Essen!«

Ich schielte unter meinem Arm hindurch zu Thilda hinüber. Sie stand mitten im Garten und starrte mich an, und jetzt steuerte sie auch noch auf mich zu.

Die kleine Georgiana fuhr quietschend mit der Gabel über den leeren Teller.

»Ruhe!«, sagte Thilda. »Leg die Gabel hin!«

»Ich habe Hunger!«

Thilda, Charlotte und Dorothea stellten Schüsseln auf den Tisch. Zwei mit Kartoffeln und anderem Gemüse und eine Terrine mit einer dünnen Plörre, die anscheinend Suppe darstellen sollte.

»Ist das alles?« Ich zeigte auf die Gerichte, die aufgetragen worden waren.

Thilda nickte.

»Wo ist das Fleisch?«

»Es gibt kein Fleisch.«

»Und die Pastete?«

»Uns fehlt es an Butter und feinem Mehl.« Sie starrte mich streng an. »Es sei denn, du willst, dass wir an das Schulgeld gehen.«

»Nein! Nein, Edmunds Schulgeld wird nicht angerührt.«

Jetzt verstand ich plötzlich, warum sie darauf bestanden hatte, dass ich mit der Familie aß. Sie war schlauer, als ich gedacht hätte.

Ich sah mich um. Die mageren Kindergesichter waren auf die drei trostlosen Gerichte auf dem Tisch gerichtet.

»Na dann«, sagte ich schließlich. »Dann lasset uns einen Dank für das Essen aussprechen, das uns gegeben wurde.«

Ich beugte den Kopf und betete. Das Gebet aus meinem Munde fühlte sich falsch an, ich leierte es herunter, um es schnell hinter mich zu bringen.

»Amen.«

»Amen«, wiederholte meine Familie leise.

Durch das Fenster konnte ich weit draußen im Garten den Bienenstock erahnen. Ich tat mir nur wenig Essen auf, damit ich schnell wieder dorthin zurückkehren konnte.

Ich reichte die Schüsseln an Thilda weiter, dann kamen dem Alter nach die Kinder an die Reihe. Es freute mich, dass Edmund am ältesten war und sich direkt nach Thilda bedienen durfte, denn Jungen in diesem Alter brauchen vier Mal am Tag eine ordentliche Mahlzeit. Doch er nahm sich nur wenig und stocherte darin herum. Mir fiel auf, dass er außergewöhnlich blass und dünn war, als käme er nie ans Tageslicht. Zittrige Hände hatte er auch, und Schweißperlen auf der Stirn. Kränkelte er?

Die Mädchen dagegen stürzten sich auf das Essen, das allerdings nicht für alle reichte. Als die kleine Georgiana endlich ihre Portion bekommen sollte, waren nur noch Reste übrig. Charlotte schob ihrer kleinen Schwester eine Kartoffel hinüber.

Wir aßen schweigend. Innerhalb weniger Minuten war das Essen von den Tellern der Mädchen verschwunden.

Während der gesamten Mahlzeit spürte ich Thildas Blick auf mir. Sie brauchte nichts zu sagen, ich wusste allzu genau, was sie wollte.

GEORGE

Sobald es hell wurde, machte ich mich auf den Weg. Ich hatte ein paar Sandwiches und eine Thermoskanne mit Kaffee dabei und fuhr die ganze Strecke durch. Sieben geschlagene Stunden ohne Pause. Emma hatte ich nicht mehr gesehen. Nachdem ich mit der Lampe fertig geworden war, hatte ich mich für ein paar Stunden aufs Sofa gelegt. Sie war oben im Schlafzimmer gewesen, vielleicht hatte sie geschlafen, vielleicht auch nicht. Ich hatte keine Lust gehabt, nachzusehen. Und keine Zeit. Nein, um die Wahrheit zu sagen, hatte ich mich nicht getraut.

Meine Augen waren leicht gerötet und brannten, aber ich dachte nicht im Entferntesten daran, zu schlafen. Für mich war es ein Klacks, all diese Meilen zu fahren. Ich war die ganze Zeit deutlich zu schnell, aber es herrschte nur wenig Verkehr, und Kontrollen gab es auch nicht.

Um genau 12:25 Uhr, laut der Uhr auf meinem Armaturenbrett, fuhr ich mit Schwung vor dem Universitätsgebäude vor. Ich stellte mich auf einen Parkplatz, der für einen gewissen »Professor Stephenson« reserviert war, aber das juckte mich nicht. Dieser Stephenson, wer auch immer das war, sollte sich gefälligst eine andere Parklücke suchen.

Das Gebäude war aus rotem Backstein, was sonst, schließlich waren alle Lehranstalten aus rotem Backstein, und obwohl es nicht besonders alt war, sollte es ehrwürdig aussehen, hoch und breit und kastenförmig, mit weißen Fensterrahmen, und auf diese Weise wahrscheinlich an Harvard, und wie sie nicht alle hießen, erinnern. Respekt einflößen. Mich schreckte das nicht ab.

Ich war nicht mehr hier gewesen, seit wir Tom im vergangenen Herbst hergebracht hatten. Wir hatten ihm dabei geholfen, sich in einem winzigen Zimmer einzurichten, das er mit einem kleinen, bebrillten Japaner teilen musste. Es hatte nach alten Socken und Hormonen gemüffelt. Die armen Jungs, sie hatten gar keinen Platz für sich. Aber das gehörte wohl dazu.

Ich stapfte hinein und kam an einer langen Reihe Messingschilder mit den Namen der Stifter dieser Schule vorbei. Green Apiaries waren zum Glück nicht darunter. Daneben standen Vitrinen mit Pokalen, die die Studenten in mehr oder weniger albernen Wettkämpfen gewonnen hatten, und an den Wänden hingen Porträts von sauertöpfisch dreinschauenden ehemaligen Rektoren. Allesamt Männer. Viele waren es nicht, die Hochschule war erst in den 1970er Jahren gegründet worden und konnte somit nicht mit einer langen Tradition aufwarten. Anschließend gelangte ich in einen großen, runden Raum mit Steinboden, auf dem meine Schritte widerhallten. Ich ertappte mich beim Schleichen. Dabei hatte ich keinen Grund zum Leisetreten. Immerhin bezahlte ich für einen der Studienplätze, es war also nicht so, als gehörte ich hier nicht hin. In gewisser Weise war ich sogar Teilhaber dieser Schule.

Ich fragte nach Tom. Laut und deutlich. Ohne einleitende Phrasen.

Hinter dem Empfang hockte ein junger Typ mit Rastahaaren. Er duckte sich hinter einen Bildschirm und sah in einem Register nach, ohne mich auch nur eines Blickes zu würdigen.

»Der hat gerade eine Freistunde«, sagte er dann.

Anschließend hämmerte er weiter auf seiner Tastatur herum, sicher spielte er irgendein Spiel, und das mitten in der Arbeitszeit.

»Es ist dringend«, erwiderte ich.

Er grunzte mürrisch. Seinen Job zu erledigen, war anscheinend nicht seine oberste Priorität.

»Versuchen Sie es mal in der Bibliothek.«

Tom saß über einige Bücher gebeugt und unterhielt sich mit zwei anderen Studenten. Eine Brünette, die ganz niedlich aussah, aber langweilig gekleidet war, und ein Junge mit Brille. Anscheinend waren sie in eine Diskussion vertieft, denn sie murmelten eindringlich, und er entdeckte mich nicht, ehe ich direkt vor ihm stand.

»Papa?!«

Er sagte es in leisem Ton, in diesem Tempel des Wissens durfte man seine Stimme anscheinend nicht erheben.

Die beiden anderen sahen ebenfalls auf und zogen eine Miene, als wäre ich eine brummende Fliege, die sich hierher verirrt hatte.

Aus irgendeinem Grund hatte ich geglaubt, er wäre allein und würde einfach nur hier sitzen und auf mich warten, doch es schien ganz so, als lebte er ein eigenes

Leben, zusammen mit Menschen, von denen ich keine Ahnung hatte, wer sie waren.

Ich hob die Hand zu einem unbeholfenen Gruß.

»Hallihallo.«

Ich bereute es sofort. Hallihallo? So sprach doch kein Mensch.

»Du hier?«, fragte er.

»Jepp.«

Es wurde immer schlimmer. Jepp?! So konnte es nicht weitergehen. Ich wartete besser noch mit dem, was ich sagen wollte.

»Stimmt etwas nicht?« Er sprang auf. »Ist etwas mit Mama?«

»Nein, nein. Mama ist gesund wie ein junges Reh. Hehe.«

Heiliger Bimbam. Ich sollte einfach nur den Mund halten.

Er nahm mich mit in die Sonne. Wir setzten uns auf eine Bank. Der Frühling war hier schon weiter, die Luft schwer und warm. Überall um uns herum waren junge Menschen. Collegetypen. Viele Brillen und Ledertaschen.

Ich spürte, dass er mich ansah, und wusste plötzlich nicht, wo ich anfangen sollte.

»Bist du den ganzen Weg gefahren, um mit mir zu reden?«

»Sieht ganz so aus.«

»Was ist mit dem Hof? Den Bienen?«

»Die werden schon nicht weglaufen … beziehungsweise wegfliegen.«

Ich versuchte zu lachen, aber das Lachen blieb mir im Halse stecken und geriet zu einem Räuspern.

Wir saßen noch eine Weile schweigend da. Dann riss ich mich am Riemen und kam zu dem, was ich eigentlich sagen wollte.

»Ich fahre nächste Woche nach Hancock County. Blue Hill.«

»Ah. Wo ist das?«

»In Maine. Nur zehn Minuten vom Meer entfernt. Erinnerst du dich, dass du mich mal dorthin begleitet hast?«

»Nein … nicht mehr so genau.«

»Du warst fünf, noch nicht in der Schule. Wir waren nur zu zweit. Haben im Zelt übernachtet, weißt du noch?«

»Ach ja. Der Ausflug.«

»Ja genau. Der Ausflug.«

Er wurde still.

»Es gab dort Bären«, sagte er schließlich.

»Aber es ist alles gut gegangen«, erwiderte ich, ein bisschen zu laut.

»Gibt es sie immer noch?«

»Was?«

»Die Bären?«

»Nein, jetzt nicht mehr.«

Plötzlich erinnerte ich mich an seine weit aufgerissenen Augen. Kugelrund und groß in der Dunkelheit, als wir den Bären durch die Zeltplane hindurch gehört hatten.

»Sie sind vom Aussterben bedroht, wusstest du das?«, fragte er plötzlich, jetzt klang seine Stimme wieder normal.

»Wie so vieles.« Ich versuchte erneut zu lachen. »Auch dein alter Vater.«

Er lachte nicht.

Ich holte tief Luft. Ich musste es loswerden, jetzt. Den Grund, weshalb ich gekommen war. »Ich bin gekommen, weil ich dich bitten wollte, mich nach Maine zu begleiten«, sagte ich.

»Was?«

»Soll ich es noch einmal wiederholen?«

»Jetzt?«

»Am Montag. Drei Lastwagen, einer mehr als sonst.«

»Ach, toll. Du expandierst?«

»*Wir* expandieren.«

»Ich kann aber nicht mitkommen, Papa. Das weißt du.«

»Die Arbeit hat zugenommen. Es wird Zeit, dass du mitanpackst.«

»Ich habe bald Prüfungen.«

»Es müssen ja nicht so viele Tage sein.«

»Das wird man mir nicht genehmigen.«

»Eine Woche, höchstens.«

»Papa ...«

Ich schluckte. Ich hatte meinen Vortrag vergeigt. Den Vortrag mit dickem Ausrufezeichen, den ich mir auf dem Weg hierher zurechtgelegt hatte. All die großen Worte, die ich aneinandergereiht hatte wie frisch gegossene Zinnsoldaten, hatten sich in meinem Gehirn zu Blei verwandelt. Erbe, hatte ich sagen wollen, es ist dein Erbe. Das bist du, Tom. Die Bienen, hatte ich sagen wollen – mit einer bedeutsamen Pause –, sind deine Zukunft. Gib dem Ganzen eine Chance. Gib den Bienen eine Chance.

Doch keines der Worte kam mir über die Lippen.

»Ich kann darum bitten, dich freizustellen, ich kann sagen, dass du im Familienbetrieb gebraucht wirst«, sagte ich versuchshalber.

»Niemand wird wegen so etwas freigestellt.«

»Wie viele Krankentage hattest du in diesem Jahr? Keinen?«

»Zwei … oder vielleicht drei.«

»Siehst du. So gut wie keinen.«

»Ich glaube, das wird nicht helfen.«

»Herrgottnochmal, dann sagst du eben, du wärst krank! Lesen kannst du doch wohl überall.«

»Es geht nicht nur ums Lesen, Papa. Wir haben Abgabefristen, Hausarbeiten.«

»Die kannst du doch wohl auch da schreiben?«

»Nein, dafür brauche ich Bücher.«

»Dann nimm sie eben mit.«

»Bücher aus der Bibliothek, die man nicht ausleihen kann.«

»Es ist nur eine Woche, Tom. *Eine Woche.*«

»Mensch, Papa. Ich will aber nicht!«

Jetzt hatte er die Stimme erhoben. Zwei Mädchen mit Kurzhaarfrisuren, hochgekrempelten Hosen und klobigen Stiefeln, die eigentlich Kerlen vorbehalten sein sollten, gingen an uns vorüber und beäugten uns neugierig.

»Ich will nicht.« Diesmal sagte er es leiser und sah mich dabei mit seinen Hundeaugen an, die Emmas nicht unähnlich waren. Ein Blick, dem ich normalerweise nichts entgegenzusetzen hatte.

Ich stand abrupt auf, konnte nicht eine Sekunde länger ruhig hier sitzen bleiben.

»Es ist seine Schuld, stimmt's?«

»Was? Wen meinst du?«

Ich wartete seine Antwort nicht ab. Stürmte zurück in diese Backsteinhölle.

Der Dozentenflügel lag hinter der Rezeption.

»He, wo wollen Sie hin?«

Ich hastete an dem Typen mit den Rastalocken vorbei, hatte keine Lust, ihm zu antworten.

»Hallo?«

Er kam auf die Beine, aber ich war schon ein gutes Stück den Gang hinabgelangt und passierte Büro für Büro, bei einigen standen die Türen offen. Professor Wilkinson, Clarke, Chang, Langsley. Im Vorbeigehen erhaschte ich einen Blick auf gut gefüllte Bücherregale, tiefe Fenstersimse, schwere Gardinen. Nichts Persönliches, alles triefte nur so vor Wissen.

Und Smith. Da war er. Eine geschlossene Tür mit noch einem Messingschild. Man könnte fast meinen, die Zukunft läge im Messing. *Professor John Smith.*

Die Rastalocken näherten sich.

»Hier bin ich richtig«, rief ich ihm zu und merkte, dass ich außer Atem war. »Ich habe es gefunden.«

Er nickte und blieb stehen. Vielleicht durfte er Fremde nicht einfach durchlassen. Dann aber zuckte er mit den Schultern und trottete zum Empfang zurück.

Sollte ich anklopfen? Wie irgendein unterwürfiger Student mit seinen Lehrbüchern unter dem Arm?

Nein. Ich würde schnurstracks hineingehen.

Ich richtete mich auf und schluckte. Legte die Hand auf die Klinke und drückte sie herab.

Die Tür war abgeschlossen.

Mist aber auch.

Im selben Moment kam ein junger Kerl angeschlendert. Glattrasiert und mit modernem Haarschnitt, in Kapuzenpullover und Converse. Ein Student.

»Kann ich Ihnen helfen?«

Er lächelte breit. Weiße Zähne, schnurgerade. In der heutigen Zeit wurden sämtliche Fehlstellungen im Kindesalter korrigiert, und alle sahen völlig identisch aus; der Charme besonderer Zähne verschwand.

»Ich wollte mit John Smith sprechen«, sagte ich.

»Das bin ich.«

»Sie?«

Ich sank ein wenig in mich zusammen. Er war eindeutig nicht der, den ich erwartet hatte. An ihm meine Wut auszulassen, würde schwierig werden. Er sah vollkommen unschuldig aus. Bloß ein Kind.

»Und Sie sind …?«, fragte er lächelnd.

Ich drückte den Rücken durch.

»Ich bin Toms Vater.«

»Ach ja.« Er lächelte immer noch und streckte mir die Hand entgegen. »Wie nett, Sie kennenzulernen.«

Ich schüttelte sie, hätte es ja schwerlich sein lassen können.

»Ja, unglaublich nett.«

»Sollen wir reingehen? Ich nehme an, Sie haben ein Anliegen.«

»Darauf können Sie Gift nehmen.« Das war wohl zu grob gewesen.

»Wie bitte?«

»Nicht doch.« Ich versuchte, meinen Patzer mit einem Lächeln zu überspielen.

»Nicht?«

»Doch. Ich meine … Ja, ich habe ein Anliegen.«

Er schloss auf und bat mich herein. Die Sonne strahlte uns entgegen, fiel durch die Fenster, zeichnete klare Streifen in die Luft, schien auf die eingerahmten Bilder. Das meiste waren Plakate. Filmplakate. *Zurück in die Zukunft, E.T., Star Wars,* der erste Film: *A long time ago in a galaxy far, far away …* Na sowas!

»Bitte.« Er deutete auf einen Sessel.

Ich setzte mich. Er setzte sich auch. Auf seinen Bürostuhl. Ich saß niedriger als er, was mir nicht gefiel.

»Oh, sorry.«

Er stand wieder auf und nahm stattdessen in dem anderen Sessel Platz. Jetzt waren wir gleich groß. Versanken in unseren tiefen Sesseln, fehlte nur noch ein Drink.

»So.« Er lächelte erneut. »Ja. Womit kann ich Ihnen behilflich sein?«

Ich wand mich. Sah weg.

»Schönes Plakat.« Ich deutete mit dem Kopf auf *Star Wars*. Versuchte ruhig zu klingen.

»Nicht wahr. Es ist ein Originalplakat.«

»Was Sie nicht sagen.«

»Ich habe es auf eBay ersteigert, als ich anfing, hier zu arbeiten.«

»Ich wollte gerade sagen – sind Sie überhaupt alt genug für diesen Film?«

Er lachte. »Ich habe ihn auf Video gesehen.«

»Habe ich mir gedacht.«

»Aber ich habe früher alle Figuren gesammelt. Auch die Raumschiffe. Sind Sie ein Fan?«

»Darauf können Sie Gift nehmen.« Da war es schon wieder. Ich musste meine Sprache wirklich in den Griff kriegen.

Plötzlich fing er an zu singen und dirigierte mit einem Finger in der Luft. Die Titelmelodie. Ich musste grinsen.

Er unterbrach sich. »Tja, so ein Film kommt wohl nie wieder.«

»Da haben Sie recht.«

Wir saßen eine Weile schweigend da. Er sah mich einfach nur an. Abwartend.

William

Ich tat, was Thilda wünschte, was ihr Blick mir befohlen hatte, obwohl jeder Schritt in Richtung des Ladens schmerzte. Es war mein Gang nach Canossa. Ich war schon früh draußen, im ersten grauen Dämmerlicht. In einem Garten krähte mit brüchiger Stimme ein Hahn. Aus der Werkstatt des Sattlers klang metallisches Hämmern, aber ich sah keine Menschenseele. Die Wagnerei, der Uhrmacher und der Kolonialwarenladen lagen still und geschlossen da. Auch das Wirtshaus am Ende des Wegs, ein widerwärtiges, stinkendes Loch, in das ich noch nie einen Fuß gesetzt hatte, war geschlossen. Ein versoffener Gast, ich erkannte ihn als einen der fleißigsten Wiederkehrer, hatte offenbar nicht mehr den Weg in sein eigenes Bett gefunden und schlief sitzend an die Hauswand gelehnt. Ich drehte mich weg, seine Erscheinung ekelte mich an. Wie man auf diese Weise die Kontrolle verlieren und den Alkohol über sein Leben bestimmen lassen konnte …

Einzig die Bäckerei hatte schon geöffnet, und der Duft von frischgebackenem Brot, Brötchen und vielleicht auch der einen oder anderen Swammerpie drang durch jede Ritze des Gebäudes hinaus. Zum Glück waren der Bäcker und seine beiden Söhne noch immer drinnen bei dem großen, heißen Ofen. Noch war nicht die Zeit für ihre Pause, in der sie auf die Straße traten und ein Pfeifchen Tabak genossen, während die ersten Kunden des Tages den Laden eroberten. Noch war nicht die Zeit für sie, mich zu entdecken.

Normalerweise würde ich das Geschäft erst in ein paar Stunden öffnen, aber ich wollte nicht gesehen werden. Ich würde die Fragen der besonders Mutigen nicht verkraften. *Sieh einer an, da ist der Bursche ja wieder. Sie leben also noch? Sind krank gewesen, haben wir gehört? Jetzt aber wieder genesen? Gekommen, um zu bleiben?*

Das rote, niedrige Ziegelgebäude war dunkel und verriegelt, der Straßenabschnitt davor mit altem Laub bedeckt. Ich hob meinen schweren Arm und steckte den Schlüssel ins Schloss. Metall auf Metall, das Geräusch ließ mich erschaudern. Ich wollte nicht hinein, denn ich wusste, was mich erwartete. Ein verstaubter, schmutziger Raum, tagelange Arbeit, um ihn wieder vorzeigbar zu machen.

Ich schob die Tür auf. Sie hatte sich verzogen und war für gewöhnlich schwer zu öffnen, doch als ich sie jetzt mit der Schulter anstieß, glitt sie lautlos und ohne das uralte Quietschen beiseite, an das ich mich im Laufe der Jahre gewöhnt hatte. Mir fiel ein, dass das Mädchen, das ich in einem Augenblick der Schwäche eingestellt hatte, die dralle, stets kichernde Nichte von Thilda, vielleicht die Angeln geölt haben könnte. Alberta, so hieß sie, war eine überschüssige Arbeitskraft in einem etwas zu kinderreichen Haus gewesen. Obendrein war sie in einem reifen, höchst heiratsfähigen Alter, vielleicht sogar ein wenig überreif, wie eine weiche Tafelbirne, die bald unter dem Gewicht ihres eigenen Safts zu Boden plumpste. Sowohl Albertas Eltern wie auch sie selbst waren sich ihrer prekären Lage peinlich bewusst, doch hatte es sich als schwierige Aufgabe erwiesen, einen geeigneten und willigen Lebensgefährten für sie zu finden. Sie hofften auf einen guten Kompromiss, jedoch hatte Alberta keine Mitgift zu bieten und auch sonst nichts Vorteilhaftes an sich, ihren üppigen Vorbau einmal ausgenommen. An ihrem mangelnden Engagement lag es auf keinen Fall, genauso gut hätte sie sich in ein Schaufenster stellen können. Sie war so pflückreif, dass sie jedes Mannsbild, das in den Laden trat, wie einen Auserwählten behandelte. Abgesehen davon, dass sie sich einladend über die Theke lehnte und die dampfende, schweißwarme Kluft zwischen ihren Brüsten all jenen darbot, die sie sehen und auch riechen wollten, tat sie keinen Handschlag. Viel mehr hatte sie sicher auch während meiner Krankheit nicht getan und bis zu dem Zeitpunkt, als Thilda sie entlassen musste. Was sie auch anfasste, misslang, und ihre ständige kichernde Anwesenheit machte mich halb benommen, halb wütend. Ihre Begierde, dieses ungehemmte Wesen, und dass sie es überhaupt wagte, all das so offen zur Schau zu stellen …

Das Geschäft lag im Dämmerlicht. Ich zündete ein paar Kerzen und eine Messinglampe an. Der Laden war verblüffend sauber und aufgeräumt. Die breite Theke war leer bis auf das Tintenfass, den Quittungsblock und das schwere Messinggewicht, das ordentlich ans eine Ende platziert worden war. Die ausladende Lampe an der Decke war poliert und der Kolben gesäubert und mit Öl gefüllt worden, zum Gebrauch bereit. Normalerweise war der Boden mit einer knirschenden Schicht Pfefferkörner und Salzflocken bedeckt, die sich bei jedem Schritt bemerkbar machten, jetzt aber war er so blankgescheuert, dass man jede einzelne Schramme erkennen konnte und auch die hellen, abgelaufenen Bereiche der Dielen, die wie ein Pfad von der Theke zur Wand mit den Schubladen und zur Eingangstür führten. Thilda hatte erzählt, dass sie es Alberta überlassen hatte, sich am letzten Tag um die Schließung des Ladens zu kümmern, jedoch nicht erwähnt, dass seither eine andere Person den Laden betreten hatte. War trotzdem jemand hier gewesen?

Ich ging zu einem der Fenster. Die Fensterbank war staubfrei. Nicht eine tote Fliege, wie man es nach all dieser Zeit erwartet hätte. Noch dazu konnte man frei atmen, es roch weder stickig noch abgestanden, sondern frisch gelüftet. Ich lief zu der Wand mit den kleinen Schubladen. Legte die Hand auf einen Griff, zog die Lade heraus und warf einen Blick hinein. Sie war blitzsauber.

Ich untersuchte noch eine. Sauber, auch sie.

Jemand hatte Staub gewischt. War es Alberta gewesen? Soweit ich wusste, war sie inzwischen zur Angestellten in der Bekleidungsabteilung des Kolonialwarenhändlers aufgestiegen, und ich konnte mir nur schwer vorstellen, dass sie zusätzlich zu dieser ach so wichtigen Tätigkeit noch Zeit und Lust hatte, mir zu helfen.

Wer auch immer es gewesen war – ich konnte nicht umhin, erleichtert zu sein. Alles glänzte, und der Laden war nicht nur zur Wiedereröffnung bereit, sondern obendrein sauberer und aufgeräumter denn je zuvor.

Ich kontrollierte den Warenbestand, der wiederum ein Trauerspiel war, eine Ödnis wie in der Sahara. Das Korn und das Saatgut waren komplett ausgegangen, der Vorrat an Pfeffer, Salz und Kräutern um die Hälfte reduziert. In der für die Blumenzwiebeln vorgesehenen Schublade lagen nur ein paar lose Blätter und vereinzelte weiße Wurzeln. Alberta hatte den Laden geschlossen, als der erste Schnee fiel. Davor hatte sie anscheinend alles verkauft, was es noch an Herbstzwiebeln gab, selbst ein paar zweifelhafte, trockene Narzissen, die schon seit ein paar Jahren bei mir lagerten. Frühjahrszwiebeln und Knollen für die Haustreiberei gab es hingegen nach wie vor. Genau genommen war die Auswahl nicht einmal schlecht, und es war ein gutes Gefühl, die Ware zu befühlen, als würde man einem alten Freund die Hand geben. Doch leider war das Jahr für sie wohl schon zu weit fortgeschritten, jedenfalls war es zu spät, um sie im Haus zu kultivieren, und wenn man sie direkt in die Erde setzte, würden sie nicht eher blühen, als bis der Frost nachts schon wieder in den Boden kroch.

Gleichwohl musste ich den Laden öffnen und versuchen, das wenige, was ich noch hatte, zu verkaufen. Ich musste Thilda zeigen, dass ich mich wenigstens bemühte, um ihrem ewigen Genörgel Einhalt zu gebieten, wenn auch nur für ein paar Tage.

Um Punkt acht öffnete ich die Türen und ließ die Sonne in den Laden.

Vor die Tür stellte ich zwei Töpfe mit Dahlien, die ich zu Hause im Garten aus einem Beet ausgegraben hatte. Sie nickten leicht im Wind und ließen den ganzen Straßenabschnitt in Rot, Rosa und Gelb erstrahlen.

Ich blieb in der Tür stehen, das Geschäft lag hell und einladend hinter mir. Ich streckte den Rücken. Wie sehr hatte ich mich dagegen gesträubt, wieder hierherzukommen, in diesen Laden, der mir stets eine solche Last gewesen war, der zu verspannten Schultern und dunklen Augenringen geführt hatte. Doch jetzt war er sauber und einladend, genauso rein, wie auch ich selbst mich fühlte. Der Laden war bereit, und ich war bereit, wieder dem Dorf zu begegnen und der Welt in die Augen zu sehen. Jetzt konnten sie ruhig kommen.

Es bildete sich eine Schlange. Anscheinend hatte das ganze Dorf mitbekommen, dass ich von den Toten auferstanden war, und plötzlich wollten alle meine verstaubten Kräuter und vertrockneten Blumenzwiebeln kaufen. Ich hatte wohlweislich schon in den frühen Morgenstunden einige Bestellungen aufgegeben, doch noch bevor die Sonne ihren Zenit erreicht hatte, blieb für nichts anderes mehr Zeit, als die Kunden zu bedienen. Vermutlich hatte es nur diese wenigen Stunden gebraucht, bis alle es wussten. Nicht zum ersten Mal war ich schockiert, wie schnell sich der Tratsch in diesem kleinen Ort verbreitete, als würde er von einer steifen Brise beschleunigt, jedenfalls immer dann, wenn etwas Großes geschehen war. Und das schien jetzt der Fall zu sein. Der Menschenmenge nach zu urteilen, hatte meine Rückkehr denselben Sensationswert wie die Auferstehung Jesu.

Ich hörte die Leute über mich tuscheln, doch es störte mich erstaunlich wenig. Denn diesmal begegneten sie mir nicht mit höhnischem Lächeln oder spitzen Kommentaren wie nach meinem Vortrag über Swammerdam, sondern vielmehr mit offenen Blicken, gesenkten Köpfen, in ehrfurchtsvoller Neugier ausgestreckten Händen. Als ich mein Spiegelbild flüchtig in einem der Fenster sah, wurde mir auch wieder bewusst, warum. Mein neues Aussehen passte perfekt ins Bild. Ich sah nicht länger aus wie ein konturloser Krämer. Das Mollige, Weichliche, war verschwunden. Dieser markante, schlanke Mann flößte den Leuten Respekt ein. Er war faszinierend, etwas Besonderes, keiner von ihnen. Die wenigsten wussten mit Sicherheit, was mir gefehlt hatte, und wenn sie einen Verdacht gehabt hatten, waren sie jetzt eher mit Ehrfurcht denn mit Hohn erfüllt. Schließlich hatte ich dem Tod ins Auge geblickt, aber ich hatte gekämpft und war wiederauferstanden.

Ich war in meinem Element. Das Geld strömte in meine Hände. Ich rechnete und zählte in einem ungeheuren Tempo und plauderte gleichzeitig mit allen und jedem und achtete darauf, mich nach ihrem Befinden zu erkundigen. *Ist die Ehe ihrer Tochter, Victoria – hieß sie nicht so –, denn mit Nachwuchs gesegnet worden? Wie steht es um den Hof? Wie viele Fohlen, sagten Sie? Phantastisch! Und die Ernte? Was meinen Sie, können wir einem fruchtbaren Herbst entgegensehen? Der kleine Benjamin, nein, ist er wirklich schon zehn, und pfiffig wie eh und je. Aus dem Jungen wird noch etwas Großes werden.*

Als ich am Abend die Tür abschloss, tat ich es mit einer leichten, präzisen Bewegung. In der Hand hielt ich einen prall gefüllten Geldbeutel. Und obwohl meine Füße weiß Gott müde waren, machte es mir nicht die geringste Beschwer, den halben Kilometer nach Hause zu laufen. Dort warteten die Bücher, ich würde bis Mitternacht arbeiten, denn ich war kein bisschen müde, hatte im Gegenteil umso mehr Kräfte gesammelt. Ich hatte geglaubt, mich entscheiden zu müssen, aber ich konnte beides in Einklang bringen, das Leben und die Leidenschaft.

tao

Es war Nacht, und ich war wieder wach. Es war sinnlos, jetzt zu schlafen, so sinnlos, wie mir auch alles andere erschien. Ich stand im Wohnzimmer an die Wand gelehnt, senkte den Kopf und blickte auf meine Hände, presste die Fingerkuppen beider Hände gegeneinander, meine Nägel waren zu lang, ich schob sie untereinander, bis es wehtat, und überlegte, wie lange ich sie ineinanderbohren musste, bis sie bluteten.

Ich hatte es ertragen, dass Mama verschwunden war. Sie war krank und alt gewesen. Es hatte so gewirkt, als wäre sie an einen schönen Ort gekommen, in diesem Film hatte er jedenfalls schön ausgesehen, ein Hort der Geborgenheit. Aber Wei-Wen … Die Tränen brannten in meiner Brust und schnürten mir den Hals zu, sie schmerzten so sehr, dass ich kaum noch Luft bekam. Aber ich ließ sie nicht hinaus.

Niemand verlangte von uns, dass wir arbeiteten. Der Führer meines Arbeitstrupps tauchte am Tag nach unserer Heimkehr zusammen mit Kuans Führer auf. Sie waren beide informiert worden. Von wem, sagten sie nicht, und ich vergaß zu fragen. Stammelnd standen sie vor unserer

Tür, sie wollten nicht hereinkommen und sagten, wir sollten uns alle Zeit nehmen, die wir brauchten.

Wie lange sie uns tatsächlich in Ruhe lassen würden, wussten wir nicht.

In den ersten Tagen legte man uns Gaben vor die Tür. Vor allem Essen. Konservendosen. Eine Flasche echten Ketchup. Sogar eine Kiwi. Ich hatte nicht gewusst, dass Kiwis überhaupt noch produziert wurden. Aber sie schmeckte nach nichts. Irgendjemand hatte auch unsere Sachen eingesammelt und sie uns gebracht. Alles war dabei, sogar die leere Pflaumendose. Von ihrem Geruch wurde mir übel.

Anfangs lag Kuan nur im Schlafzimmer. Er weinte für uns beide. Sein Schluchzen erfüllte die Wohnung, es hallte durch die engen Zimmer. Aber ich brachte es nicht über mich, zu ihm zu gehen.

Irgendwann stand er auf. Schweigend gingen wir uns aus dem Weg. Die Tage vergingen, wir lebten in einem Vakuum, so still und abgeschlossen wie der Raum, in dem Wei-Wen gelegen hatte. Kuan war nach wie vor stumm. Und auch ich konnte nichts sagen, denn ich wusste nicht, wie. Vielleicht machte er mir gar keine Vorwürfe, vielleicht hatte er diesen Gedanken nicht einmal gedacht.

Doch.

Der leere Blick. Der Abstand, den er die ganze Zeit zu mir hielt. Früher hatte er immer die körperliche Nähe gesucht, jetzt waren wir uns nie nahe. Er war lediglich zu passiv, um etwas zu sagen. Oder versuchte er, mich zu schützen? Ich wusste es nicht.

Doch das, was zwischen uns stand, war unüberwindbar groß geworden. Er hielt sich von mir fern, und ich schaffte es auch nicht, ihn anzufassen, mit ihm zu reden, es war beinahe unerträglich, mit ihm in einem Raum zu sein. Er rief stets dasselbe in mir hervor. Dieselben Worte. Meine Schuld, meine Schuld, meine Schuld. Deshalb wurde für mich alles an ihm abstoßend. Ich ekelte mich vor seinem Körper, der Gedanke, er könnte mich berühren, bereitete mir Unbehagen, doch ich verbarg es, so gut es ging. Wir spielten Mutter-Vater-Kind, nur ohne Kind. Kochten. Räumten auf. Wuschen Wäsche. Jeden Tag. Wir standen auf, zogen uns an, aßen ein klein wenig. Tranken Tee. Diesen ewigen Tee. Und warteten.

Ich rief nach wie vor im Krankenhaus an. Immer war ich diejenige, nicht ein Mal konnte er sich dazu aufraffen. Dr. Hio bekam ich nie wieder zu sprechen, und nach einigen Wochen stellte sich heraus, dass sie aufgehört hatte. Einen Grund nannten die anderen Ärzte nicht.

Die Antworten waren immer dieselben, ganz gleich, mit wem ich sprach: *Sie müssen warten. Natürlich werden wir Ihnen die Namen nennen. Selbstverständlich. Sie müssen sich nur noch ein klein wenig gedulden. Nur noch ein paar Tage. Wir werden das klären. Wir melden uns bei Ihnen. Wir melden uns. Bitte gedulden Sie sich.*

Obwohl man uns alle Zeit zugestanden hatte, die wir brauchten, kam Kuan eines Morgens nach dem Duschen in Arbeitskleidung hinaus.

»Ich kann genauso gut arbeiten«, sagte er leise.

Ich war überrascht, beinahe fassungslos, nicht darüber, dass er hinauswollte, sondern wie erleichtert ich war. Ihn loszuwerden, für mich sein zu können, das erlebte ich nach all diesen Wochen als einen ersten Lichtblick.

»Ist das für dich in Ordnung?«, fragte er.

»Ja, geh nur.«

»Wenn du es schwierig findest, allein zu bleiben, kann ich es auch lassen.«

»Nein, kein Problem.«

Aber er blieb stehen. Die Uniform hing schlaff an ihm herab, er war noch dünner als sonst. Er sah mich nur an, vielleicht erwartete er, dass ich noch mehr sagte. Dass ich wütend würde, schreien würde, ihn schlagen würde. Warum erwartete er nur, dass ich wütend wurde? War das jetzt etwa auch meine Verantwortung? Seine großen Augen flehten mich an, sein zarter Mund war halb geöffnet. Ich drehte mich weg, ich konnte ihn nicht ansehen. Diesen schönen Mann, bei dessen Anblick ich mich früher selbst vergessen hatte. Jetzt wollte ich nur, dass er so schnell wie möglich verschwand.

»Tao?«

»Du solltest besser gehen, wenn du rechtzeitig zum Appell kommen willst.«

Ich sah ihn immer noch nicht an. Hörte nur, wie er einige Male Luft holte, vielleicht etwas sagen wollte, aber nicht die richtigen Worte fand.

Dann verschwand er – seine Schritte auf dem Boden, die Tür, die hinter ihm zufiel – und ließ mich endlich in der leeren Wohnung allein.

Ich ging ins Schlafzimmer. Auf Wei-Wens Bett fand ich seinen Schlafanzug, ich nahm ihn und blieb mit ihm in den Armen sitzen. Ich hatte nicht gewollt, dass wir ihn waschen. Wei-Wen hatte ihn nur zwei Nächte lang benutzt, und er lag für ihn bereit, wenn er zurückkam. Der

Stoff fühlte sich dünn an, lächelnde Monde auf blauem Hintergrund. Er roch immer noch schwach nach Kinderschweiß. Den ganzen Tag saß ich so.

In der darauffolgenden Zeit machte ich schrittweise den Tag zur Nacht. Wenn Kuan seinen schweren Arbeiterschlaf schlief, hielt ich mich im Wohnzimmer auf. Erst wenn die Morgendämmerung kam, fiel ich ins Bett, bekam jedoch meistens kein Auge zu. Ich durfte mich nicht ausruhen. Wenn ich mich hinsetzte, entspannte, schlief, würde Wei-Wen für immer verschwinden.

Ich wandte mich zum Fenster. Wir blickten direkt auf den weißen Zaun, der die Felder nun einrahmte. Etwa alle hundert Meter stand ein Wachmann. Ich konnte die Konturen des nächsten erahnen. Er starrte ins Nichts und bewegte sich nicht. Ich hätte alles gegeben, um zu erfahren, was er bewachte.

Der Zaun war so hoch, dass wir nicht dahintersehen konnten, nicht einmal vom Dach unseres Hauses aus. Ich war dort oben gewesen und hatte es getestet. Über dem Zaun war ein Netz gespannt, an dem ständig der Wind rüttelte. In den ersten Wochen waren mehrmals Arbeiter dort oben gewesen, um es besser zu befestigen. Jeden Tag kamen Schaulustige, die jedoch stets wieder weggeschickt wurden. Das Gebiet wurde streng bewacht. Ich war am Zaun entlanggegangen, um Schlupflöcher zu finden, Stellen, an denen man hineinkriechen konnte, doch überall standen Wächter.

Kuan erzählte, dass die Leute redeten. Sein Arbeitstrupp musste jetzt auf einem anderen Feld antreten. Es lag zehn Kilometer entfernt, und auf dem Fußweg dorthin hatten die Leute viel Zeit, um miteinander ins Gespräch zu kommen. Er lauschte ihnen. Es gab wilde Spekulationen. Alles, was geschah, habe mit Wei-Wen zu tun, meinten sie. Der Zaun, die Absperrung, das Militäraufgebot. So müsse es sein, denn wir seien als Letzte dort gewesen, und Wei-Wen sei im Krankenhaus. Wenn sie bemerkten, dass Kuan ihnen zuhörte, verstummten sie, aber sobald sie sich wieder unbelauscht fühlten, redeten sie weiter. Der ganze Klatsch und Tratsch drehte sich jetzt um uns, und er war spektakulär. Die Aufmerksamkeit aller war auf uns gerichtet, und ich konnte nichts dagegen tun.

Wir wussten genauso wenig wie sie, unsere Spekulationen hatten keine andere Grundlage. Etwas war Wei-Wen widerfahren, als er dort draußen war, und jetzt war er weg. Das war alles, was wir wussten.

Mein Blick fiel wieder auf den Wachmann dort unten. Er war am Zaun zusammengesunken, hatte die Knie angezogen, und der Kopf hing nach unten. Er schlief.

William

Die Eier sind nicht mehr als 1,5 Millimeter lang. Eines in jeder Zelle, gräulich vor dem Hintergrund des gelben Wachses. Nach nur drei Tagen schlüpft die Larve, in der Regel ein Weibchen, das wie ein verwöhntes Kind überfüttert wird. Es folgen die Tage des Wachstums, ehe die Wabenzellen dann mit einem Wachsdeckel verschlossen werden. Dort drinnen baut die Larve den Kokon, ein Kleid, das sie um sich spinnt und das sie vor allem und jedem beschützt. Hier, und nur hier, ist sie allein.

Nach 21 Tagen kriecht dann die Arbeiterin aus der Zelle und zu den anderen, neugeboren, aber noch nicht bereit für die Welt, ein Säugling, der nicht fliegen, nicht allein essen und sich kaum auf den Beinchen halten kann; krabbelnd, kriechend, tastend bewegt sie sich über die Waben. In den ersten Tagen erhält sie deshalb nur einfache Aufgaben im Bienenkorb und hat einen kleinen Wirkungskreis. Sie säubert den Brutraum, erst ihre eigene Zelle, dann die der anderen, und sie ist nie allein. Sie sind viele, hunderte andere, die sich zu jeder Zeit in genau demselben Entwicklungsstadium befinden wie sie.

Im Anschluss beginnt die Arbeit als Amme. Obwohl sie

selbst noch ein Kind ist, liegt es in ihrer Verantwortung, die Ungeborenen mit Nahrung zu versorgen. Zur selben Zeit macht sie erste Flugübungen, testet ihre Flügel, an Nachmittagen und Tagen mit gutem Wetter, vorsichtig, zögernd. Sie findet den Weg hinaus aus dem Flugloch, dreht eine Runde vor dem Bienenkorb, ehe sie allmählich den Abstand zu ihrem Zuhause vergrößert. Aber noch ist sie nicht bereit.

Ständig hat sie etwas im Bienenstock zu erledigen. Sie kümmert sich um die hereinkommenden Pollen, produziert Wachs und leistet einen Beitrag als Wächterin. Zugleich werden ihre Ausflüge außerhalb des Bienenstocks länger. Sie bereitet sich vor. Ist bald so weit. Bald.

Und dann, endlich, wird sie zur Flugbiene. Sie verschwindet allein nach draußen, sie ist frei, lässt sich von ihren Flügeln von Pflanze zu Pflanze tragen, sammelt den süßen Nektar, sammelt Pollen und Wasser, Kilometer für Kilometer. Sie ist allein hier draußen und doch ein Teil der Gemeinschaft. Allein ist sie nichts, ein so kleines Bruchstück, dass es keine Bedeutung hat, gemeinsam mit den anderen jedoch ist sie alles. Denn gemeinsam sind sie der Stock.

Meine Idee begann im Unsichtbaren, entwickelte sich dann aber von selbst, wie eine Biene. Ich fing mit Skizzen an, leichte Kohlestriche auf dem Papier, ungenaue Größenangaben, vage Formen. Dann wurde ich wagemutiger, ich rechnete, kalkulierte, verdeutlichte meine Striche, breitete das Papier auf dem Boden aus. Am Ende holte ich Feder und Tinte, und allmählich nahm er vor meinen Augen Form an, wurde deutlicher, die Striche wurden präziser, die Maße genauer. Und endlich, am 21. Tag, war der Bienenstock fertig.

»Können Sie das bauen?«

Ich legte die Zeichnung vor Conolly auf die Tischplatte. Sie war voller jahrealter Kerben und Kratzer und stand noch dazu nicht ganz gerade. Man hätte denken sollen, dass gerade er auf ordentliche Möbel Wert legte, aber vermutlich war es wie in dem Sprichwort von den Schusterskindern, die immer die schlechtesten Schuhe hatten. Alles in seinem kleinen Wohnzimmer war krumm und schief; in der Ecke stand ein ungemachtes Bett, vor dem Kamin ein kaputter Stuhl, vielleicht hatte er keine Lust, sein eigenes Mobiliar zu reparieren, sondern warf es lieber ins Feuer, wenn es eines Tages gar nicht mehr zu gebrauchen war? Der Boden war voller Sägespäne, als würde Conolly die Arbeit mit nach Hause nehmen, obwohl er in den angrenzenden Räumlichkeiten eine eigene Werkstatt hatte.

Er nahm eine der Zeichnungen in die Hand. In seiner groben Hand wirkte sie empfindlich zart. Er hielt sie ans Licht, trat einen Schritt näher an das kleine Fenster, dessen eine Scheibe zerbrochen und mit einem Brett voller Astlöcher zugenagelt war. Er war mir empfohlen worden. Der beste Tischler der Gegend, hieß es, aber sein eigenes Inventar zeugte nicht davon.

»Der Kasten ist schon in Ordnung, aber warum braucht er ein Schrägdach?«

»Tja … es ist ja ein Haus … ein Gebäude … ein Heim.«

»Ein Heim?« Er zögerte. »Sie sprechen von Bienen?«

Ich dachte nach, ich konnte ihm all das nicht erklären, sondern musste einen logischen Grund finden, seine Sprache sprechen. »Es ist wegen des Wassers. Des Regens. Damit er ablaufen kann.«

Er nickte. Dieses Argument konnte er akzeptieren, weil es um die Konstruktion ging, nicht um Gefühle.

»Das macht es komplizierter. Aber es wird schon gehen.«

Dann nahm er die Zeichnung des Innenraums zur Hand.

»Und was ist das … Rahmen?«

»Die sollen von der Decke herunterhängen. Ideal wären zehn pro Bienenstock, aber wir können uns zunächst auch mit sieben oder acht begnügen. An ihnen soll ein bisschen Wachs befestigt werden.«

Er sah mich fragend an.

»Bienenwachs. Damit die Bienen daran weiterbauen können.«

»Aha?«

»Von Natur aus bauen die Bienen diagonale Waben, aber ich will sie nicht wild bauen lassen, deshalb bereite ich die Arbeitsbedingungen entsprechend vor.«

»Soso«, sagte er, kratzte sich am Ohr und wirkte kein bisschen interessiert.

»In diesem Bienenstock werden die Rahmen ihnen dabei helfen, die Waben in einer Reihe zu bauen. Durch die Tür werde ich einen vollen Einblick in die Arbeitsverhältnisse haben und kann die Waben herausnehmen und wieder einsetzen. So wird es einfacher sein, sie zu pflegen und zu beobachten und nicht zuletzt den Honig zu ernten, ohne den Bienen zu schaden.«

Er sah mich einen Augenblick lang mit leeren Augen an, dann studierte er wieder die Zeichnungen.

»Latten habe ich«, sagte er. »Aber Wände und Dach … da bin ich etwas unsicher, was das Material angeht.«

»Das einzuschätzen, überlasse ich Ihnen«, erwiderte ich mit aller mir verfügbaren Freundlichkeit. »Es ist ja trotz allem Ihr Fachgebiet.«

»Da haben Sie recht«, sagte er. »Und die … äh … parallelen Waben überlasse ich Ihnen.«

Zum ersten Mal lächelte er, ein breites und ehrliches Lächeln, während er mir seine kräftige Hand entgegenstreckte. Ich schlug ein und erwiderte sein Lächeln. Ich sah bereits vor mir, wie Kiste um Kiste von Savages Standardbienenstock aus der Werkstatt des Schreiners getragen und mit gutem Ertrag für ihn und mich verkauft würde. Ja, alles kündete von einer vortrefflichen Zusammenarbeit.

GEORGE

Kennys Wagen rollten dröhnend und abgashustend auf den Hofplatz. Der Staub, den die Räder aufwirbelten, legte sich auf die leeren Pritschen, die Motoren übertönten das Zwitschern der Singvögel im Sonnenuntergang. Drei Lastwagen hatte ich dieses Jahr gemietet. Ja, leider waren es tatsächlich Lastwagen, keine Trailer von der Sorte, wie sie Gareth benutzte. Äußerlich betrachtet waren es Rostlauben, die niemanden beeindruckten, und sie konnten lediglich drei Magazinbeuten in der Höhe aufnehmen und vier in der Breite. Doch unter ihrer maroden Blechhaube waren sie treue Reisegefährten, deren Motoren so einfach konstruiert waren, dass man sie selbst reparieren konnte, wenn es nötig war, und das war oft der Fall.

In der Dämmerung schleppten wir die Beuten heran. Das durfte nicht tagsüber geschehen, wenn die Bienen noch unterwegs waren, wir mussten warten, bis sie den Feierabend eingeläutet hatten.

Es wurde dunkel. Wir ließen die Motoren laufen, und die Scheinwerfer erleuchteten die Wiese, während wir arbeiteten. Wie wir uns mit unseren weißen Anzügen und Hüten und Schleiern durch die Lichtstreifen hin und her bewegten, erinnerten wir an Außerirdische, die von einem fremden Planeten gekommen waren, um biologisches Material in Kisten mitzunehmen. Ich musste in mich hineingrinsen. Jetzt hätte er uns mal sehen sollen, dieser Professor Kapuzenpulli.

Unter den Anzügen strömte der Schweiß. Es war harte Arbeit, die Beuten wogen viele Kilos.

Aber nächstes Jahr. Nächstes Jahr würde es ein Truck werden, vielleicht sogar ein richtiger Trailer. Ich hatte Geld gespart und hoffte, es würde für einen neuen Kredit bei der Bank reichen. Mit Emma hatte ich noch nicht darüber gesprochen. Ich kannte ihre Meinung. Aber um Geld zu verdienen, muss man Geld investieren. So war es nun mal.

Sobald die Beuten verladen waren, fuhren wir los. Wir hatten keine Zeit zu verlieren. Die Fahrt war anstrengend. In jedem Lastwagen saßen zwei Mann, die sich beim Fahren abwechselten. Ich fuhr in meinem eigenen Wagen. Mit Tom.

Vielleicht war es wegen *Star Wars* gewesen, vielleicht, weil Tom selbst gesagt hatte, er würde auf dieser Fahrt schreiben, sie würde ihn inspirieren. Jedenfalls war er noch am selben Nachmittag mitgekommen. Mit der uneingeschränkten Erlaubnis von John, dem Professor. Tom hatte Emma zur Begrüßung umarmt, war sofort in den Imkeranzug gestiegen und wieder hinausgegangen. Seither war er bei den Bienen gewesen und hatte nicht viele Worte verloren. Ich konnte sein Gesicht nicht sehen, es lag hinter dem Schleier verborgen. Aber er arbeitete. Er tat, worum wir ihn baten. Still und behände, ja sogar schneller als Jimmy und Rick. Ich wollte es ihm sagen, ihn loben, fand aber nie den richtigen Zeitpunkt.

Auch später im Auto hatte ich nicht die Gelegenheit, denn er rollte sofort seinen Pullover zu einem Kissen zusammen, legte den Kopf gegen das Fenster und schloss die Augen.

Er war hübsch, mein Junge. Ein bisschen dünn, aber hübsch. Die Mädchen mussten ihn doch mögen? Ob er eine Freundin hatte? Ich wusste es nicht.

Der Motor brummte so gleichmäßig wie Toms Atem. Es herrschte kaum Verkehr, nur selten kam uns ein anderes Auto entgegen. Die Straßen waren trocken, und wir fuhren in zügigem Tempo, aber nicht unverantwortlich schnell.

Alles verlief nach Plan.

Wir wechselten uns mit dem Schlafen und Fahren ab und redeten beide nicht viel. Der Morgen brach an. Die Landschaft wurde hügeliger. Ein Stück entfernt auf einem Feld fuhr eine Landmaschine. Sie sah aus wie ein riesiges Insekt. Der Maschinenkörper, der Tank mit dem Gift, war groß und rund und fasste tausende Liter, und ihre langen, rotierenden Flügel versprühten das Mittel in Wolken aus kleinen Tropfen auf der Erde.

Ich hielt meine Bienen so weit wie möglich von solchem Gift fern. Es schwächte sie und führte immer zu Verlusten. In den letzten Jahren waren viele Landwirte allerdings zu neuen Methoden übergegangen. Das Insektengift wurde nicht mehr gesprüht, sondern in Form von kleinen Kugeln auf dem Boden verstreut. Das wäre sicherer und besser, hieß es. Die Kügelchen wurden im Boden von den Pflanzenwurzeln aufgenommen, sie blieben länger und wirkten länger. Es war trotzdem Gift. Am liebsten hätte ich es gesehen, wenn die Bauern alles so machten wie früher und die Pflanzen auf dem Feld eigenständig überleben mussten, ohne die Hilfe von Pestiziden. Aber das war wohl nicht möglich. Schädlinge konnten ein reifes Feld im Laufe einer Nacht kahlfressen. Wir waren zu viele geworden, die Lebensmittelpreise waren zu niedrig und alles andere zu teuer, als dass jemand ein solches Risiko einginge.

Neben mir kam Leben in Tom. Er öffnete die Thermoskanne, schenkte sich den letzten Rest ein und erinnerte sich plötzlich wieder an mich.

»Entschuldige, wolltest du auch?«

»Nimm nur.«

Er trank die Tasse in zwei Schlucken leer und sagte nichts mehr.

»Jaja«, sagte ich, hauptsächlich, um das Schweigen zu brechen.

Er erwiderte nichts, was hätte er auch darauf antworten sollen.

»Na denn«, sagte ich. »Ja.« Ich räusperte mich. »Ist denn was mit den Mädchen los? An der Uni?«

»Nein. Kann ich nicht behaupten«, antwortete er.

»Keine Niedliche dabei?«

»Jedenfalls keine, die ich niedlich finde«, antwortete er grinsend, und ich merkte, dass er in Redelaune war.

»Warte nur ab.«

»Na, hoffentlich muss ich nicht so lange warten wie Mama und du.«

Emma und ich hatten erst mit dreißig geheiratet. Mein Vater hatte die Hoffnung längst aufgegeben.

»Du kannst darüber froh sein«, entgegnete ich. »So musstest du keine anstrengenden kleinen Geschwister ertragen. Du weißt gar nicht, wie gut du es allein hattest.«

»Vielleicht wäre es auch ganz schön gewesen, Geschwister zu haben.«

»Theoretisch ja«, sagte ich. »In Wirklichkeit ist es die Hölle. Und ich weiß, wovon ich rede.«

Wir waren vier Brüder gewesen. Streit und Raufereien von morgens bis abends. Als ältester Sohn hatte ich schon mit sechs Jahren den Mini-Papa spielen müssen. Ich war immer froh gewesen, dass Tom Einzelkind war.

»Egal. Jedenfalls musst du erst mal ein Mädchen finden. Und dann kannst du Kinder machen. Eins nach dem anderen. Du weißt ja, wie das funktioniert. Bienen und Blumen. Oder haben wir dieses Gespräch womöglich nie geführt?«

»Nein, ich glaube nicht, vielleicht können wir das jetzt nachholen?« Er feixte. »Lass mal hören, Papa. Wie ist das mit den Bienen und Blumen?«

Ich lachte.

Er auch.

Das wärmte.

William

»Edmund?« Ich klopfte an seine Zimmertür.

Die letzten Tage hatte ich in Erwartung des Bienenstocks bei den Tieren verbracht, um mich mit ihnen vertraut zu machen, zunächst mit zitternden Händen, dann mit zunehmender Sicherheit. Ich hatte die Königin gefunden, sie war größer als die Arbeiterinnen und Drohnen, und sie mit einem kleinen weißen Farbpunkt markiert. Ich entdeckte ausgebaute Weiselzellen, die ich jedoch sogleich zerstörte, weil ich das Risiko des Schwärmens nicht in Kauf nehmen wollte – die alte Königin konnte Teile des Volks mitnehmen, um der jüngeren Königin und ihren Nachfahren Platz zu machen. Darüber hinaus gewährte dieser Bienenkorb wenig Einblick, ich öffnete ihn mit größter Sorgfalt und Vorsicht, wobei die Bienen jedoch jedes Mal unruhig wurden. Mir war bislang nicht klar, wie es sein konnte, dass die Königin zwei verschiedene Arten von Eiern legte, für Arbeiterinnen wie auch für Drohnen. Doch die Bedingungen zur Observation waren eben nicht die besten. Sobald der neue Bienenstock an Ort und Stelle war, würde all dies viel leichter zu beobachten sein.

Eines war auf jeden Fall gewiss. Ich hatte es mit einem hart arbeitenden Bienenvolk zu tun. Der Korb wurde immer schwerer, die Bienen trugen Nektar und Pollen herbei, der Honig glänzte dort drinnen schon, tiefgolden, zuckersüß und verlockend.

Charlotte leistete mir häufig Gesellschaft. Sie verfolgte die Entwicklung der Bienen mit großem Eifer, nahm den Bienenkorb in die Hände, wog ihn, stellte Vermutungen über die Menge des Honigs an. Routiniert hob sie ihn an, überprüfte ihn auf Weiselzellen, fand die Königin und nahm sie mit der bloßen Hand heraus, ja, sie wagte es tatsächlich ohne Handschuhe, und sah zu, wie die anderen Bienen sogleich herausschwirrten und nach ihrem Oberhaupt suchten. In diesem Sommer wuchs Charlotte, ihr ungelenker Körper nahm Formen an, ihre blassen Wangen wurden röter, ihre Röcke waren beinahe unanständig kurz und krochen bis zur Mitte der Waden empor. Sie hätte ein neues Kleid verdient, dachte ich, aber das musste warten, denn andere Dinge waren jetzt wichtiger.

Einige Tage in der Woche musste ich im Laden arbeiten. Auch dort half sie mir, räumte auf, putzte, kontrollierte den Warenbestand, führte mit eifrig kratzender Feder Buch, zählte zusammen, zog ab und errechnete den Überschuss.

Edmund hingegen beteiligte sich nie. Mit den Vorbereitungen auf den Schulwechsel im Herbst ging es nicht so voran wie erforderlich, das war selbst mir, der sich so selten im Kreise der Familie aufhielt, nicht verborgen geblieben. Die Bücher, die er, wie ich inzwischen herausgefunden hatte, in einer dunklen Ecke des Wohnzimmers aufbewahrte, würden bald so verstaubt sein, wie die meinen es bis vor kurzem gewesen waren. Er war immerzu erschöpft und kränklich und sperrte sich oft in seinem Zimmer ein, seine Rastlosigkeit war einer seltsamen Ruhe und Bedächtigkeit gewichen, einer Trägheit, wie man sie nur selten bei jungen Menschen erlebte.

Dennoch hoffte ich nach wie vor, er würde mit mir kommen und bei mir sitzen, sodass ich ihm den Strohkorb erklären konnte, um ihm anschließend zu zeigen, wie brillant meine eigene Erfindung im Vergleich dazu war. Ich wollte ihm zeigen, was er und sein Buch in mir ausgelöst hatten, und hoffte, ich könnte dieselbe Glut auch in ihm wecken.

»Edmund?« Ich klopfte erneut.

Er antwortete nicht.

»Edmund?«

Keine Reaktion.

Ich zögerte, dann drückte ich vorsichtig die Klinke herunter.

Verschlossen. Natürlich.

Ich beugte mich herab, spähte durch das Schlüsselloch und sah, dass der Schlüssel innen steckte. Er war also nicht draußen, sondern hatte sich verschanzt. Ich polterte gegen die Tür. »Edmund!«

Endlich hörte ich drinnen Schritte, und die Tür wurde einen schmalen Spalt breit geöffnet. Er blinzelte mir und dem Licht entgegen. Sein Stirnhaar war noch länger geworden, auf seiner Oberlippe wuchs Bartflaum, er trug ein zerknittertes Hemd und sonst nichts. Darunter kamen erstaunlich behaarte Beine und nackte Füße zum Vorschein.

»Vater?«

»Es tut mir leid, dass ich dich geweckt habe.«

Er zuckte mit den Schultern und unterdrückte ein Gähnen.

»Ich hatte gehofft, du würdest mich nach draußen begleiten«, sagte ich. »Es gibt etwas, das ich dir zeigen möchte.«

Er starrte mich mit schmalen, schlaftrunkenen Augen an und rieb den einen Fuß gegen sein Bein, als wollte er sich wärmen, doch er antwortete mir nicht.

»Ich wünsche mir so sehr, dass du den Strohkorb verstehst«, fuhr ich fort und versuchte meinen Eifer zu verbergen.

»Strohkorb?« Immer dieser schleppende, träge Tonfall.

»Ja. Du hast ihn doch gesehen, unten im Garten.«

»Ach so. Der.« Er wankte ein wenig und schluckte.

»Damit du den Unterschied zwischen ihm und dem neuen Bienenstock verstehst. Wenn er angeliefert wird.«

»Aha.« Er sprach mit zusammengepressten Lippen und schluckte erneut, als müsste er aufstoßen.

»Und wie viel besser er konstruiert ist.«

»Mhm.«

Seine Augen blickten noch genauso schläfrig drein, zeigten keinerlei Anzeichen von Interesse.

»Möchtest du dir vielleicht etwas anziehen?«

»Können wir das nicht ein andermal machen?«

»Mir würde es jetzt gut passen.« Plötzlich ertappte ich mich selbst dabei, wie ich geduckt dastand, als würde ich ihn anflehen. Aber er schien es gar nicht zu bemerken.

»Ich bin so müde«, sagte er nur. »Vielleicht später.«

Da richtete ich mich auf und versuchte, autoritär zu klingen. »Als dein Vater verlange ich, dass du jetzt mitkommst!«

Endlich sah er mich an. Seine Augen waren gerötet, aber trotzdem merkwürdig klar. Mit einer Kopfbewegung warf er sein Stirnhaar zur Seite und hob das Kinn. »Sonst passiert was?«

Sonst passiert was? Ich konnte nicht antworten, stattdessen blinzelte ich hektisch.

»Sonst bekomme ich deinen Gürtel zu spüren?«, fuhr er fort. »Meinst du das, Vater? Sonst holst du deinen Gürtel und peitschst mir so lange den Rücken aus, bis mir keine andere Wahl bleibt, als mit ja zu antworten?«

Das Gespräch verlief nicht so, wie ich es mir erhofft hatte, ganz und gar nicht.

Er starrte mich an, ich starrte ihn an. Keiner sagte etwas.

Mit einem Mal war Thilda da. Sie eilte durch den Flur auf mich zu, ihr Rock fegte über die Holzdielen.

»William?«

»Es ist bald zwei Uhr!«, sagte ich.

Ihre Stimme wurde schriller. »Er braucht seinen Schlaf. Er ist nicht in Form … Geh und leg dich wieder hin, Edmund.«

Sie blieb neben mir stehen und legte mir die Hand auf den Ellbogen.

»Du tust doch den ganzen Tag nichts anderes, als zu schlafen!«, sagte ich zu Edmund, doch meine Stimme klang viel zu laut, viel zu verzweifelt.

Er erwiderte nichts, zuckte nur wieder die Achseln. Thilda

versuchte mich wegzuschieben, während sie Edmund mit zärtlichen Blicken bedachte.

»Leg dich hin, mein lieber Schatz. Du musst dich ausruhen.«

»Wovon sollte er sich ausruhen müssen?«

»Das musst ausgerechnet du sagen«, bemerkte Edmund plötzlich.

»Wie bitte?!«

»Du hast doch mehrere Monate im Bett gelegen!«

»Edmund!«, mahnte Thilda. »*Das* lassen wir außen vor.«

»Und warum?«, fragte er.

Ich spürte, wie mich die Verzweiflung lähmte. »Es tut mir so leid, Edmund. Ich werde alles wieder in Ordnung bringen. Ich bin gerade dabei. Deshalb würde ich dir doch so gern zeigen ...«

Doch Thilda schob mich weg. »Armer Edmund«, seufzte sie. »Es ist alles ein bisschen viel für ihn. Er muss sich ausruhen, er hat es dringend nötig.«

Edmund starrte mich nur ausdruckslos an. Dann machte er uns die Tür vor der Nase zu.

Thilda hatte mich immer noch am Arm gefasst, als wollte sie mich festhalten, und ihr Blick war noch genauso insistierend. Ich wollte protestieren, doch dann kam mir ein Gedanke. War er krank? War Edmund krank?

»Verschweigst du mir etwas?«, fragte ich Thilda.

Sie durchbohrte mich förmlich mit ihrem Blick, sodass ich es fast mit der Angst zu tun bekam.

»Ich bin seine Mutter und sehe, dass er Ruhe braucht«, sagte sie langsam und deutlich und hatte offenbar nicht die Absicht, mir irgendetwas zu erklären.

»Und ich bin sein Vater und sehe, dass er frische Luft braucht«, sagte ich und hörte im selben Moment, wie lächerlich das klang.

Sie verzog die Mundwinkel zu einem höhnischen Lächeln. Keiner von uns sagte noch etwas, und so standen wir uns einfach nur gegenüber. Sie bot mir weder eine Antwort noch irgendein Entgegenkommen. Denn er war nicht krank, natürlich nicht, sie wollte ihn nur schützen, vor den Schularbeiten und allem anderen, was ihm etwas abverlangte. Indessen wusste sie nicht, was zwischen uns vorging, welche Veränderung er in mir ausgelöst hatte und wie wichtig es für mich war, das mit ihm zu teilen.

Doch ich hatte keine Kraft, es ihr zu erklären, ich wusste, wie aussichtslos es war, sich mit ihr auseinanderzusetzen, alle logischen Argumente wurden einfach beiseitegefegt, sie war wie eine Windmühle.

Vielleicht könnte ich ihn erwischen, ehe es Abend wurde, ehe er nach draußen verschwand, wie er es gern tat. Dieses undefinierbare »draußen« … Ich wünschte, er wäre im Wald, mit seinen eigenen Observationsstudien, von mir inspiriert, so wie ich in seinem Alter. Ja, vielleicht war es ja tatsächlich so.

Und was mich anging, so wollte er vermutlich warten, bis ich ein echtes Ergebnis vorzuweisen hatte. Bei mir erhöhte das die Spannung nur umso mehr. Und er sollte wahrhaftig etwas zu sehen bekommen. Ich würde ihn stolz machen.

tao

Ich ging um die Hausecke. Der Zaun lag vor mir. Im Licht des Halbmondes leuchtete er streng, hoch und weiß in der Dunkelheit. Die Erde dampfte, es war warm und feucht, am Wegrand spross das Gras.

Ich schlich mich am Wachmann vorbei, sein Gesicht lag im Dunkeln, aber sein Kopf hing noch immer nach unten, und ich konnte seinen schweren, ruhigen Atem hören.

Etwas schwebte in der Luft, ein leises Summen, vielleicht zehn Meter vor mir. Ein Insekt? Nein, dafür war es zu groß. Das Geräusch verschwand jedoch schnell, und es wurde wieder still.

Vorsichtig streckte ich eine Hand aus und berührte den Zaun. Stand einfach nur da, vollkommen still. Ich erwartete einen Alarm, eine heulende Sirene. Doch nichts geschah.

Ich ging ein paar Meter am Zaun entlang, fuhr mit der Hand über den glatten, dichtgewebten Stoff, mit dem er bezogen war. Und dort, zwischen meinen Fingern, spürte ich plötzlich einen Übergang. Die Plane war straff gespannt, aber es gelang mir trotzdem, die Hand zwischen die beiden Teilstücke zu schieben. Ich zerrte ein wenig daran. Mit einem schwachen Geräusch lösten sie sich voneinander. Bald hatte ich ein Loch hineingerissen, das groß genug war, um hindurchzuschlüpfen.

Ich warf einen letzten Blick zu dem Soldaten, der noch immer fest schlief. Dann zwängte ich mich durch die Planen hindurch.

Dahinter war es dunkler. Ich wusste, dass es Scheinwerfer gab, am Abend hatten wir manchmal ein schweifendes Licht gesehen, doch jetzt waren sie alle ausgeschaltet.

Gab es auch im Inneren Wachleute? Ich wusste es nicht, ich blieb einfach nur stehen und versuchte, meine Augen an die Dunkelheit zu gewöhnen. Allmählich tauchten die Bäume vor mir auf. Sie waren verblüht, aber immer noch voller Laub.

Alles war still bis auf den leichten Wind, der durch die Blätter und das Laub rauschte, und dennoch zitterte ich vor Aufregung. Was ich hier tat, war verboten, was würde passieren, wenn man mich erwischte?

Ich bewegte mich langsam voran. Ein Stück entfernt konnte ich den Pfad erkennen, auf dem wir den Hang hinaufgegangen waren. Ich ging dorthin.

In meinem ganzen Leben hatte ich hier draußen noch nie Furcht empfunden, viele andere Gefühle, Resignation, Langeweile und manchmal auch Freude, aber nie Furcht. Jetzt bewegte ich mich so leise, wie ich nur konnte, während mir der eigene Herzschlag in den Ohren dröhnte und mein Rücken schweißnass wurde.

Der Pfad führte mich zwischen den Bäumen hindurch. Mit einem Mal bewegte sich etwas in meinem Augenwinkel, ein Schatten. War dort jemand? Hastig drehte ich mich um, sah jedoch nichts. Die Welt hier draußen war leer und still. Es war nur meine eigene Angst gewesen, die mir einen Streich gespielt hatte.

Ich tat einige Schritte.

Engelchen, flieg. Engelchen, flieg.

Hier waren wir gegangen.

Wei-Wen zwischen uns. Gesund, entschlossen, warm, zart. Mein Junge.

Ich musste stehen bleiben und mich krümmen, plötzlich fuhr mir ein so brutaler Schmerz in den Bauch, dass ich mich nicht mehr bewegen konnte.

Ruhig atmen. An etwas anderes denken. Mich aufrichten. Rational handeln. Mich umsehen. Wie weit war es jetzt noch? Bis zu dem Hügel, wo wir gepicknickt hatten?

Vorwärts.

Ich war noch nicht weit gekommen, als ich es bemerkte. Licht. In einiger Ferne lag ein gelber Schimmer über dem Gelände.

Ich ging näher, jetzt langsamer. Setzte die Füße immer vorsichtiger auf.

Und da sah ich das Zelt. Es stand am Rand des Waldes, vor einem Hintergrund von wildwüchsigen Büschen und Bäumen. Es war rund, so groß wie ein kleineres Haus, von allen Seiten beleuchtet und aus demselben Material wie der Zaun. Dasselbe sterile Weiß. Davor konnte ich die Konturen mehrerer patrouillierender Soldaten erkennen. Das Zelt war viel schwerer bewacht als der Zaun. Sie liefen ruhig auf und ab, ihre Konturen zeichneten sich scharf vor dem Stoff ab, ein merkwürdiges Schattentheater vor einem farblosen Zirkuszelt. Stellten sie eine Bedrohung dar oder einen Schutz?

Einen Eingang konnte ich nicht sehen, auch keine Fenster. Näher wagte ich mich nicht heran, ich ging lieber weiter, in einem Abstand von etwa hundert Metern, parallel zum Zelt, um die andere Seite zu sehen. Ich kam an dem Hügel vorbei, und mit einem Mal wurde mir klar, dass das Zelt ungefähr an derselben Stelle stand, wo Kuan unseren Sohn gefunden hatte. Angesichts dieser Erkenntnis verschlimmerte sich meine Angst. Meine Beine zitterten so sehr, dass sie mich kaum noch trugen. Mir wurde bewusst, wie sehr ich die ganze Zeit gehofft hatte, dass es keinen Zusammenhang gab, dass der Zaun und das Militär nichts mit Wei-Wen zu tun hatten.

Aber jetzt … Der Anruf, auf den ich gehofft hatte, die Nachricht, dass Wei-Wen lediglich gestürzt sei und sich eine leichte Gehirnerschütterung zugezogen habe und auf dem Weg der Besserung sei, dass wir ihn besuchen und bald mit nach Hause nehmen könnten, all diese Gedanken erschienen mir jetzt in noch größerem Maße wie das, was sie in Wirklichkeit waren: hilflose, verzweifelte Phantasien.

Zwischen mir und dem Zelt entdeckte ich einen Stapel mit Pappkartons. Ich schlich mich näher heran, dahinter war ich vor den Wachleuten verborgen.

Einige Kartons waren zusammengefaltet, andere nicht. Ich hob einen an und spähte hinein, strich mit der Hand über den Boden, nahm den Inhalt heraus. Erde und Reste von Wurzeln. Auf der Seite standen ein Name, eine Postleitzahl und ein Ortsname. Peking.

Ich stellte ihn wieder ab und schlich mich vorsichtig weiter. Ich fürchtete, meine übliche Tollpatschigkeit könnte mich verraten, die Zweige könnten unter mir knacken, und ich spannte jeden Muskel meines Körpers an, um mich so lautlos wie möglich voranzubewegen.

Jetzt konnte ich die Vorderseite des Zelts sehen. Ebenso weiß und undurchdringlich, jedoch mit einer Öffnung an der Seite, die von einem straffen, breiten Reißverschluss verschlossen war. Ich ging in die Hocke. Wartete. Früher oder später musste doch wohl jemand kommen oder gehen.

So saß ich, bis mir die Beine einschliefen und ich meine Position ändern musste. Der Boden war feucht, aber ich setzte mich trotzdem darauf, die nasse Kälte drang durch meine Kleider. Erst jetzt fiel mir der Stapel mit Ästen vor dem Zelt auf. Sie hatten etwa zehn Obstbäume gefällt, um Platz zu schaffen. Trockene Zweige reckten sich dem Zelt entgegen.

Nichts geschah. Mitunter hörte ich leise Stimmen aus dem Inneren dringen, ohne etwas zu verstehen.

Lange saß ich so da, von Dunkelheit umhüllt. Die Minuten vergingen, wurden zu einer Stunde. Die stickige Luft machte mich allmählich dösig.

Dann: das ratschende Geräusch eines Reißverschlusses. Das Zelt wurde geöffnet, und zwei Gestalten in weißen Schutzanzügen traten heraus, sie steckten die Köpfe zusammen und diskutierten leise und eindringlich. Ich beugte mich vor, kniff die Augen zusammen, um etwas zu erkennen. Das Zelt stand nur für einen kurzen Moment offen, aber ich konnte trotzdem ein wenig von dem sehen, was sich darin verbarg. Ein durchsichtiges Innenzelt voller Pflanzen. Glaswände. Blumen. Ein Gewächshaus? Leuchtend grüne Blätter, rosa, orange, weiße und rote Blüten, in gelbes Licht getaucht. Wie eine Märchenlandschaft, bunt und warm, eine andere Welt, lebende Gewächse, blühende Pflanzen, wie ich sie noch nie gesehen hatte, wie es sie zwischen den einförmigen Reihen der Obstbäume nicht gab.

Mit einem Mal begann eine der Gestalten, in meine Richtung zu gehen. Ich blieb sitzen, aber sie kam immer näher.

Ich stand auf und wich leise zurück.

Die Gestalt blieb stehen, als würde sie mich wittern. Horchte. Ich wagte es nicht, mich noch mehr zu bewegen, blieb reglos stehen, in der Hoffnung, eins mit den Baumstämmen zu werden.

Auch die Gestalt verharrte noch eine Weile, dann wandte sie sich um und ging wieder zum Zelt. In dem Moment sah ich zu, dass ich wegkam, und rannte so leise ich konnte zum Zaun zurück.

Ich hatte etwas gesehen, aber ich wusste nicht, was. Den Zaun, die Kartons, das Zelt. Es ergab keinen Sinn.

Weder hier noch im Krankenhaus wollte mir irgendein Mensch das geben, was ich brauchte. Niemand wollte mir eine Antwort geben. Und auch meinen Jungen wollten sie mir nicht geben.

Schließlich erreichte ich den Zaun, kroch durch dasselbe Schlupfloch, kam an dem Wachmann vorbei. Er schnarchte noch immer auf seinem Platz vor sich hin.

Ich blieb in der milden Nacht stehen. Der Zaun thronte

über mir. Doch Wei-Wen war nicht hier. Er war nicht einmal in diesem Teil des Landes. Er war dort, wo die Pflanzen herkamen. In Peking.

GEORGE

Blühende Blaubeerbüsche sind etwas Feines. Den Winter über vergaß ich das, aber im Mai, wenn mich Maine mit seinen weißen und rosafarbenen Hügeln empfing, musste ich jedes Mal staunend innehalten.

Ja, es war so schön, dass man Bücher darüber schreiben sollte. Doch ohne die Bienen waren die Blüten lediglich Blüten; keine Blaubeeren, kein Lebensunterhalt. Deshalb atmete Lee wohl jedes Mal erleichtert auf, wenn wir auftauchten. Wahrscheinlich ging er umher und bewachte seine Sträucher und wünschte, sie könnten sich selbst bestäuben und er wäre nicht so verdammt abhängig von einem verschwitzten Farmer aus einem anderen Staat und seinen ebenso verschwitzten Männern.

Drei Wochen würden wir dort bleiben. Lee bezahlte 80 Dollar pro Magazinbeute. Sauer verdientes Geld, aber ich kannte viele, die mehr verlangten. Gareth zum Beispiel. Im Vergleich zu Gareth war ich billig.

Außerdem bekam Lee einen ordentlichen Gegenwert. In jeder Magazinbeute arbeiteten 50 000 Bienen von Sonnenaufgang bis Sonnenuntergang. Glückliche Bienen. In jeder Beute summte es fröhlich. Er hatte nie Grund zur

Klage gehabt. Seit er den Hof übernommen hatte, war ich jedes Frühjahr da gewesen, und die Bienen hatten jedes Jahr für viele Beeren gesorgt.

Lee stürmte beinahe auf mich zu, als ich aus dem Auto stieg. Seine Arme und Beine waren spitz und knochig, seine Schuhe groß, er trug eine etwas zu kurze Hose und einen schmuddeligen Baumwollhut, streckte mir seine schmale Hand entgegen und schüttelte meine und ließ mich ewig nicht mehr los, als wollte er sichergehen, dass ich nicht wieder ging, bis ich und meine Bienen ihren Job erledigt hatten.

Seine Hand war dünner, als ich es in Erinnerung hatte. Sein Haar auch.

Ich lächelte und betrachtete sein langes Pferdegesicht. »Guck an. Noch mehr Falten als letztes Mal.«

Er lächelte zurück. »Aber noch lange nicht so viele wie du.«

Eigentlich war Maine zu weit weg für uns, ich hätte einen Ort finden sollen, der näher bei uns lag. Aber über die Jahre hinweg war Lee zu einem Freund geworden, und ich unternahm die Fahrt ebenso sehr seinetwegen. Wir redeten viel, während ich hier war. Er fragte mich aus. Über die Bienen, über meinen Betrieb. Er wurde es nie leid, darüber zu hören. Ich zog Lee damit auf, dass er ein Universitätsbauer war. Mit einer langen Ausbildung und voller Eifer hatte er in den Neunzigerjahren einen heruntergewirtschafteten Hof gekauft und starke Meinungen zu allem vertreten, was in der Theorie funktionierte. Ökologisch sollte es sein.

Na ja. Seither hatte er wohl alle Fehler gemacht, die

man nur machen konnte, und noch einige mehr. Denn wie sich herausstellte, war die Praxis etwas ganz anderes.

In den letzten Jahren hatte er vollkommen umgestellt. Jetzt bewirtschaftete er einen konventionellen Hof, und auch hier rollten die schweren Spritzmaschinen über den Acker. Wahrscheinlich hätte ich an seiner Stelle dasselbe getan.

Ich deutete mit dem Kopf auf Tom, der ein paar Meter hinter mir stand.

»Du erinnerst dich doch noch an Tom?«

Tom kam herbei und streckte artig die Hand aus.

»Sieh einer an, na klar«, sagte Lee. »Du musst doppelt so groß sein wie beim letzten Mal.«

Tom lachte höflich.

»Also bist du dieses Jahr auch dabei.«

»Sieht ganz so aus.«

»Und was ist mit deiner Uni?«

»Hab freibekommen.«

»Hier lernt man auch was«, sagte ich.

Kennys Wagen rollten davon. Es wurde still. Wir hatten alle Beuten ausgesetzt. Jetzt waren nur noch Lee, Tom und ich da. Tom saß im Auto und las oder schlief. In den letzten Stunden war es wieder schwieriger gewesen, ihm etwas zu entlocken. Aber auch heute hatte er hart gearbeitet, wenn wir ihn darum gebeten hatten, das musste ich ihm lassen.

Lee zog die Handschuhe aus, schlug seinen Schleier nach hinten und zündete sich eine Zigarette an.

»So. Jetzt heißt es warten. Ich habe nachgeschaut, wie das Wetter werden soll. Sieht gut aus«, sagte er.

»Schön.«

»In der Langzeitprognose heißt es, dass man mit leichtem Niederschlag rechnen muss, aber nicht viel.«

»Ein bisschen Niederschlag können wir schon vertragen.«

»Und außerdem habe ich neue Zäune aufgestellt.«

»Gut.«

»Das dürfte sie abhalten.«

»Wollen wir es hoffen.«

Wir schwiegen wieder. Ich konnte die Vorstellung von riesigen Bärenklauen, die meine Bienenstöcke zertrümmerten, nur schwer ausblenden.

»Dafür müsstest ohnehin du aufkommen«, sagte ich.

»Danke für die Erinnerung. Ich weiß.«

Er inhalierte tief.

»Er soll also einmal übernehmen?«

Er nickte in Toms Richtung.

»Ja, so ist es gedacht.«

»Will er es denn auch?«

»Er ist auf dem besten Wege.«

»Braucht er dann unbedingt das College? Kann er nicht einfach anfangen?«

»Du warst doch auch auf dem College.«

»Na, eben.«

Er sah mich mit einem schiefen Grinsen an.

In den ersten Tagen an einem neuen Ort verhalten die Bienen sich ruhig. Sie halten sich überwiegend drinnen auf, in ihrem Zuhause. Dann unternehmen sie kleinere Ausflüge, um die Umgebung zu erkunden. Und allmählich werden die Ausflüge länger und länger.

Am dritten Tag legten sie richtig los, an allen Ecken und Enden summte es. Lee saß mitten im Blaubeergestrüpp, fünfzig oder sechzig Meter von den Beuten entfernt.

Den Kopf nach vorne gebeugt. Er zählte, sah mich nicht kommen.

Ich schlich mich heran.

»Buh!«

Er erschreckte sich so sehr, dass er hochfuhr. »Oh, Mann!«

Ich lachte.

Er hob entnervt die Arme. »Du hast mich unterbrochen!«

»Reg dich ab, ich helfe dir.«

»Ich traue deinen Ergebnissen nicht. Du bist nicht objektiv.«

Ich hockte mich neben ihn.

»Du verjagst sie noch«, sagte er lächelnd. »Jetzt ist hier kein Platz mehr für die Bienen.«

»Ist ja gut.«

Ich stand auf, entfernte mich zehn Meter und fasste einen Bereich von etwa einem Quadratmeter ins Auge. Ich sah genau hin.

Doch, da waren sie.

In dem Moment flog eine Biene von einer Blüte auf und summte weiter. Zur selben Zeit ließ sich eine zweite nieder. Und tatsächlich auch eine dritte.

»Läuft alles gut?« Ich sah auf.

»Nicht schlecht. Zwei Stück hier. Und bei dir?«

»Drei.«

»Bist du sicher?«, fragte er. »Du übertreibst doch mal wieder.«

»Und du kannst nicht zählen«, erwiderte ich.

Er blieb noch ein wenig sitzen.

»Na gut, jetzt kommen tatsächlich mehr.«

Ich stand auf und lächelte ihn an. 2,5 Bienen pro Quadratmeter bedeuteten eine gute Bestäubung. Deshalb saß Lee oft da und zählte wie ein Besessener. Denn die Anzahl der Bienen pro Quadratmeter bestimmte die Anzahl der Beeren, die er am Ende des Sommers ernten konnte.

Zwei bei ihm. Drei bei mir. Das verhieß Gutes.

Dann aber setzte der Regen ein.

William

Endlich kam er. Conolly sprang vom Bock und ging zur Ladefläche seines Wagens, und da stand er, neu und hell im Kontrast zum schmutzigen, zerkratzten Untergrund. Ich stieg zu ihm hinauf, streckte die Hand aus und berührte ihn. Den Bienenstock. Das Holz fühlte sich glatt und geschmeidig an, nach allen Regeln der Kunst poliert, das Dach war aus drei Brettern gezimmert, die nahezu unsichtbar zusammengefügt waren, die Türen hatten kleine, gedrechselte Handgriffe, ich strich darüber, nicht ein Splitter war zu ertasten. Ich öffnete eine Tür, die lautlos aufglitt, und spähte hinein. Dort hingen die Rahmen in geraden Reihen, zum Füllen bereit. Der Bienenstock roch stark nach frischem Holz, sein Duft hüllte mich ein, machte mich beinahe benommen. Ich ging um ihn herum. Die Detailarbeit war beeindruckend, jede Ecke war perfekt abgerundet, auf einer Seite hatte er mir sogar ein paar hübsche Schnitzereien spendiert. Doch, die Lobesworte, die ich über Conolly gehört hatte, kamen nicht von ungefähr. Er hatte wirklich fabelhafte Arbeit geleistet.

»Na?« Conolly grinste stolz wie ein Kind.

Ich konnte nichts antworten, ich nickte nur und hoffte, dass er mein breites Lächeln bemerkte.

Gemeinsam hoben wir den Bienenstock auf den staubigen Hofplatz.

Er war so hell und sauber, dass es fast ein Sakrileg war, ihn auf den dreckigen Boden herabzulassen.

»Wo soll er stehen?«, fragte Conolly.

»Da.«

Ich zeigte auf die Espe.

»Bienen haben Sie bereits?«, fragte er.

»Ja, sie sollen umziehen. Und dann züchten wir sie, sobald wir weitere davon gebaut haben.«

Er warf mir einen kritischen Blick zu.

»Sobald *Sie* weitere davon gebaut haben«, korrigierte ich und versuchte ein beschwichtigendes Lächeln.

»Das ist dann aber auch das Einzige, wofür ich gerne den Ruhm einstreichen würde«, erwiderte er feixend.

Dann drehte er sich zu dem Strohkorb um. Ringsherum summte es, tausende Bienen waren bei der Arbeit. Im nächsten Moment hielt eine von ihnen direkt auf uns zu. Conolly wich erschrocken zurück.

»Ich glaube, bis dahin müssen Sie ihn selbst tragen.«

»Sie tun nichts.«

»Das können Sie Ihrem Großvater erzählen.«

Er trat einen weiteren Schritt zurück, als wollte er seine Pointe noch einmal unterstreichen.

Ich lächelte ihn an und versuchte, verständnisvoll und gleichzeitig überlegen zu wirken.

»Dann sei es Ihnen erspart«, sagte ich.

Gemeinsam hoben wir den Bienenstock auf eine

Schubkarre und verabschiedeten uns für dieses Mal, gingen jedoch beide von einem baldigen Wiedersehen aus.

Und der Bienenstock wartete auf mich. Er war bereit.

An diesem Tag schlüpfte ich mit großem Ernst in den weißen Anzug, die Handschuhe, den Hut mit dem Schleier; feierlich wie eine Braut zog ich ihn mir vor das Gesicht, ehe ich die Schubkarre durch den Garten nach unten schob. Vom Haus bis zum Bienenkorb war mittlerweile ein Pfad aus flachgetrampeltem Gras entstanden. Wie der Mittelgang einer Kirche, schoss es mir in den Kopf. Ich musste schmunzeln bei der Vorstellung, ich sei der Bräutigam, auf dem Weg zum Altar, voller Spannung. So bedeutungsvoll war dieser Tag für mich. Er besiegelte mein Schicksal.

Ich räumte den alten Korb ein wenig beiseite und stellte den neuen an seinen Platz. Dann blieb ich stehen und betrachtete ihn. Das goldfarbene Material glänzte in der Sonne. Im Vergleich dazu war der alte Strohkorb blass und struppig.

Vorsichtig, mit langsamen Bewegungen, begann ich die Bienen umzusetzen. Ich fand die Königin und platzierte sie in den neuen Korb, wo sie sich schnell zurechtfand. Und die anderen folgten ihr.

Meine Ruhe übertrug sich auf sie. Ich fühlte mich vollkommen sicher, so sehr, dass ich meine Handschuhe auszog und mit bloßen Händen arbeitete. Die Bienen akzeptierten mich, sie ließen sich kontrollieren und zähmen.

Ich sah all den Stunden entgegen, die ich hier verbringen würde, nur sie und ich in ungestörter Ruhe, in gemeinsamer Kontemplation und wachsendem gegenseitigen Vertrauen.

Doch dann geschah etwas. Ich spürte ein Kitzeln an meiner Wade, ein hastiges Flügelzucken und kurz darauf einen stechenden Schmerz.

Ich machte einen Satz, und ein heller, weibischer Schrei entfuhr mir. Zum Glück hörte mich niemand. Meine Hand schnellte instinktiv zum Bein, um den Plagegeist zu töten.

Ich schüttelte mein Hosenbein. Die Biene fiel heraus und blieb auf dem Rücken liegen, mit ihrem pelzigen Körper und ihrem glänzenden Hinterteil, die dünnen Insektenbeinchen hilflos gespreizt.

Mein Bein brannte höllisch. Dass etwas so Kleines einen so heftigen Schmerz hervorrufen konnte. Ich wollte sie zertrampeln, zermalmen, obwohl sie schon tot war. Doch ein kurzer Blick in Richtung des Stocks, zu all ihren Schwestern, hielt mich davon ab. Man konnte schließlich nie wissen.

Ich beeilte mich, meine Hose in die Stiefel zu stecken und die Handschuhe wieder anzuziehen, und dichtete alle Lücken ab, ehe ich mit flinken Händen und angespannten Schultern meine Arbeit fortsetzte. Vielleicht konnte ich ihnen doch noch nicht restlos vertrauen. Immerhin hatte ich ihnen auch keinen Grund gegeben, mir zu vertrauen. Doch mit der Zeit würde dieses Vertrauen wachsen, davon war ich überzeugt, ich würde ihnen keinen Anlass bieten, mich zu stechen, und eines Tages wären wir eins.

Viele anstrengende Minuten später waren endlich alle Bienen an ihrem Platz.

Ich trat einen Schritt zurück, um sie anzuschauen. Sie waren die Richter, in letzter Instanz würden sie entscheiden, ob der Stock ihr neues Zuhause werden würde. Viele von ihnen schwirrten nach wie vor um den alten Strohkorb herum, Heimatlose auf der Suche nach ihrer Königin. Ich hob den Korb auf die Schubkarre. Ich musste ihn von hier wegbefördern und verbrennen, und dann würde sich endlich herausstellen, ob ich erfolgreich gewesen war.

tao

Pullover. Hosen. Unterwäsche. Für wie viele Tage? Eine Woche? Zwei?

Ich packte so viel ein, wie ich konnte. Ich hatte eine alte Reisetasche meines Vaters gefunden und warf meine Sachen hinein. Schnell, mit der Eile desjenigen, der schon zu lange gewartet hatte.

Nach meinem Ausflug hinter den weißen Zaun hatte ich unmöglich schlafen können. Ich war im Wohnzimmer umhergetigert, aber nicht, weil ich rastlos war, sondern weil ich endlich ein Ziel hatte. Ich musste nicht hier hocken und warten, auf den einen Anruf hoffen, der alles erklären würde, warten und das kleine Wort hin- und herwälzen, das ich nie zu Kuan sagte. Das eine kleine Wort: Entschuldigung. Ich konnte es nicht. Denn wenn ich mich entschuldigte, würde es sich bewahrheiten. Dann wäre es meine Schuld.

Es gab nur eins, was ich tun konnte.

Ich schloss die Tasche, der Reißverschluss glitt mit einem lauten Ratschen zu. Das Geräusch musste seine Schritte übertönt haben, denn als ich mich umdrehte, stand er plötzlich da. Blinzelte mich an, zerzaust, gerade erst aufgewacht.

»Ich fahre nach Peking.«

»Was?«

Er starrte mich fassungslos an. Meiner Worte wegen oder weil ich ihn nicht gebeten hatte, mich zu begleiten. Im selben Moment wurde mir bewusst, dass ich das hätte sagen können: *Wir* fahren nach Peking. Aber ich war gar nicht auf die Idee gekommen, ihn mitzunehmen.

»Aber wie …«

»Ich muss ihn finden.«

»Du hast doch gar keine Ahnung, wo er ist. In welchem Krankenhaus.«

»Ich muss.«

»Aber Peking … wo willst du denn anfangen?«

Er war so mager. Hohle Schatten im Gesicht. Dünner als je zuvor. Viel zu markant.

»Ich habe Adressen gefunden. Ich muss nach Krankenhäusern suchen.«

Seine Stimme wurde lauter: »Allein? Aber die Stadt ist doch … ist das denn sicher?«

»Es geht um unseren Sohn.«

Ich klang unnötig hart.

Ich hob die Tasche vom Boden, ohne ihn noch einmal anzusehen. Ich spürte nur, wie er nervös hinter mir stand und kein Wort herausbekam. Wollte er sagen, dass er mitkam?

»Aber wie willst du das bezahlen? Die Fahrkarte? Das Hotel?«

Meine Hände hielten mitten in der Bewegung inne. Ich hatte gewusst, dass sie kommen würde. Die Frage nach dem Geld.

»Ich brauche nur ein bisschen«, sagte ich leise.

Hektisch ging er zum Küchenschrank, öffnete ihn und sah hinein. Sein Gesicht erstarrte. Er drehte sich zu mir um. Mit einem Mal war sein Blick kalt. Hastig riss er mir die Tasche aus den Händen und öffnete sie. Sein Blick fiel direkt auf die Blechdose, die ganz oben lag.

»Nein.« Er sagte es mit einem Nachdruck, den ich gar nicht von ihm kannte.

Dann ließ er die Tasche mit einem Schlag zu Boden fallen und ging einen Schritt auf mich zu.

»Du wirst ihn nicht finden, Tao«, sagte er. »Du wirst unsere ganzen Ersparnisse aufbrauchen, aber du wirst ihn nicht finden.«

»Ich werde nicht alles aufbrauchen. Ich habe doch gesagt, dass ich nicht alles aufbrauchen werde.«

Ich holte noch einen Pullover aus meinem Schrank, obwohl ich ihn nicht benötigte. Legte ihn zusammen. Versuchte ruhig vorzugehen. Der synthetische Stoff knisterte zwischen meinen Fingern.

»Ich muss es wenigstens versuchen.« Ich sah zu Boden, versuchte nicht zur Tasche zu schauen, die ich am liebsten an mich gerissen hätte. Ich fixierte eine Kerbe im Boden, Wei-Wen hatte dort im Winter einmal ein Spielzeug fallen lassen, ein gelbes Holzpferd, und ich war wütend geworden, als es passierte, denn wir hatten nicht viel zum Spielen. Und er schrie, weil das Pferd kaputtging, ein Bein brach ab.

»Aber wenn das Geld weg ist… wir haben drei Jahre lang gespart… wir werden zu alt sein… wenn das Geld weg ist, haben wir…«

Er vollendete den Satz nicht, blieb einfach stehen. Die Tasche zwischen uns, die Blechdose ganz oben.

»Es hilft nichts«, sagte er schließlich. »Dorthin zu fahren, hilft nichts.«

»Als würde es etwas helfen, hier sitzen zu bleiben.«

Er erwiderte nichts, vielleicht wollte er meinem Vorwurf nicht widersprechen. Er stand lediglich da und konnte nicht aussprechen, was ihm auf dem Herzen lag, was ihn so sehr bedrückte – dass nicht nur Wei-Wen weg war, verschwunden, sondern dass es obendrein meine Schuld war. Und jetzt würde ich ihm auch noch die Chance nehmen, ein neues Kind zu bekommen.

Ich sah weg, ich konnte ihn nicht ansehen, durfte nicht daran denken. Meine Schuld. Meine Schuld. Nein. Ich wusste ja, dass es nicht stimmte. Es war genauso sehr seine Schuld. Wir hätten an jenem Tag auch einfach zu Hause bleiben können. Zu Hause, mit den Zahlen und Büchern. Er hatte unbedingt rausgehen wollen. Es war genauso sehr seine Schuld. Wir waren zu zweit.

Wir waren zu zweit.

»Komm mit.«

Er sagte nichts.

»Du kannst doch mitkommen, wir können zusammen fahren.«

Jetzt wagte ich es, ihn anzusehen. War er wütend? Er blickte mir in die Augen. Nein. Nur unendlich traurig.

Dann schüttelte er leicht den Kopf.

»Es ist besser, wenn ich hierbleibe und erreichbar bin. Außerdem … wird es noch teurer, wenn wir zu zweit sind.«

»Ich werde nicht alles aufbrauchen«, sagte ich leise. »Ich verspreche, dass ich nicht alles aufbrauchen werde.«

Rasch zog ich die Tasche zu mir. Warf den Pullover oben drauf, sodass er die Dose verdeckte. Dann zog ich noch einmal den Reißverschluss zu. Er hinderte mich nicht daran.

Ich trug die Tasche in den Flur und nahm meine Jacke. Er folgte mir.

»Musst du denn sofort los?«

»Der Zug fährt nur einmal am Tag.«

Wir blieben stehen. Sein Blick hing an mir. Erwartete er, dass ich es jetzt sagte? Würde es alles erleichtern? Wenn ich es rief? Hinausschrie?

Ich schaffte es nicht. Denn sobald ich um Entschuldigung bitten würde, müsste ich es mir eingestehen: dass wir, wenn er seinen Willen bekommen hätte, nicht hier stehen würden. Dann wären wir an jenem Tag nie dort auf dem Hügel gewesen, und Wei-Wen wäre immer noch …

Ich zog meine Jacke an. Die Schuhe. Dann griff ich die Tasche und ging zur Tür.

»Mach es gut.«

Er ging einen Schritt vor. Wollte er mir die Tasche noch einmal entreißen? Nein. Er wollte mich umarmen. Ich drehte mich weg, legte die Hand auf die Klinke, wollte seinen Körper nicht an meinem spüren. Hätte es nicht ertragen, seine Wange an meiner, seine Lippen an meinem Hals, und dass er vielleicht dieselben Gefühle in mir wecken könnte wie früher, gegen meinen Willen. Vielleicht würde aber auch das nur Abscheu in mir erregen. Und mehr noch … würde ich dieselben Gefühle in ihm wecken? Würde er mich immer noch haben wollen? Ich wusste es nicht, und ich wollte es auch nicht wissen.

Ich atmete erst wieder ruhig, als ich meinen Platz gefunden hatte, mich gesetzt hatte und spürte, wie mich die Sitzlehne in Empfang nahm. Mein Rücken ruhte auf dem zerschlissenen Plastikbezug. Ich lehnte den Kopf gegen die Nackenstütze. So blieb ich sitzen und blickte auf die Häuser, Menschen und Felder dort draußen. Sie gingen mich nichts an. Der Zug raste so schnell durch die Landschaft, dass die Bäume zu Schemen zerflossen. Laut Fahrplan sollten wir die 1.800 Kilometer noch vor dem Abend zurückgelegt haben, doch das hing von der Zahl der Kontrollen ab.

Meine eigene Welt verschwand hinter mir. Die Natur veränderte sich zunehmend, je weiter nördlich und je höher wir kamen. Von den friedlichen Obstgärten meiner Heimat, den baumbewachsenen Hügeln und den Terrassengärten gelangten wir in weite Ebenen mit Reisfeldern und, als der Zug die Berge erklomm, in unfruchtbarere, kargere Gegenden. Als wir wieder bergab fuhren, begegnete mir eine öde Landschaft. Trocken, nackt, fast ohne Bäume. Kilometerweit die immer gleiche Eintönigkeit. Ich wandte mein Gesicht vom Fenster ab, es gab nichts zu sehen.

Ich war erst ein Mal in Peking gewesen, als Kind. Meine Eltern hatten dort Freunde gehabt, die wir besucht hatten. Ich erinnerte mich nur an einzelne Bilder. Eine große und belebte Straße, staubig, intensiv. Ohrenbetäubender Lärm, überall Menschen, mehr, als ich je zuvor gesehen hatte. Die Zugfahrt war mir dagegen noch im Gedächtnis geblieben, genau dieselbe Strecke wie jetzt. Und derselbe Zug. Mein ganzes bisheriges Leben hindurch hatte sich die Technologie nicht weiterentwickelt. Für Innovationen hatte niemand mehr Zeit.

Ich schloss die Augen. Nickte ein und schreckte hoch aus Träumen, die sich ähnelten: dass ich nach Peking kam, um ihn zu suchen, und jemanden fand, der mich zu ihm führen wollte. Einmal war es ein Angestellter in einem Hotel. Er wisse, wo Wei-Wen sei, sagte er und zog mich durch enge Gassen und geschäftige Straßen. Wir rannten; er vorne weg, ich hinterher. Ständig rempelte ich Leute an und drohte den Mann aus den Augen zu verlieren. Als ich ihn festhalten wollte, riss er sich los. Atemlos wachte ich auf. Als ich das nächste Mal einschlief, war es eine Frau in einem Laden. Das Gleiche spielte sich noch einmal ab. Sie sagte, sie werde mich zu ihm bringen, und führte mich in ein Gewirr aus Straßen, die im Schatten der Hochhäuser lagen und in denen Straßenhändler ständig versuchten, uns aufzuhalten. Sie rannte so schnell, dass ich sie aus dem Blick verlor, und irgendwann musste ich japsend anhalten und einsehen, dass ich meine letzte Chance, ihn wiederzusehen, vertan hatte.

Dann befand ich mich plötzlich an einem anderen Ort. Ein Gartenfest. Ein Traum oder eine Erinnerung? Ich trug ein Sommerkleid, es war heiß. Ich war noch klein, und wir feierten den Beginn der Sommerferien. Wir aßen Kuchen, trockene Kuchen mit wenig Fett und Ei-Ersatz. Und ein wässriges Fruchteis, das künstlich, aber trotzdem gut schmeckte. Ich schwitzte, das kühle Eis rann mir die Kehle hinunter.

Einige der Mädchen tanzten Ringelreihen und sangen, das Lied schallte durch den Garten, wurde immer lauter und lauter, einzelne Stimmen waren klar und rein, andere schräg und aus dem Takt geraten, so wie Kinder gerne singen. Ich stand still im Schatten und beobachtete sie.

Das Kuchenbüfett sollte bald abgeräumt werden, einzelne Kinder bedienten sich noch einmal. Unter ihnen war Daiyu, ein Mädchen aus meiner Klasse mit tiefliegenden Augen. Sie trug einen hellblauen Hosenanzug mit kurzen Beinen, und ihr Haar war mit Spangen hochgesteckt. Daiyus Schuhe sahen eng und warm aus, sie glänzten in der Sonne. Sie stand am Kuchenbüfett und legte ein Stück Kuchen auf ihren Teller. Eines der größten. Dann nahm sie sich eine Gabel und ging zu ihren Eltern an den Tisch.

Jetzt kam ein anderes Kind zum Büfett. Ein Junge. Wei-Wen. Mein Wei-Wen. Was tat er hier?

Auch er nahm sich ein Stück Kuchen. Ein noch größeres als Daiyu.

Und dann ging er.

Nein, dachte ich, nicht den Kuchen. Nimm ihn nicht!

Doch er entfernte sich mit dem Kuchen in der Hand von mir, verschwand zwischen den Menschen, tauchte ein Stück entfernt wieder auf. Ich musste zu ihm, ehe er davon abbiss. Er durfte nicht von dem Kuchen essen. Auf keinen Fall. Jetzt war ich wieder erwachsen, war ich selbst, ich folgte ihm, rannte ihm nach, bahnte mir einen Weg, erhaschte einen Blick auf ihn, doch dann war er wieder weg, tauchte auf, war wieder weg. Die Festgesellschaft um mich herum wuchs, immer mehr Menschen, eine unüberschaubare Menge.

Sein rotes Tuch leuchtete in der Menschenmenge, ein farbiger Zipfel in weiter Ferne.

Und noch einmal war er verschollen.

Ich wachte auf, als der Zug in einen großen, dunklen und verfallenen Bahnhof einfuhr. Peking.

GEORGE

Wir saßen im Motelzimmer. Hellgelbe Wände und ein fleckiger Teppichboden, ein Geruch von Moder und Mottenkugeln.

Vor dem Fenster eine Wand aus Wasser. Es war keiner dieser leichten, sympathischen Niederschläge, auf die ein frischer Duft und Vogelgezwitscher folgten. Nein. Dies war ein Regen von biblischen Ausmaßen, wie es so schön hieß. Obendrein am fünften Tag in Folge. Allmählich überlegte ich, ob mich da oben jemand auf dem Kieker hatte und ich mir besser eine Arche bauen sollte.

Tom würde am nächsten Tag abreisen. Er hatte die Nase in ein Buch gesteckt und unterstrich mit einem neongelben Marker etwas darin. Das unablässige Quietschen des Stifts war das einzige Geräusch in diesem Zimmer. Man hätte meinen können, er würde jedes einzelne Wort in dem Buch unterstreichen.

Es gab keine Rückzugsmöglichkeiten. Das Zimmer hatte groß gewirkt, als wir es bezogen hatten, ich hatte nach einer Suite gefragt, da wir beide hier wohnen sollten, doch im Laufe der letzten Tage war es erheblich geschrumpft. Nur ein Fenster mit Blick auf eine Seitenstraße. Die beiden Queensize-Betten nahmen viel zu viel Platz ein. Ich saß auf dem einen, das näher an der Wand stand, und zerknautschte den geblümten Bettüberwurf. An den beiden Bildern an der Wand hatte ich mich längst sattgesehen, das eine zeigte eine Blumenwiese mit einer Dame, das andere ein Boot, die Gläser in den Rahmen waren nicht ganz sauber, grau mit Fingerabdrücken im Gesicht der Dame. Tom hatte die Sitzgruppe am Fenster in Beschlag genommen. Seine Bücher nahmen den ganzen Tisch ein, daneben stand seine Tasche, ebenfalls voller Lernsachen.

Im Grunde hatte er die meiste Zeit so gesessen. Er hätte auch nicht viel anderes tun können. Dennoch, großes Interesse legte er nicht gerade an den Tag. Nicht für die Bienen, und auch nicht für den Regen. Er hätte leicht eine Gefühlsregung zeigen können – sich aufregen, schimpfen, irgendetwas, aber er las einfach nur. Las und markierte mit seinen dicken neonfarbenen Markern. Rosa, gelb, grün. Er schien ein bestimmtes System zu haben, denn die Stifte lagen ordentlich vor ihm auf dem Tisch aufgereiht, und er benutzte sie abwechselnd.

Ich zuckte zusammen, als das Telefon klingelte, und stand auf. Lees Nummer leuchtete mir entgegen.

»Ja?«

»Gibt es was Neues?«

»Nein, in der letzten halben Stunde nicht.«

»Ich habe noch einen anderen Wetterbericht gefunden«, sagte Lee. »Dort haben sie ab heute Nachmittag eine Unterbrechung vorhergesagt.«

»Und bei den fünf anderen hast du auch nachgesehen?«

»Die melden weiterhin Regen.« Seine Stimme klang gepresst.

»Manche Dinge kann man eben nicht beeinflussen«, sagte ich.

»Besteht denn …« Er zögerte. »Besteht denn irgendeine Möglichkeit, dass du eventuell noch ein paar Tage länger bleibst?«

Wir hatten das Ganze schon einmal diskutiert, aber so direkt hatte er mich noch nie gefragt.

»Ich habe schon die Wagen für die Rückfahrt bestellt. Und die Leute.«

»Ja.«

Er sagte nichts mehr, er wusste schließlich, dass es nicht ging.

»Das wird sicher bald wieder«, sagte ich und klang wie meine eigene Mutter.

»Ja.«

»Und ein paar Tage mehr oder weniger machen doch gar keinen so großen Unterschied.«

»Nein.«

Wir schwiegen. Hörten nur den Regen draußen prasseln und die Autoreifen, die durch die Pfützen rollten.

»Ich glaube, ich fahre jetzt raus«, sagte er plötzlich.

»Wirklich?«

»Nur mal nachsehen.«

»Ich war heute Morgen schon draußen. Sie sind drinnen. Es passiert nichts.«

»Nein, aber trotzdem.«

»Mach, was du willst. Es sind deine Bienen, hätte ich beinahe gesagt.«

Er lachte leise, aber es war ein freudloses Lachen. Dann beendeten wir das Gespräch. Tom sah von seinem Buch auf.

»Warum sagst du es nicht, wie es ist?«

»Was meinst du?«

»Es ist doch klar, dass es seine Ernte beeinträchtigen wird.«

»Ja, natürlich.«

»Er ist ein erwachsener Mensch, er wird die Wahrheit schon verkraften.«

Er steckte den Deckel mit diesem speziellen Klicken auf den Stift. Das Klicken und die Art und Weise, wie er es tat, machte mich ganz kribbelig. Und diese Worte, er schwafelte daher wie ein fünfzigjähriger Professor.

»Ich dachte, du würdest lesen«, sagte ich.

»Jetzt bin ich fertig.«

»Anstatt meine Telefonate zu belauschen.«

»Herrgott noch mal, Papa. Wir sitzen nur drei Meter auseinander.«

»Und warum musst du plötzlich zu allem eine Meinung haben?«

»Wie bitte?«

Dieses innere Kribbeln machte mich ganz wahnsinnig. Ich konnte einfach nicht stillstehen.

»Wie bitte?«, äffte ich ihn nach. »Nachdem du hier eine Woche gelangweilt herumgeschlurft bist, musst du dich plötzlich einmischen?«

Er stand ebenfalls auf. Er war größer als ich.

»Ich bin nicht gelangweilt herumgeschlurft. Ich habe gearbeitet, wann immer ich konnte, ich habe mehr geschuftet und geschwitzt als du. Und das weißt du auch.«

»Aber eigentlich hattest du keine Lust dazu.«

Ich trat einen Schritt auf ihn zu. Er wich instinktiv zurück, aber vielleicht wurde ihm seine eigene Größe jetzt erst bewusst, denn im nächsten Moment richtete er sich plötzlich ganz auf und stemmte seine Beine in den Boden.

»Ich habe nie behauptet, dass es mich wahnsinnig interessieren würde. Das warst doch du, der mich gebeten hat, mitzukommen, falls du dich erinnerst?«

»Sowas vergisst man nicht so schnell.«

Er schwieg. Sah mich nur an. Ich hätte zu gern gewusst, was er dachte.

Dann kam es plötzlich: »Könntest du Jimmy und Rick für mich beschreiben, Papa?«

»Hä?«

»Wie sind die beiden? Beschreib es mir.«

»Jimmy und Rick? Seit wann interessieren die dich?«

»Eigentlich interessieren sie mich gar nicht so sehr. Aber wenn ich dich bitten würde, sie zu beschreiben, hättest du viel zu erzählen, oder?«

Ich sah ihn nur an und begriff nicht viel.

»Ich weiß auch eine Menge über die beiden«, fuhr er fort. »Nur weil ich dich über sie reden gehört habe. Und über Lee. Ich weiß, was sie mögen, was sie in ihrer Freizeit machen, ich weiß sogar, wovor sie Angst haben. Weil du es mir erzählt hast.« Seine Stimme wurde jetzt milder, tiefer. »Dass Rick keine Freundin hat, zum Beispiel. Und Jimmy… über ihn habe ich genug gehört, um mir denken zu können, dass du dich eigentlich fragst, ob er nicht vom anderen Ufer ist.«

Ich wollte etwas erwidern, etwas über Jimmy sagen,

wusste aber nicht genau, was. Denn streng genommen hatte das Ganze weder mit Jim noch mit Rick zu tun. Ich verstand, dass er auf etwas anderes hinauswollte, wusste aber nicht, was. Es war, als hätte er mein Gehirn in eine Kiste gesperrt, die er jetzt ordentlich durchschüttelte.

»Aber wie würdest du mich beschreiben?«, fragte er.

»Dich?«

»Ja. Was gefällt mir? Was kann ich gut? Was macht mir Angst?«

»Du bist mein Sohn«, antwortete ich.

Er seufzte. Lächelte ein wenig höhnisch.

So standen wir da und sahen einander an. Das Kribbeln wurde unerträglich.

Dann wandte er den Blick ab und ging zu seiner Tasche mit den Büchern.

»Wenn wir sowieso nichts anderes zu tun haben, lerne ich jetzt Geschichte.«

Er nahm ein dickes, dunkelblaues Buch in die Hand. Auf dem Umschlag konnte ich Big Ben erkennen.

Dann setzte er sich und rückte den Stuhl so zurecht, dass er mit dem Rücken zu mir saß.

Ich wünschte, ich hätte selbst ein dickes Buch zu lesen gehabt. Und einen Stuhl zum Umdrehen. Oder wenigstens irgendeinen schlauen Kommentar auf Lager. Aber er hatte mich geschlagen. Ich war sprachlos. Nur dieses Kribbeln hörte nicht auf.

Eine Stunde verging, vielleicht anderthalb, ehe sich der Regen verzog. Der Himmel riss auf und war zwar nicht gerade blau, aber auf jeden Fall weniger grau als in den letzten Tagen. Anscheinend hatte Lees sechster Wetterbericht gar nicht mal verkehrtgelegen.

Endlich legte Tom das Buch beiseite. Er stand auf und zog die Jacke an. »Ich drehe eine Runde.«

»Du darfst aber nicht das Auto nehmen.«

»Nein, nein.«

»Es kann sein, dass ich es noch brauche.«

»Ich weiß. Ich werde das Auto nicht nehmen.«

»Gut.«

Er wollte gerade die Tür öffnen, als mein Handy erneut klingelte. Es war Lee. Wir sollten sofort kommen.

tao

Ich fand ein geöffnetes Hotel direkt neben dem Bahnhof, es war heruntergekommen und leer, aber billig. Auf der anderen Straßenseite lag ein Restaurant, das einfaches, aber ordentliches Essen anbot. Ich ging hinüber. Heute gönnte ich mir eine warme Mahlzeit, obwohl ich wusste, dass ich mir das nicht jeden Tag leisten konnte, wenn mein Geld länger als eine Woche reichen sollte. Und ich wusste nicht, wie lange ich bleiben musste, bis ich ihn fand. Ich fuhr nicht eher, als bis ich ihn gefunden hatte.

Ein älterer Junge servierte mir einen Teller mit gebratenem Reis. Etwas anderes gab es in dem familienbetriebenen Restaurant nicht. Sein Vater habe das Essen zubereitet, erzählte mir der Junge, nur sie beide arbeiteten hier.

Ich war die einzige Kundin in dem großen Gastraum. Auch auf der Straße hatte ich nicht viele Menschen gesehen. Alles war anders, als ich es in Erinnerung hatte. Die lärmende, aufregende Stadt war weg. Jetzt waren die meisten Häuser verlassen, und auf den Straßen herrschte kein Verkehr. Es gab keine Lebensgrundlage mehr. Ich wusste, dass viele Einwohner zwangsumgesiedelt worden waren, in andere Regionen, wo man Arbeitskräfte in der

Landwirtschaft brauchte. Dennoch überraschte mich die völlige Stille. Die Stadt war gewachsen und hatte sich bis zu einem gewissen Punkt weiterentwickelt, und jetzt war sie im Verfall begriffen. Wie ein alter Mensch kurz vor dem Tod: zunehmend einsam, verlassen, mit jedem Tag langsamer. Nur in dem Restaurant, wo ich jetzt saß, hatte noch Licht gebrannt, ansonsten wirkte die Straße öde.

Ich rückte näher an den Tisch heran. Das Geräusch der Stuhlbeine auf dem Boden hallte laut in dem leeren Raum wider. Der Kellner blieb stehen und wartete, während ich aß. Er war jung, nicht älter als achtzehn, und mager. Sein halblanges Haar sah aus, als wäre es schon lange nicht mehr geschnitten worden, seine Uniform trug er mit jugendlicher Lässigkeit, und er bewegte sich leichtfüßig und entspannt. Er war ein Junge, mit dem man sich gern auf dem Schulhof sehen ließ. Einer, der sich nicht anstrengen musste, sondern von Natur aus etwas Besonderes an sich hatte. Ein Jugendlicher, der eigentlich von Freunden umgeben sein müsste.

Er bemerkte, dass ich ihn beobachtet hatte, plötzlich wusste er nicht mehr, wohin mit den Händen, und verschränkte sie schnell hinter dem Rücken.

»Hat es Ihnen geschmeckt?«

»Ja, vielen Dank.«

»Es tut mir leid, dass wir keines der Gerichte von der Karte anbieten konnten.«

»Das ist kein Problem. Ich hätte sie mir sowieso nicht leisten können«, sagte ich lächelnd.

Er lächelte auch, wirkte erleichtert, vielleicht verstand er, dass wir in einer ähnlichen Lage waren.

»Ist es hier immer so leer?«, fragte ich.

Er nickte. »In den letzten Jahren ist es immer so gewesen.«

»Wovon leben Sie denn dann?«

Er zuckte mit den Schultern. »Ab und zu kommt ja doch jemand vorbei. Außerdem haben wir einen Teil unserer Ausstattung verkauft.« Er blickte zur Küche, wo der Vater gerade mit dem Abwasch beschäftigt war. »All unsere guten Messer, einen Fleischwolf, ein paar Töpfe, den großen Herd. Davon können wir eine Zeit leben. Wir haben ausgerechnet, dass unser Geld noch … bis November reicht.«

Er verstummte, wahrscheinlich dachte er dasselbe wie ich. Was sollten sie anschließend machen?

»Warum sind Sie dann noch hier?«, fragte ich.

Er begann, ein paar unsichtbare Staubkörner von einem Tisch zu wischen.

»Als alle, die wir kannten, zum Gehen gezwungen wurden, durften wir bleiben, weil wir ein Restaurant mit einer langen Geschichte betreiben. Papa hatte sich monatelang um die Sondergenehmigung bemüht.« Er rollte den Lappen zusammen und knetete ihn zwischen den Händen. »Ich weiß noch, wie froh er war, als er nach Hause kam und endlich die Bestätigung hatte, dass wir nicht zum Umzug gezwungen waren. Und unser Zuhause nicht verlassen mussten.«

»Aber jetzt?«

Er wandte sich ab.

»Jetzt ist es zu spät. Jetzt sind wir hier.«

Er fuhr sich durchs Haar. Plötzlich erinnerte er mich an Wei-Wen. Wie jung er war, vielleicht noch jünger, als ich anfangs geglaubt hatte, vielleicht war er sogar erst vierzehn oder fünfzehn. Dem Gesetz nach trotzdem erwachsen.

Ich schob ihm meinen Teller hin.

»Bedien dich nur. Ich habe genug gegessen.«

»Nein.« Er sah mich irritiert an. »Sie haben doch dafür bezahlt.«

»Ich bin satt.«

Ich reichte ihm meine Stäbchen.

»Komm, setz dich.«

Er warf seinem Vater in der Küche einen verstohlenen Blick zu, aber der beachtete uns nicht. Dann zog er rasch einen Stuhl heraus, setzte sich und nahm die Stäbchen. Gierig wie ein Hund aß er den Reis, so wie Wei-Wen die Pflaumen in sich hineingeschlungen hatte. Dann hielt er plötzlich inne und blickte auf, als wäre ihm meine Aufmerksamkeit unangenehm. Ich lächelte ihm aufmunternd zu. Er aß weiter, diesmal aber sichtlich bemüht, sich zurückzuhalten.

Ich stand auf, um zu gehen, wollte ihn in Ruhe lassen, doch da stand auch er auf.

»Bleib doch sitzen«, bat ich und ging zur Tür.

»Ja.« Zögernd blieb er stehen. »Nein.«

Er kam auf mich zu.

Ich legte die Hand auf die Klinke und wollte die Tür öffnen, sah ihn an, verstand nicht, was er wollte.

»Wo wohnen Sie?«, fragte er.

»Da drüben.« Ich deutete auf das Hotel auf der anderen Straßenseite.

Jetzt war er bei mir und sah auf die Straße hinaus. Kein Auto, keine Menschenseele, kein bisschen Leben.

»Ich bleibe hier stehen, bis Sie drinnen sind.«

»Was?«

»Ich werde die ganze Zeit hier stehen bleiben.«

Sein junges Gesicht zeigte eine verantwortungsbewusste Miene.

»Danke.«

Ich öffnete die Tür und ging. Die Straße war verlassen. Es roch nach feuchtem Mauerwerk, Staub und Fäulnis. Eine tote Stadt. Verfallene Fassaden. An einer Wand hing ein defekter Informationsschirm, der immer wieder die ersten zehn Sekunden desselben Beitrags zeigte. Li Xiara, die Vorsitzende des Komitees, hielt eine Rede, wahrscheinlich rief sie wie immer zu Gemeinschaftsgeist und Mäßigung auf. Doch die Botschaft war verschwunden, weil die Tonspur längst ihren Geist aufgegeben hatte. Geschlossene Geschäfte mit vergitterten Türen. Eingeschlagene Fenster. Nur noch Schattierungen von Braun und Grau. Keine Farben mehr, als wäre alles von Nebel umhüllt. Und eine allumfassende, schwere Stille.

Als ich die Straße überquert hatte, drehte ich mich um. Doch, da stand er noch immer. Er deutete mit dem Kopf auf das Hotel, als wollte er mir sagen, ich solle schnell hineingehen.

GEORGE

Lee hing über den Magazinbeuten und versuchte aufzuräumen. Obwohl er in Overall, Hut und Schleier gehüllt war, konnte ich seine Verzweiflung sehen. Vier Beuten lagen umgeworfen auf dem Boden. Die Bienen schwirrten in einer großen Wolke ringsherum, verzweifelt, heimatlos, wütend, in der nach den Regenfällen noch feuchten Luft.

»Au!«

Er schrie auf und fasste sich in den Nacken.

»Du darfst keine Lücken lassen«, sagte ich und zog seinen Schleier zurecht. Die tote Biene würde er später herausholen müssen.

Er fluchte, und ich sah Tränen in seinen Augen. Vielleicht wegen des Stichs, vielleicht waren sie aber auch schon die ganze Zeit da gewesen.

»Ich dachte, der Zaun würde ausreichen«, sagte er leise.

»Wenn sie erst einmal die Fährte des Honigs aufgenommen haben, kann sie so leicht nichts mehr stoppen.«

Erst jetzt spürte ich Toms Blick auf mir.

»Du hast doch gesagt, es gäbe hier keine Bären mehr?«

Ich konnte ihm nicht in die Augen sehen, ich wollte

diese Frage nicht hören. Stattdessen hob ich eine Beute auf und untersuchte sie. Unbeschädigt.

»Gib mir mal den da«, sagte ich und zeigte auf einen Rahmen, der ein Stück entfernt lag.

Er ging weg, ohne den Blick von mir abzuwenden, hob den Rahmen auf und gab ihn mir. Ich bemerkte, dass seine Hände zitterten. Seine Augen waren genauso groß wie damals, er hatte nichts Professorales mehr an sich. Vor mir stand ein kleiner Junge.

»Ist er noch in der Nähe?«, fragte er leise.

Ich nahm den Rahmen entgegen, ohne seinem Blick auszuweichen.

»Nein, sie hauen sofort wieder ab.«

Er blieb stehen und sah mich zweifelnd an.

Ich legte ihm die Hand auf die Schulter. Was ich nur selten tat.

»Tom. Es ist nicht so wie damals. Das passiert jedes Jahr, und ich habe sie noch nie gesehen, nicht ein einziges Mal. Das ist nur für die Bienen schrecklich, nicht für uns. Und am schlimmsten ist es für Lee, der dafür aufkommen muss.«

Er nickte, entzog sich nicht meiner Hand.

»Deshalb wohnen wir ja im Motel, stimmt's? Und nicht in Zelten«, fügte ich hinzu.

Er nickte wieder. Ich drückte seine Schulter. Am liebsten hätte ich ihn an mich gezogen, denn ich sah ja, dass er mich brauchte. Er brauchte mich immer noch. Doch im selben Moment kam Lee wieder zu uns.

»Drei Beuten«, sagte er. »Das macht wohl ... 240 Dollar?«

Ich ließ Tom los und nickte. Dann erst sah ich Lees verzweifelten Blick hinter dem Schleier. »240? Nein. Sagen wir 200.«

»Aber George …«

»Lass uns nicht weiter darüber reden. Sieh es als Kredit an.«

Lee drehte sich weg und schluckte. Doch Tom sah mich weiterhin an. Er schwieg, aber seine Augen sagten alles. Und erinnerten sich an alles.

Es war passiert, als ich das erste Mal bei Lee war, das erste Mal, dass ich überhaupt mit den Bienen unterwegs war. Wir hatten nicht viele gehabt, nur so viele, wie auf meinen Pick-up passten. Ich hatte es als Experiment betrachtet. Wenn dieser Auftrag gelang, könnte ich ein wenig erweitern und in kleinerem Umfang in die Bestäubung einsteigen, vor allem aber betrachtete ich es als Urlaub. Denn Tom, der damals fünf war, sollte mitkommen. Nur wir beide, mitten in der Natur. Weit weg von den Menschen. Angeln, Wasser aus dem Bach trinken, Lagerfeuer machen. Wir sprachen schon seit Wochen von nichts anderem.

In Maine angekommen, fanden wir eine Anhöhe, die ein Stück von den Bienenstöcken entfernt lag. Von dort hatten wir rundherum eine gute Aussicht, und der Boden war nicht zu hart und ebenmäßig. Ich schlug das Zelt auf, nahm mir Zeit, sorgte dafür, dass alle Heringe tief in den Boden geschlagen waren und die Zeltplane fest gespannt. Dies sollte für die nächsten drei Wochen unser Zuhause sein, deshalb musste alles stimmen.

Tom erhielt den Auftrag, die Schlafsäcke auszurollen.

Auch er gab sich Mühe und arrangierte sie kunstvoll, wahrscheinlich hatte er beobachtet, wie Emma zu Hause die Betten machte. Er war so eifrig, plapperte in einem fort und hatte noch gar nicht gemerkt, dass er seine Mutter vermisste. Doch so oder so würde alles gutgehen, dachte ich. Wir beide würden hier oben auf unserer Anhöhe eine phänomenale Zeit verbringen, die Wochen würden im Nu verfliegen und zu etwas werden, was er für den Rest seines Lebens in Erinnerung behielt.

Wir machten ein Feuer, kuschelten uns aneinander und grillten Marshmallows. Er fröstelte ein wenig, ich legte den Arm um ihn, seine schmalen Schultern verschwanden fast darunter. Wir sahen in den Himmel, und ich zeigte ihm alle Sternbilder, die ich kannte. Viele waren es nicht – der große Wagen und Orion –, und so erfand ich ein paar hinzu.

»Und da ist die Schlange.«

»Wo denn?«

»Da.«

Seine Augen folgten meinem Finger, während ich auf ein paar passende Sterne in einer gewundenen Reihe zeigte.

»Warum heißt das Schlange?«

»Es heißt nicht nur Schlange, es ist eine Schlange.«

Und dann erzählte ich die Geschichte von der Schlange. Normalerweise war ich kein großer Geschichtenerfinder, aber jetzt strömten die Worte nur so aus mir heraus. Vielleicht, weil ich Tom in meinem Arm hielt, vielleicht, weil wir so weit weg vom Fernsehen und anderen Zerstreuungen waren, dass der Urmensch in mir wieder zum Vorschein kam, vielleicht, weil mir das Wissen, dass so unser Leben in den nächsten drei Wochen aussehen würde, besondere Kräfte verlieh.

»Die Schlange wohnte in einer Felsspalte in der Nähe eines kleinen Dorfs«, erzählte ich, »und war ein richtiges Miststück, böse und gierig wie kein anderes Wesen. Sie fraß alles, was sie kriegen konnte. Erst verschlang sie den Wald, dann fiel sie über die Ernte her. Dann waren die Gärten an der Reihe, Obst und Gemüse, und währenddessen wurde die Schlange immer größer und größer. Als sie jeden Busch, jede noch so kleine Kartoffel, ja jedes struppige Grasbüschel auf den Wiesen verspeist hatte, ging sie zu den Menschen über. Kleinkinder zum Frühstück, Großmütter zu Mittag. Sie wuchs und wuchs, und am Ende war sie so groß und lang, dass sie sich in einem Ring um das Dorf legen konnte. Die Leute flüchteten in ihre Häuser, versteckten sich in Schränken, unter Betten und in Kellern. Die Schlange aber fand sie, sie schlängelte sich in alle Ecken und Winkel hinein und fraß einen nach dem anderen.«

Ich merkte, wie Tom in meinem Arm zitterte, und zwar nicht nur vor Kälte. Ich hielt ihn fester, er kuschelte sich so eng an mich, als wollte er in mich hineinkriechen, und erschauderte in wohliger Furcht.

»Keiner wusste, was zu tun war, die Leute waren machtlos. Jetzt sterben wir, dachten sie, jetzt werden wir alle gefressen. Alle versteckten sich, so gut sie nur konnten. Alle, bis auf einen kleinen Jungen.«

»Wer war das?«, fragte Tom mit leiser, gespannter Stimme.

»Er war … kein gewöhnlicher Bengel.«

»Nein?«

»Nein, er war nämlich Imker.«

»Ah«, sagte Tom schnell, als traue er sich nicht, noch mehr zu sagen, weil er fürchtete, ich würde dann zu erzählen aufhören.

»Einen großen, schönen Bienenstock besaß er. Mit dem besten Bienenvolk, das du dir nur vorstellen kannst, treu, fleißig, niemals schwärmend. Die Königin lebte im dritten Jahr und legte so viele Eier wie nie zuvor. Und jetzt ging der kleine Junge zu seinem Bienenstock und öffnete ihn. Und er flüsterte hinein und bat die Bienen, ihm zu helfen.«

Ich machte eine Kunstpause. Inzwischen wusste ich das Ende, und ich war ziemlich zufrieden damit.

Tom wartete. Ich ließ ihn warten. Ich spürte seine Augen auf mir, kugelrund vor Erwartung, und wollte ihn noch einen Moment in dieser Stimmung ausharren lassen.

Am Ende konnte ich selbst nicht mehr innehalten. »Und dann!«

Langsam fuhr ich fort.

»Dann geschah Folgendes. Die Bienen hörten ihm zu, und sie dachten nach, während die Schlange sich zischelnd dem Jungen näherte.«

Tom sah mich mit offenem Mund an.

»Und genau in dem Moment, als die Schlange ihr Maul öffnete, um den kleinen Knirps zu vertilgen, waren die Bienen da. Ein riesiger Schwarm flog direkt auf die Schlange zu. Und sie stachen sie in Kopf, Hals, Schwanz, ja sogar ins Auge, überall stachen sie die Schlange, bis sie nicht mehr konnte und so schnell es ging davonkroch.«

Tom hatte noch immer jede Faser seines Körpers angespannt und saß mucksmäuschenstill in meinem Arm.

»Und dann waren alle gerettet?«, fragte er kaum hörbar, vielleicht, weil er Angst vor der Antwort hatte.

Wieder wartete ich ab und spürte, wie er zitterte.

»Ja ...«, sagte ich.

Tom atmete aus.

»Aber das war den Bienen noch nicht genug.«

»Nicht?« Jetzt lachte er ein wenig.

»Sie jagten die Schlange immer weiter.«

»Ganz weit?«

»Ja, ganz weit weg.«

Endlich entspannte Tom sich wieder, der kleine Körper lockerte sich.

»Bis in den Himmel hinauf haben sie die Schlange gejagt«, erklärte ich. »Und da kannst du sie sehen. Bis zum heutigen Tag.«

Tom nickte, ich spürte, wie sich sein Kopf in meinem Arm auf- und abbewegte.

»Da ist sie«, sagte ich. »Und das da«, ich deutete auf einen Punkt ein Stück entfernt. »Das sind die Bienenstöcke.«

»Da?«

»Ja, guck mal. Da und da und da.« Ich zeichnete drei Vierecke an den Himmel.

»Und die Bienen?«

»Die Bienen?« Ich musste kurz überlegen, dann fiel mir eine Antwort ein, und ich fühlte mich geradezu genial. »Das sind alle anderen Sterne.«

So sollte es sein, dachte ich. So sollten die nächsten drei Wochen für uns sein.

Wir legten uns hin, und Tom schlief sofort ein. Ich lag neben ihm und lauschte seinem Atem in der Dunkelheit, er schnarchte leise, seine Nase war ein wenig verstopft, und er wälzte sich einige Male im Schlafsack hin und her, ehe er Ruhe fand. Kurz darauf schlief auch ich.

Aber dann kam der Bär. Schon beim ersten Geräusch wurden wir wach, einem lauten Scheppern, als der Kessel über unserer Feuerstelle zu Boden fiel. Vor den funkelnden Bienen am Himmel zeichnete sich ein großer Schatten ab. Unbeholfene Tatzen in den Büschen, so nahe, dass wir hören konnten, wie der Pelz die Zweige entlangstreifte.

Ich umarmte Tom, doch jetzt bot ihm mein Arm keine Geborgenheit mehr. Seine Augen waren weit aufgerissen und starrten in die Dunkelheit.

Wir hörten, wie der Bär unser Lager auf den Kopf stellte. Plastiktüten mit Marshmallows wurden zerfetzt. Das Feuerholz, das ich so ordentlich gestapelt hatte, polterte zu Boden, und ein hohles Klopfen, als die großen Pranken auf das Styropor unserer Kühlbox trommelten.

Dann wurde es still.

Wir blieben einfach so sitzen. Lange. Ich strich Tom durchs Haar und hoffte, er würde sich zu mir umdrehen, mich ansehen, aber er starrte einfach weiter geradeaus, ins Nichts. Was sollte ich sagen? Was hätte Emma in dieser Situation gesagt? Ich hatte keine Ahnung, also hielt ich lieber den Mund und drückte ihn fester an mich, aber sein Körper war ganz starr.

Schließlich wagte ich mich hinaus.

Unser Lagerplatz war verwüstet, alle Marshmallows verschlungen, aber der Bär war weg.

Erst in diesem Moment konnte ich wieder richtig atmen.

Ich spähte ins Zelt.

»Die Luft ist rein.«

Doch Tom antwortete nicht. Er saß unverändert da, mit seinem dunklen Blick, mit verschlossenem Mund, vollkommen reglos. Ich nahm ihn hoch und trug ihn zum Auto. Am nächsten Tag setzte ich ihn in den Bus nach Hause. Mir blieb keine andere Wahl. Emma würde ihn an der Haltestelle abholen. Er muckte nicht dagegen auf, dass er die lange Fahrt allein machen musste. Früher hätte er das nicht mit sich machen lassen.

Ihre Stimme klang gepresst, als ich ihr erzählte, was passiert war. Ich wusste, was sie dachte, obwohl sie nicht viel mehr sagte als »Ja« und »Aha«. Du hättest dich besser informieren sollen, dachte sie, du hättest dich umhören müssen, du hättest wissen können, dass es in diesem Gebiet Bären gibt. Nur eine Zeltplane hat euch vom Tod getrennt, du hattest mehr Glück als Verstand.

Ich sah ihn im Heckfenster des Busses, als er davonfuhr. Die Erleichterung stand ihm ins blasse Gesicht geschrieben, und in die Augen, die immer noch groß und ängstlich dreinblickten.

Anschließend war er nie wieder mit nach Maine gekommen.

Bis heute.

Die Regenpause hielt an, als wir uns ins Auto setzten. Lee fuhr nach Hause, er wolle einen Beschwerdebrief über die Elektrozäune schreiben, sagte er.

Tom gab keinen Mucks von sich, als wir zurückfuhren. Vielleicht hielt er nach dem Bären Ausschau, vielleicht wartete er darauf, dass er vor unserem Auto auf die Straße stürmen, die Krallen ins Blech schlagen und die Karosserie auseinanderreißen würde, ehe er uns wie zwei Mäuse aus ihrem Loch holte.

Als wir ins Motelzimmer kamen, begann er, hektisch seine Sachen zu packen, steckte die Stifte ein, warf das Buch mit Big Ben in seine Tasche. Ich blieb stehen und beobachtete ihn.

»Du musst dich doch nicht so beeilen.«

»Ich bringe es aber gern schnell hinter mich«, murmelte er, wieder mit dem Rücken zu mir.

Erst als er seine Tasche zumachte, sah er mich an. Ich hatte mich auf das Bett gesetzt und tat so, als würde ich Zeitung lesen.

Er stand mit hängenden Schultern mitten im Raum. Steckte die Hände in die Taschen, nahm sie dann aber wieder heraus. Da war irgendetwas in seinem Blick, das ich nicht einordnen konnte.

»Ja?«, fragte ich schließlich.

Er antwortete nicht. Stand dort und grübelte über irgendetwas, kein Zweifel.

»Na dann.« Ich beugte mich wieder über meine Zeitung, legte den Kopf schräg und zog eine Grimasse, als würde ich gerade etwas besonders Interessantes lesen.

»Warum machst du das eigentlich?«, fragte er unvermittelt.

Ich sah auf.

»Was meinst du?«

»Warum kutschierst du sie so durch die Gegend?«

»Hä?«

»Die Bienen.« Er holte Luft. »Jetzt hast du drei Bienenstöcke verloren. Drei Bienenvölker haben ihr Zuhause verloren.« Seine Stimme wurde lauter, seine Augen weiteten sich, er verschränkte die Arme vor der Brust, als müsse er sich an sich selbst festhalten. »Allein, dass sie auf Lastwagen hin- und hertransportiert werden. Weißt du eigentlich, was du ihnen damit antust?«

Dieser große Ernst in diesem jungen Körper. Das war einfach zu viel. Es war zum Lachen. Und genau das tat ich auch. Meine Lippen verzogen sich zu einem Grinsen, und eine Art Räuspern entfuhr mir, aber es war kein sehr überzeugendes Lachen.

»Magst du denn keine Blaubeeren?«, fragte ich.

Er geriet kurz aus dem Konzept. »Blaubeeren?«

Ich versuchte, den Kopf oben zu behalten, das Grinsen zu bewahren, mich dahinter zu verschanzen. »Ohne Bienen gäbe es hier in Maine nicht viele Blaubeeren.«

Er schluckte. »Ich weiß, Papa. Aber warum unterstützt du dieses ganze System? Die Landwirtschaft, was aus ihr geworden ist ...«

Ich faltete die Zeitung mit ausladenden Bewegungen zusammen und legte sie auf den Tisch. Versuchte ruhig zu bleiben, nicht zu brüllen.

»Wenn du Gareths Sohn wärst, könnte ich verstehen, wovon du sprichst. Aber ich mache doch nicht dasselbe wie er.«

»Ich dachte, du wolltest auch so werden?«

»Wie Gareth?«

»Ich weiß doch, dass du expandieren willst.«

Er stellte es einfach fest, formulierte es nicht als Frage. Auch nicht als Vorwurf, obwohl es genau das war.

Ich lachte erneut. Ein hohles Lachen.

»Und dann habe ich uns noch im Golfclub angemeldet. Und in eine Messingfabrik investiert.«

»Was?«

»Ach, nichts.«

Er seufzte aus tiefem Herzen. Dann wendete er den Blick von mir ab und sah aus dem Fenster. Es war noch immer trocken draußen.

»Dann werde ich jetzt mal meinen Spaziergang nachholen«, sagte er, ohne mich anzusehen.

Und ging.

Alle meine Pläne gingen durch die zerkratzte Tür des Motelzimmers dahin.

William

»Aber wo ist er?«

Thilda und die Mädchen standen wie die Orgelpfeifen vor mir in der Küche. Jetzt sollten sie endlich sehen, womit ich in der letzten Zeit beschäftigt gewesen war. Ich hatte vor, sie zu meinem Bienenstock zu führen, jedoch in gebührendem Abstand, damit sie nicht gestochen wurden, und anschließend würde ich ihn vorsichtig öffnen und ihnen alles erklären. Auf eine Weise, dass sie und Edmund verstehen würden, welch eine Erfindung er war. Eine Erfindung, die unser Leben verändern würde. Eine Erfindung, die uns Ruhm einbringen und unseren Namen in den Geschichtsbüchern verewigen würde.

Die Sonne hing tief über den Feldern hinter dem Garten, dort kämpfte sie mit dem Horizont und einigen dunklen Wolken, die sich im Westen ballten. Schon bald würde sie gnadenlos untergehen, und vielleicht würde es in dieser Nacht auch noch regnen. Ich wollte der Familie meinen Bienenstock zur Sonnenuntergangsstunde zeigen, weil sich genau dann die Bienen darin versammelten.

»Er hat mir Bescheid gegeben, dass er nicht zum Abendessen nach Hause kommen wird«, erklärte Thilda.

»Aha, und warum nicht?«

»Das habe ich nicht gefragt.«

»Aber du hast ihm doch wohl gesagt, dass ich euch heute Abend etwas vorzuführen habe?«

»Er ist ein selbstständiger junger Mann. Wer wollte da wissen, wo er sich befindet.«

»Er sollte hier sein!«

»Er ist sehr erschöpft«, erwiderte Thilda. Sie sprach von ihm, als wäre er noch ein Baby, ihre Stimme war sanft und kindlich, obwohl er nicht einmal anwesend war.

»Und wie soll das im Herbst mit ihm gehen, wenn er nicht in der Lage ist, Verpflichtungen nachzukommen?«

Sie wartete lange, ehe sie antwortete. Legte die Stirn in Falten und schniefte.

»Muss er das denn wirklich?«

»Wie meinen?«

»Ich glaube, es wäre vernünftig, wenn er noch ein Jahr warten würde, wenn er zu Hause wohnen bleiben und sich richtig ausruhen könnte.«

Meine Nasenlöcher weiteten sich, während sie sprach, mir wurde übel, ich musste mich wegdrehen.

»Findet ihn!«, befahl ich, ohne sie anzusehen.

Acht Augenpaare glotzten mich an, doch keines der Familienmitglieder zeigte die geringste Bestrebung, sich auch nur einen Zoll zu bewegen.

»So findet ihn doch!«

Endlich erinnerte sich jemand, wer das Familienoberhaupt war. Sie trat einen Schritt zur Tür und nahm ihre Haube vom Haken. »Dann gehe ich jetzt.«

Charlotte.

Wir blieben in der Küche und warteten, während die Dunkelheit aus allen Ecken kroch und uns einhüllte. Niemand entzündete eine Lampe. Immer, wenn eines der kleineren Mädchen etwas sagte, mahnte Thilda zur Ruhe. Durchs Fenster sah ich den Himmel. Längst war die Sonne von den Wolken verdrängt worden, doch auch diese würden bald schon nicht mehr zu sehen sein, weil die Dunkelheit alle Konturen verschluckte. Bald würden wir von der Nacht blind sein, und es wäre zu spät, um etwas vorzuführen.

Wo war er?

Ich ging nach draußen und blieb auf der Türschwelle stehen. Ein schwüler Tiefdruck lag über der Landschaft. Die Luft war feucht und stickig, es ging kein Lüftchen. Alles war still. Die Bienen hatten sich in ihren Stock zurückgezogen, ich konnte sie nicht mehr sehen.

Wo steckte er bloß immerzu? Was konnte wichtiger sein als das, was ich ihm zeigen wollte?

Thilda unterdrückte ein Gähnen, als ich wieder hereinkam. Georgiana war mit dem Kopf auf Dorotheas Schoß eingeschlafen, die Zwillinge lehnten sich aneinander, ihre Augen waren schwer.

Es war viel zu spät für sie. Sie sollten längst im Bett liegen.

Plötzlich wusste ich nicht mehr, wohin mit mir, und trat zwei Schritte zur Seite. Auf dem Tisch stand eine Kanne, ich griff danach und schenkte mir Wasser ein. Ich verspürte eine Leere im Bauch, ein leichtes Grummeln, das stärker wurde. Mit einem lauten Scharren zog ich mir einen Stuhl heraus und hoffte, das Geräusch würde von meinem Magen ablenken. Dann setzte ich mich, faltete die Hände über dem Bauch und beugte mich vor, damit das Grummeln blieb, wo es war.

Plötzlich ging die Tür.

Ich stand hastig auf.

Charlotte kam zuerst herein. Sie starrte zu Boden.

Hinter ihr erschien eine dunkle Gestalt. Edmund. Sie hatte ihn gefunden.

»Nein! Mein lieber Schatz!« Thilda sprang auf.

Er war triefnass und machte ein paar wankende Schritte. Sein Haar und seine Oberbekleidung waren nass, die Hose jedoch trocken, als hätte ihn jemand mit Wasser begossen.

»Charlotte?«, fragte Thilda.

»Edmund … er …«

»Ich bin in den Bach gefallen«, nuschelte Edmund langsam.

Dann torkelte er an uns vorbei.

Ich ging einen Schritt auf ihn zu und legte ihm die Hand auf die Schulter, ich wünschte, ich könnte ihn hinausführen, denn vielleicht war es doch noch nicht zu spät, ich wünschte, ich könnte ihm alles zeigen, ihn dazu bringen, es zu verstehen.

Doch jetzt spürte ich, wie er unter den nassen Sachen zitterte, und hörte seine Zähne klappern.

»Edmund?«

»Ich … muss schlafen«, sagte er leise und ohne sich umzudrehen.

Thilda trippelte hinter ihm her, ihre Füße kratzten auf dem Boden wie Hühnerkrallen, dazu ihr eifriges Geschwätz und nervöses Glucksen. »Mein lieber Junge... komm, ich helfe dir... pass auf, geh vorsichtig... dein Bett ist schon gemacht... hak dich bei mir unter... so, ja... so.«

Sein schwerer Rücken verschwand nach oben. Ich sah auf meine Hände hinab, die immer noch feucht waren, nachdem ich ihn angefasst hatte, und rieb sie an meiner Hose ab.

Die Melancholie, die mich so heftig befallen hatte – konnte sie auch auf meinen Sohn übergegangen sein? Von meiner Blutbahn in seine? Vererbt? War er deshalb immer so abweisend zu mir?

Mir wurde eng um die Brust. Nein, nicht er. Nicht Edmund.

Plötzlich nahm ich die Kinder wahr, meine Mädchen, die in einem Kreis um mich standen. Still, schwankend vor Müdigkeit. Sie sahen mich an, warteten auf meine Reaktion. Alle, bis auf Charlotte, die mich nicht ansah, doch auch sie war blass vor Schlafmangel.

Ich atmete tief ein. »Morgen«, sagte ich leise zu ihnen. »Ihr müsst euch noch bis morgen gedulden.«

tao

Können Sie mir sagen, wie ich dorthin komme?«

Ich stand im abgewohnten, charakterlosen Foyer des Hotels und zeigte auf einen Punkt auf dem Stadtplan, den ich auf dem Tresen ausgebreitet hatte. Das Krankenhaus war eines der letzten auf meiner Liste. Ich hatte mich von oben nach unten vorgearbeitet, abgehakt, durchgestrichen.

»Eigentlich fährt eine U-Bahn von hier nach dort«, sagte die Rezeptionsdame, »sodass sie da umsteigen könnten«, sie legte den Finger auf die Karte, direkt neben eine abgenutzte Falzkante.

Sie war eine streng anmutende, große Frau, die überraschend laut und lange lachte, sobald sich ihr die Gelegenheit bot. Sie war immer im Dienst. Alle anderen seien umgesiedelt worden, erzählte sie. Jetzt klammerte sie sich an das Hotel, das ihr immer weniger Lohn zahlte, um sich und ihr zehnjähriges Mädchen ernähren zu können. Die Tochter kam jeden Tag nach der Schule her und erledigte ihre Hausaufgaben im Foyer. Es war die einzige Möglichkeit für Mutter und Tochter, Zeit miteinander zu verbringen.

»Aber das ist der Bereich des U-Bahn-Netzes, vor dessen Betreten das Stadtkomitee inzwischen warnt«, fuhr sie fort.

Ich sah sie fragend an.

»In diesen Gebieten geht es rau zu. Sie sind besetzt. Nein. Besetzt wäre das falsche Wort. Aber diejenigen, die immer noch dort leben, haben gar nichts mehr. Und niemand kontrolliert sie mehr«, erklärte sie.

»Was für Menschen sind das?«

»Die, die nicht umziehen wollten. Die im Stich gelassen wurden. Die sich versteckt haben. Alles ging so schnell, und wenn man seine Entscheidung anschließend bereute, wurde einem gesagt, es wäre schon zu spät.«

Sie schluckte und sah weg. Vielleicht war sie in derselben Lage wie der Junge und sein Vater im Restaurant. Aber ich schaffte es nicht, sie zu fragen, ich ertrug nicht noch eine dieser Geschichten.

Ich wollte nur noch los, mich auf die Suche begeben, so wie ich es jeden einzelnen Tag getan hatte, seit ich hier angekommen war. Irgendwo musste er doch sein. Jeden Tag brach ich in der Morgendämmerung auf, mit meinem Geld und ein paar trockenen, in Papier eingepackten Keksen in der Tasche. Jeden Tag ein neuer Stadtteil, ein neues Krankenhaus. Viele von ihnen hatte ich schon im Voraus kontaktiert, hatte sie sowohl von zu Hause wie auch vom Hotel aus angerufen. Ich kannte die Namen der Abteilungen und die Namen der Ärzte. Jetzt suchte ich sie trotzdem auf, weil ich dachte, wenn sie etwas wüssten, wäre es schwieriger für sie, mich abzuweisen, wenn sie mir gegenüberstanden, wenn sie die Mutter des Jungen sahen, von Angesicht zu Angesicht. Manche erinnerten sich an mich, hatten Mitleid mit mir. Einige wagten es sogar, mir in die Augen zu sehen und zu sagen, sie könnten meine Verzweiflung verstehen.

Aber die Antwort war stets dieselbe. Sie fanden ihn in keinem Verzeichnis. Sie hatten noch nie von Wei-Wen gehört. Und immer wurde ich an andere Krankenhäuser weiterverwiesen. *Haben Sie es schon in Fengtai versucht, waren Sie im Zentralklinikum in Chaoyang, haben Sie sich im Haidian Center für Atemwegserkrankungen erkundigt?*

Ich bat jedes Mal darum, mit einem Vorgesetzten zu sprechen, gab mich nur selten mit dem Erstbesten zufrieden, der mich empfing. Und dann wartete ich. Tagelang. Sitzend, stehend, umherwandelnd, an Fenstern, in dunklen Räumen, auf kühlen Steinböden, in kalt beleuchteten Sälen, mit einem Glas Wasser in der Hand oder einem Becher Tee aus einem Automaten, meistens allein, hin und wieder in spärlich besetzten Wartezimmern. Es war nie voll, nie hektisch, und trotzdem schien es, als würde mein Anliegen stillschweigend auf einer Prioritätenliste nach unten verschoben, und oft bekam ich die zuständige Person nicht zu sprechen, ehe die Besuchszeit vorüber war. Manchmal verdrehte das Personal die Augen. *Kann sie denn keine Ruhe geben, es gibt viele verzweifelte Menschen, viele Kranke, Unterernährte, was bedeutet da schon ein einzelnes Kind, sie soll sich beruhigen, soll verstehen, dass wir keine Zeit haben.* Aber ich blieb. Ich machte nichts, war einfach nur so lange anwesend, bis ich meinen Willen bekam.

In mehreren Fällen führte mich mein Warten direkt ins Büro der Klinikleitung. Große Zimmer mit schweren Möbeln, die einmal schön gewesen, jetzt aber im Verfall begriffen waren. Ich trug mein Anliegen vor, stellte sie zur Rede, erhielt Mitgefühl. Sie bemühten sich tatsächlich. Aber niemand konnte mir helfen. Wei-Wen war verschwunden.

Anfangs rief ich Kuan jeden Tag an, aber wir hatten nicht viel zu reden. Ich erzählte ihm, dass ich nicht weitergekommen war. Er informierte mich darüber, dass auch er nichts gehört hatte. Unsere Gespräche waren geschäftsmäßig und wurden jeden Abend kürzer. Und dann fragte er nach dem Geld, wie viel ich ausgegeben hatte und was noch übrig war. Ich log, ich konnte ihm nicht sagen, dass allein das Zugticket hierher schon 5500 Yuan gekostet hatte. Eines Abends rief ich ihn nicht an. Er mich auch nicht. Wir wussten beide, dass keiner etwas zu vermelden hatte. Es war eine stillschweigende Übereinkunft, wer zuerst etwas erführe, würde sich melden.

In den Nächten schlief ich tief und traumlos, als würde jemand eine schwarze Decke über mein Bewusstsein ziehen, sobald mein Kopf das Kissen berührte. Die Gewissheit, dass ich nicht mehr tun konnte, verlieh mir ein inneres Gleichgewicht. Und ich war sicher, ich würde ihn am Ende finden. Ich durfte nur nicht aufgeben. Doch je mehr Zeit ins Land ging, desto schwerer fiel es mir, daran zu glauben. Je weiter nach unten auf meiner Liste ich gelangte, desto unruhiger wurde ich. Denn ich hatte Wei-Wen noch immer nicht gefunden, keine Spur von ihm. Und das Geld schwand schneller dahin als geplant, die Blechdose war allzu leicht geworden. Ich hatte nur noch 7000 Yuan übrig. Es könnte immer noch reichen, wenn wir die letzten beiden Jahre bis zur Altersgrenze wirklich sparsam lebten. Aber ich hatte noch nicht einmal die Rückfahrkarte für den Zug gekauft.

»Ich habe schon lange nichts mehr von dort gehört«, sagte die Rezeptionistin leise und faltete die Karte für mich zusammen. »Vielleicht ist die Gegend jetzt schon vollkommen verlassen. Wie gesagt wird sowieso davor gewarnt, sich dorthin zu begeben.«

»Aber das Krankenhaus?«

»Das liegt auf der Grenze.« Sie öffnete die Karte noch einmal und deutete erneut darauf. »Die unkontrollierten Gebiete fangen hier an. Nach Süden kann man nach wie vor fahren. Aber … sind Sie sicher, dass Sie dorthin müssen?«

Ich nickte.

Sie sah mir in die Augen und verstand. Sie wusste, dass ich meinen Sohn suchte, mehr hatte ich nicht erzählt. Aber das war genug. Alle, die selbst Kinder hatten, verstanden, dass es genug war und eventuelle Gefahren, in die man sich dafür begab, zweitrangig wurden.

Ich legte den Kopf in den Nacken, um das Dach zu sehen. Rote Ziegel, von Wind und Wetter angegriffen. Einst waren sie wohl glatt lackiert gewesen wie das Dach eines Tempels. Die Wände waren grau, die Farbe blätterte ab. Ein schwaches Summen am Himmel lenkte mich ab, irgendetwas bewegte sich durch die Luft. Ich kniff die Augen zusammen, um besser sehen zu können, aber da war es schon hinter dem Dach verschwunden.

Über mir lag ein undurchdringlich grauer Himmel. Als

ich das Hotel verlassen hatte, schien noch die Sonne, aber jetzt war es so nebelig, als würde es schon wieder dämmern.

Die Fahrt hatte vier Stunden gedauert. Ich hatte dreimal umsteigen müssen und einen großen Umweg in Kauf genommen, aber so hatte die Route durch die sogenannten sicheren Gebiete geführt. Dennoch war alles so ausgestorben und verfallen, dass ich mich immer wieder selbst dabei ertappte, den wenigen Mitreisenden, denen ich unterwegs begegnete, zu misstrauen und mich ängstlich umzusehen.

Ich hatte schon mehrfach versucht, mit diesem Krankenhaus Kontakt aufzunehmen, aber dieselbe Antwort erhalten wie überall sonst. Sie hatten Wei-Wens Namen noch nie gehört und konnten mir nicht helfen. Und die letzten Male war niemand ans Telefon gegangen, es sprang lediglich ein Band an, das ins Nichts führte.

Das Erste, was ich sah, waren einige völlig verwelkte Zimmerpflanzen. Das gedämpfte Licht einer Lampe verriet, dass das Krankenhaus noch ans Stromnetz angeschlossen war. Die große Empfangshalle war gähnend leer. Hinter dem Schalter aus dunklem Holz saß niemand. Ich fand eine alte Anmeldemaschine für Angehörige, die noch aus der Zeit vor dem Kollaps stammen musste, sie flimmerte kurz unter meinen Fingern auf, dann wurde der Bildschirm wieder schwarz.

Ziellos setzte ich mich in Bewegung.

Erst ging ich nach rechts, wurde jedoch von einer verschlossenen Tür aufgehalten.

Auf der linken Seite entdeckte ich einen Aufzug. Ich drückte auf verschiedene Knöpfe, ohne dass etwas passierte. Also ging ich weiter. Vor mir lagen endlose, dunkle Gänge.

Ich rüttelte an weiteren Türen, doch sie waren alle verschlossen.

Schließlich konnte ich eine öffnen, die in ein dunkles Treppenhaus führte. Ich ging eine Etage hinauf. Hier war die Tür wieder versperrt. Dasselbe galt für die nächste. Erst im dritten Stock fand ich eine offene Tür. Ich kam in einen Gang, der genauso verlassen war wie die übrigen. Ich ging einige Meter, meine Schritte hallten wie dumpfe Schläge auf dem Steinboden.

Bei einem Fenster hielt ich an. Da entdeckte ich es. In einem Seitenflügel des Krankenhauses brannte Licht. In diese Richtung setzte ich meinen Weg fort. Ich hoffte, der Gang, den ich entlangging, würde die beiden Flügel miteinander verbinden und mich direkt dorthin führen.

Plötzlich hörte ich vor mir ein Geräusch, wie hohles Metall, das über Linoleum geschleift wurde.

»Hallo?«, fragte ich leise.

Dort vorn stand eine Tür offen, eine doppelte Glastür. Den Raum dahinter konnte ich von hier aus nicht sehen.

Mit einem Mal hörte ich mein eigenes Herz, es klopfte heftig. Etwas stimmte nicht. Vielleicht sollte ich mich beeilen, zu dem Licht dort hinten im Seitenflügel zu gelangen. Aber dafür musste ich die Tür passieren. Ich beschleunigte meine Schritte.

Noch ein Geräusch. Ein Tapsen.

Im nächsten Moment tauchte eine Gestalt vor mir auf. Das Erste, was ich sah, waren ihre nackten Füße. Ungeschnittene Nägel an runzeligen Zehen. Sie, denn es musste eine Frau sein, kam kaum vorwärts und klammerte sich an ein Gestell, an dem ein Infusionsbeutel hing, das metallische Geräusch rührte von dem Gestell her. Der Beutel war allerdings leer. Ihr Haar bestand nur aus schütteren Büscheln, von ihrer Kopfhaut rieselten große Schuppen. Sie trug lediglich ein fleckiges Krankenhaushemd, darunter konnte ich die Umrisse einer Windel erkennen, und erst jetzt bemerkte ich den Gestank.

Sie starrte mich an, als hätte sie ihre Sprache verloren.

Ich wich zurück, wollte nur noch weg.

Sie gab ein Fauchen von sich, mühte sich ab, wollte etwas sagen.

Ich nahm mich zusammen und hielt die Luft an, ich konnte sie nicht einfach stehen lassen.

Dann machte ich einen Schritt auf sie zu. Sie wankte ein wenig und sah aus, als würde sie gleich in sich zusammenfallen.

»Sssschau«, sagte sie leise. »Schau!«

Sie schwankte. Ich griff ihren Ellbogen, um sie zu stützen. Der Gestank stach mir in der Nase, ihr Arm war dünn wie der eines Kindes. Sie wollte mich in den Raum führen, aus dem sie gekommen war.

Ich stieß die Tür an, die lautlos aufglitt. Wir gingen hinein, ich stützte sie weiter. Die Übelkeit stieg in mir hoch, der Gestank war wie eine zähe Masse, undurchdringlich, er traf mich und nahm mir die Luft.

Es war ein Saal. An den Wänden standen Krankenhausbetten aus Stahlrohr, dicht an dicht, mit Wäsche bezogen, die einmal weiß gewesen war. Ich konnte sie unmöglich zählen, aber es mussten über hundert Betten sein.

Darin lagen Menschen. Manche wirkten ein wenig älter, viele richtig alt, einige waren Greise. Sie waren wach, wimmerten und stöhnten, klammerten sich fest, hier und da fuchtelten Hände in der Luft. Und einige hatten die Augen geschlossen, als würden sie schlafen.

Meine Ankunft veranlasste viele dazu, aus ihren Betten zu steigen. Sie waren so mager, fürchterlich mager, und genauso verwahrlost wie die Frau, die mich hergeführt hatte. Jetzt mühten sie sich auf die Beine und kamen auf mich zu.

Zwanzig Alte kämpften mit ihrem eigenen Körper, kämpften gegen die Schwerkraft und bewegten sich langsam voran, einige waren so schlecht zu Fuß, dass sie auf allen vieren krochen. Alle wiederholten dieselben Worte. *Hilfe. Helfen Sie mir. Helfen Sie uns.* Wieder und wieder.

Aber die, die schliefen, blieben einfach liegen, trotz des Lärms, trotz der Rufe der anderen. Erst jetzt verstand ich, dass sie nicht schliefen. Sie waren tot.

Da drehte ich mich um und rannte.

Ich fing an zu schreien. Versuchte, irgendjemandes Aufmerksamkeit zu erregen, doch niemand reagierte.

Ich lief in der Dunkelheit weiter, zum anderen Flügel, wo das Licht brannte.

Meine Schritte auf dem Linoleum, mein eigener Atem, kein anderer Laut. Ich rannte zur nächsten Tür und riss sie auf. Eine weißgekleidete Frau, eine Ärztin oder Krankenschwester, sah mich erstaunt an. Sie war gerade dabei, Bettwäsche auf einen Rollwagen zu legen.

»Wer sind Sie?«

Erst jetzt merkte ich, dass ich weinte.

Ich wischte mir durch die Augen, versuchte es zu erklären, doch meine Worte stockten.

»Setzen Sie sich erst mal.« Sie wollte mir helfen, auf einem Stuhl Platz zu nehmen.

»Nein, nein … die Alten … sie brauchen Hilfe.«

Sie sah weg. Fing wieder an, Bettlaken zusammenzulegen.

Ich zerrte sie am Arm.

»Ich muss es Ihnen zeigen … Kommen Sie!«

Sie entwand sich behutsam meinem Griff, hatte den Blick noch immer abgewandt.

»Wir wissen von ihnen«, erklärte sie ruhig.

Ich legte ihr erneut die Hand auf den Arm. »Aber sie sind krank. Und einige … ich glaube, einige sind tot.«

Sie wich zurück.

»Wir können sie nicht mitnehmen.«

»Mitnehmen?«

»Wir räumen die Klinik. Hier ist es nicht mehr sicher. Wir nehmen die Patienten mit in ein Krankenhaus, das weiter südlich liegt, in Fangshan. Wir sind so wenige, wir schaffen es nicht mehr. Wir bekommen keine Versorgung mehr, und niemand will noch länger hier arbeiten.«

»Aber was ist mit den Alten?«

»Sie sind tot.«

»Nein. Ich habe sie gesehen. Sie leben!«

»Sie werden bald sterben.« Sie sah mich an, richtete sich auf, als wolle sie sich stählen.

Ich blieb stehen. »Nein!«

Sie legte mir die Hand auf den Arm.

»Setzen Sie sich.«

Sie ging zum Waschbecken und wollte ein Glas Wasser für mich holen, doch der Hahn hustete nur einmal kurz. Sie gab auf und ging auf den Gang hinaus.

»Warten Sie hier.«

Bald darauf kam sie mit einem Glas lauwarmem Wasser zurück.

Ich nahm es entgegen. An dem Glas konnte ich mich festhalten. Ich klammerte mich daran.

Sie setzte sich zu mir.

»Sind Sie eine Angehörige?«, fragte sie sanft.

»Ja. Nein. Ich weiß nicht. Ich meine … keine Angehörige von einem dieser Patienten.«

Sie sah mich verblüfft an.

»Ich suche nach meinem Sohn«, sagte ich.

Sie nickte. »Ja, Sie haben recht. Er ist nicht hier. Die letzten Patienten wurden heute verlegt. Jetzt ist nur noch das Inventar hier.«

»Und die Alten?«

Sie antwortete nicht, stand nur abrupt auf.

»Die Alten?!«, fragte ich noch einmal.

»Denen können wir nicht mehr helfen.« Ihre Stimme war gepresst, sie packte den Griff ihres Rollwagens mit der Wäsche, ohne mich anzusehen. »Ich muss Sie bitten, zu gehen.«

Mir wurde erneut übel.

»Sollen sie einfach hierbleiben?«

Sie drehte sich weg.

»Gehen Sie jetzt.«

»Nein!«

Endlich hob sie den Blick. Ihre Augen flehten mich an.

»Gehen Sie. Und vergessen Sie, was Sie gesehen haben.«

Ich wollte den Wagen festhalten, wollte sie festhalten, aber sie riss ihn an sich. Er stieß mit einem Knall gegen den Türrahmen, sie hatte die Öffnung verfehlt und musste neu Anlauf nehmen. Dann gelang es ihr endlich, den Wagen hinauszumanövrieren. Die Räder surrten über den Boden, während sie den Gang hinab verschwand. Das Geräusch tat mir in den Ohren weh.

Ich stand auf der Straße und wusste nicht, wie ich dorthin gekommen war. Ich hatte sie zurückgelassen, genauso wie alle anderen es taten, ich war ein Teil davon. Dies war unsere Welt. Wir opferten unsere Alten. War dasselbe auch meiner Mutter widerfahren? Man hatte sie weggeschickt. Alles war so schnell gegangen. Dann war sie verschwunden. Und ich hatte nichts unternommen, um ihr zu helfen. Hatte es einfach nur geschehen lassen.

Mama.

Ich krümmte mich, sank auf die Knie, mein Magen stülpte sich um.

Ich erbrach mich, bis nichts mehr übrig war. Ich sollte zurückgehen und ihnen etwas zu essen und zu trinken bringen. Sie dort herausholen. Oder jemanden finden, der ihnen helfen konnte. Ich sollte wie ein Mensch handeln. Irgendjemand musste etwas dagegen unternehmen können. Vielleicht war ich dieser Mensch. Vielleicht war der Krankenhausleitung die Entscheidung, die Alten hier zurückzulassen, nicht einmal bekannt. Vielleicht wussten sie es nicht.

Aber deshalb war ich nicht hier.

Ich war wegen Wei-Wen gekommen.

Ich war nicht verantwortlich für die Menschen dort drinnen. Das Krankenhaus war verantwortlich. Und ihre Angehörigen. Sie waren einfach zurücklassen worden. Aber diesmal nicht von mir.

Mama. Sie hatte ich im Stich gelassen. Aber Wei-Wen würde ich nicht im Stich lassen. Und die Menschen dort drinnen … Ich konnte nichts tun. Ich musste mich auf mein Kind konzentrieren.

Wieder musste ich mich übergeben, als würde mein Körper gegen meine Gedanken protestieren, Schleimfäden hingen an meinen Lippen. Ich hatte einen sauren Geschmack im Mund, es brannte in Nase und Kehle. Es geschah mir recht.

Matt und benommen blieb ich sitzen. Nach einer Weile kam ich langsam wieder auf die Beine und begann zu gehen. Ich machte mir keine Gedanken, wohin ich ging, ich wusste nur, dass ich so weit weg von hier wollte wie möglich. Mein Mund war trocken, ich versuchte, durch die Nase zu atmen, befeuchtete meine Lippen mit der Zunge. Es half nichts. Mir fiel ein, dass ich noch eine halbvolle Flasche Wasser in der Tasche hatte, und ich nahm sie heraus und leerte sie in großen Schlucken.

Dann lief ich weiter. Ich verlor das Zeitgefühl. An einer Stelle war der Himmel heller, da zog es mich hin. Vielleicht verbarg sich die Sonne dort, vielleicht konnte ich dort all dem Grau entkommen. Doch dann wurde der Punkt am Himmel immer kleiner, der Schleier vor der Sonne verdichtete sich.

Erst als es längst zu spät war, begriff ich, dass ich mich verlaufen hatte.

GEORGE

Meine Bienenstöcke standen wieder auf der Wiese, im Wald und am Wegesrand, wo Tom sie anscheinend am liebsten sah. Abgesehen davon, dass er auch dort eigentlich nichts mit ihnen zu tun haben wollte.

Es war früher Vormittag, und ich war draußen auf der Wiese beim Alabast River. Die Sonne brannte auf meinen weißen Hut, den Overall und den Schleier. Bis auf meine Unterwäsche trug ich nichts darunter. Schweißtropfen rannen über meinen Rücken und kitzelten dort, wo sie den Saum meiner Boxershorts trafen. Florida musste jetzt die reinste Hölle sein. Was war ich froh, dass wir uns nicht dafür entschieden hatten.

Denn hier oben war der Sommer heiß genug. In den letzten Wochen war das Wetter phänomenal gewesen. Wenig Niederschlag. Die Bienen waren fleißig gewesen, rein, raus, rein, raus waren sie geflogen. Sie sammelten Nektar, sobald die Sonne aufging und bis sie am Abend wieder verschwand, direkt hinter Gareths Hof.

Das war die beste Zeit hier. Jetzt war ich viel bei den Bienen draußen. Nahm mir Zeit. Manchmal blieb ich stehen und studierte ihren Tanz. Ihre Bewegungen, in denen ich nicht unbedingt ein System erkennen konnte, obwohl ich wusste, dass sie sich auf diese Weise erzählten, wo der beste Nektar war: *Jetzt schlage ich ein bisschen mit den Flügeln, fliege nach rechts, danach ein bisschen nach links, dann eine Runde, und das bedeutet, ihr müsst an der großen Eiche vorbeifliegen, den kleinen Hang hinauf, über den Bach, und da, liebe Leute, gibt es die Stelle mit den besten wilden Himbeeren, die ihr euch nur vorstellen könnt!*

So machten sie weiter. Rein und raus, füreinander tanzen, suchen, finden, bringen. Und die Bienenstöcke wurden immer schwerer. Ab und zu stand ich einfach nur da und befühlte sie, wog sie in der Hand, wog den Honig, der dort drinnen bereits floss. Goldenes, flüssiges Geld. Geld für Selbstbeteiligungen, Geld für Kredite.

Inzwischen hatte ich längst die Honigräume aufgesetzt. Jetzt war es wichtig, sie vom Schwärmen abzuhalten. Zu verhindern, dass die alte Königin Teile ihres Volkes mitnahm, um einer neuen Königin und ihren Nachkommen Platz zu machen.

Die Wiese am Alabast River lag fernab jeder Zivilisation, und dennoch war ich mehr als einmal gerufen worden, um einen Schwarm aus einem Obstbaum zu vertreiben. Verbiesterte Weiber mit ängstlichen Kindern drückten sich die Nasen an den Fensterscheiben ihres Hauses platt, während ich die Äste schüttelte und den Schwarm vorsichtig in eine Beute lavierte. So etwas förderte unseren Ruf nicht gerade, und deshalb arbeitete ich hart daran, das Schwärmen zu verhindern. Die Bienen hatten nun mal die drollige Angewohnheit, wenn sie sich Pausen gönnten, nicht nur in der freien Natur Bäume anzusteuern, sondern auch in den Gärten der Leute, während die Spurbienen nach einem neuen Zuhause Ausschau hielten.

Aus diesem Grund steckte ich nun meinen Kopf in die Magazinbeuten und suchte nach Schwarmzellen. Sobald ich welche entdeckte, brach ich sie. Fand ich hingegen schon Larven, blieb mir kein anderer Ausweg, als das Volk zu teilen.

In manchen Stöcken war der Schwarmdrang besonders groß, warum, fand ich nie heraus. Dann galt es, die Königin auszuwechseln und nur die Besten unter ihnen zur Zucht einzusetzen. Man musste der Verlockung widerstehen, mit den Nachfahren der schwärmerischen Bienen weiterzumachen.

In diesem Jahr hatte ich die meisten Königinnen schon ausgetauscht, einzelne durften jedoch weiterleben. Es waren einige wenige, treue Königinnen, die bis zu drei Jahre lang weiter Eier legten. Musterköniginnen. Mit ihnen züchtete ich gern.

Bei einer von ihnen stand ich gerade, an einer rosafarbenen Magazinbeute, in der ein sehr gewissenhaftes Bienenvolk lebte. Eines, das den meisten Nektar sammelte. Bienen, auf die ich mich verlassen konnte und die wie die Wilden produzierten, ich hatte in diesem Jahr schon zwei Honigräume aufgesetzt. Zwei schwere Kisten voller Honig. Ich war seit einer Woche nicht mehr hier gewesen, weil ich mich in der Zwischenzeit um die Beuten an anderen Orten gekümmert hatte.

Der Gedanke an Tom schwirrte mir im Kopf herum, sodass ich mir das Flugbrett nicht genau ansah, ehe ich den Deckel abnahm. Wir hatten nichts mehr von ihm gehört. Nichts über das Stipendium oder was er sonst plante. Vielleicht hatte er mit Emma telefoniert, während ich unterwegs war, und sie hatte es nicht erwähnt. Ich wartete einfach ab. Vielleicht überdachte er auch die verschiedenen Möglichkeiten, und keine Nachrichten waren gewissermaßen gute Nachrichten. Und er wusste schließlich, wo er mich erreichen konnte, es war ja nicht so, dass der Hof Flügel bekommen hatte und davongeflogen war.

Hatte ich ihn verloren?

Ich legte den Deckel auf dem Boden ab, und erst jetzt setzte meine Konzentration wieder ein. Denn das Geräusch war nicht so wie üblich. Nicht so, wie es sein sollte. Es war viel zu still.

Ich entfernte die Isolierung. Jetzt müsste ich sie doch bald hören?

Ich warf einen Blick auf das Flugbrett, die Löcher.

Keine Bienen.

Dann sah ich in die oberste Zarge hinein. Die Vorräte waren in Ordnung. Viel Honig.

Aber wo waren sie?

Vielleicht in der nächsten Zarge. Ja. Da mussten sie sein.

Ich nahm sie ab. Mein Rücken streikte. *Denk dran, in die Knie zu gehen.* Ich versuchte, gelassen zu bleiben. Setzte sie ordentlich im Gras ab, richtete mich auf und sah in die nächste Zarge hinein.

Nichts.

Der Brutraum. Sie mussten im Brutraum sein.

Hastig entfernte ich das Königinnengitter. Die Sonne

stand direkt über meinem Kopf und schien in den Innenraum.

Leer. Er war leer.

An Brut fehlte es nicht, aber das war auch schon alles. Nur einige wenige, frischgeschlüpfte Bienen krabbelten herum, ohne dass sich jemand um sie kümmerte. Verwaiste Kinder.

Ganz unten fand ich die Königin, wie alle Königinnen war sie mit türkisfarbenem Lack auf dem Rücken markiert. Um sie herum hatten sich mehrere junge Bienen versammelt, ihre Kinder. Sie tanzten nicht, waren wie benommen. Allein. Verlassen. Mutter und Kinder, verlassen von der Masse der Arbeiterinnen. Verlassen von denen, die auf sie aufpassen sollten. Verlassen, um zu sterben.

Ich suchte den Boden der Beute ab, doch auch dort war nichts. Sie waren einfach weg.

Vorsichtig setzte ich das Königinnengitter und die Zargen wieder auf ihren Platz. Ich merkte, dass ich hektisch blinzelte. Meine Hände zitterten und waren plötzlich kalt wie an einem nassen Herbsttag.

Ich wandte mich der benachbarten Beute zu. Das Flugbrett, der Eingang zum Bienenstock, lag auf der anderen Seite, sodass ich sie nicht sehen konnte, aber das brauchte ich auch nicht, um zu wissen, was mich erwartete, denn es war viel zu still.

Keine Spur von Milben. Keine anderen Krankheiten. Keine Massaker, kein Friedhof, keine Leichen.

Der Bienenstock war einfach nur verlassen worden.

Und auch dort fand ich die Königin fast allein, ganz unten.

Meine Brust krampfte sich zusammen, ich beeilte mich, den Deckel wieder aufzulegen.

Ich öffnete die nächste Magazinbeute.

Die Hoffnung saß in meinen Händen, als ich mit einem Ruck den Deckel abnahm.

Doch nein. Dasselbe.

Ich öffnete die nächste.

Dasselbe.

Die nächste.

Die nächste.

Die nächste.

Dann hob ich den Blick.

Betrachtete sie alle miteinander, wie sie in unregelmäßigen Abständen in der Landschaft standen. Meine Magazinbeuten. Meine Bienen.

26 Beuten. 26 Bienenvölker.

William

Während Edmund seinen Genesungsschlaf machte, arbeitete ich bei meinem Bienenstock. Die Sonne schien wieder, hier draußen war ich unbeschwerter. Natürlich war er nicht krank, er war einfach nur erschöpft, Thilda hatte sicher recht. Ein Tag mehr oder weniger spielte keine Rolle, und wenn Edmund sah, was ich vollbracht hatte, würde er bestimmt richtig erwachen.

Die Observationsbedingungen waren hervorragend. Ich hatte den Stock so hoch platziert, dass ich kaum den Rücken beugen musste, um etwas zu sehen. Die Bienen hatten sich überraschend schnell zurechtgefunden, und jetzt schafften sie unermüdlich Pollen und Nektar herbei und vermehrten sich. Alles war so, wie es sein sollte. Nur eines verwunderte mich: ihr ständiges Bedürfnis, die Rahmen mit dem Bienenwachs an etwas zu befestigen. Ich hatte verschiedene Strategien erprobt, doch wenn die Rahmen zu nahe an den Seiten des Bienenstocks standen, produzierten die Tiere eine Mischung aus Wachs und Propolis – jenes zähe Material, das sie aus Harz herstellten –, und wenn sie zu weit entfernt standen, bauten die Bienen wild drauflos, und die Waben hingen kreuz und quer. Die

Tatsache, dass sie ihr Werk immerzu befestigen mussten, würde auf lange Sicht die Ernte erschweren. Hier zeigte sich ein Problem, an dem ich weiterarbeiten musste.

Wie ich dort stand, kam er. Ich entdeckte ihn, ehe er mich sah. Sein Anblick ließ mich innerlich erzittern; der wogende Hut, der sein Gesicht im Schatten ließ, das weite Hemd an seinem sehnigen Körper, und dieser Sack, derselbe Segeltuchsack, der stets über seiner Schulter hing, voller Glasbehälter, Pinzetten, Skalpelle und lebender Geschöpfe.

Ich beugte mich über den Bienenstock. Dies könnte die Chance sein, auf die ich gehofft hatte, aber ich durfte ihm nicht zeigen, was für mich auf dem Spiel stand. Ich hielt meine Hände in Bewegung, ohne zu wissen, was ich tat. Den Rücken zum Weg gewandt, tat ich, als wäre ich vollkommen eingenommen, gefesselt von diesem großen Werk, das allein meines war, mein erstes eigenes Werk.

Seine Schritte näherten sich und wurden langsamer. Er blieb stehen.

Dann räusperte er sich.

»Sieh einer an.«

Ich drehte mich um und setzte eine überraschte Miene auf.

»Rahm.«

Er lächelte kurz.

»Also stimmt es, was die Leute sagen?«

»Ja?«

»Man ist wieder auf den Beinen.«

Ich richtete mich auf.

»Nicht nur auf den Beinen. Ich fühle mich besser denn je zuvor.« Wie unreif das klang.

»Freut mich«, sagte er, ohne zu lächeln.

Ich hoffte, er würde mir weitere Fragen stellen, würde sich erkundigen, warum ich solch große Worte wählte, aber er sagte nichts, stand halb abgewendet, als wollte er gleich wieder gehen.

Ich begab mich zum Zaun und legte den Hut und den Schleier ab. Ich wollte ihn hier halten, ihm eine Hand zum Gruß entgegenstrecken und seine Hand in meiner spüren. Gleichzeitig wurde ich mir meines transpirierenden Gesichts bewusst, das vermutlich rot glänzte. Ich wischte mir diskret den Schweiß von der Stirn, doch er hatte es schon bemerkt.

»Wohl warm da drinnen«, sagte er.

Ich nickte.

»Obschon es vernünftig ist, sich zu bedecken.«

»Ja, ja«, antwortete ich und wusste nicht, worauf er hinauswollte.

»Es kann sehr übel enden, wenn man sich nicht schützt.«

Er sprach in seinem mir wohlbekannten, belehrenden Ton. Als wäre das etwas Neues für mich.

»Dessen bin ich mir bewusst«, erwiderte ich nur und wünschte, ich hätte etwas Hintergründiges, Schlaues gesagt, das ihn zum Lächeln brachte, aber ich konnte nur Selbstverständlichkeiten beitragen.

»Deshalb habe ich mich nie so für Bienen begeistert. Man kommt nicht in direkten Kontakt mit ihnen«, fuhr er fort.

»Nein. Aber es hängt wohl auch ein wenig davon ab, welches Vertrauen man aufbaut.«

Er überhörte meinen Einwand, redete einfach dort weiter, wo er aufgehört hatte. »Es sei denn, man ist Wildman.« Wieder dieses kurze Lächeln.

»Wildman?«

Wie so oft zuvor präsentierte er mir einen unbekannten Namen. Sein Wissen schien unerschöpflich.

»Aha. Hat man noch nie von Wildman gelesen?«

»Nein ... ich weiß nicht genau ... der Name erscheint mir bekannt.«

»Ein Zirkusartist. Ein Scharlatan. Und ein Narr. Er ließ die Bienen auf sich herumkrabbeln, ohne Schutz. Er war für seinen Bart aus Bienen berühmt.« Rahm strich sich übers Gesicht, um es zu demonstrieren. »Hatte Bienen an Wange, Kinn und Hals. Selbst vor König George III. ist er aufgetreten. Wann mag das gewesen sein ... im Jahr 1772?«

Er sah mich an, als wüsste ich die Antwort.

»Wie dem auch sei. Er machte seinem Namen alle Ehre, dieser Wildman. Es war ein russisches Roulette, was er da betrieb, indem er sich von den Bienen besetzen ließ und es so darstellte, als hätte er die volle Kontrolle über sie, wie eine Art Magie. In Wirklichkeit brachte er sie lediglich künstlich zum Schwärmen. Er überfütterte sie mit Sirup und nahm sich die Königin. Und wo die Königin ist, sind auch die Bienen.«

Wieder dieser belehrende Tonfall, als ob er nicht wüsste, dass auch das keineswegs neu für mich war.

»Sein Vater beschäftigte sich übrigens teilweise mit denselben Dingen. Doch aus ihm wurde allmählich ein angesehener Imker, unter anderem für viele der Adligen, die er mit den Grundlagen der Imkerei vertraut machte. Der Sohn hingegen fuhr bis an sein Lebensende mit diesem Irrsinn fort. Was er uns damit wohl beweisen wollte?«

»Tja, was wohl?«, sagte ich lahm.

»Sei es drum«, sagte Rahm und hob zum Abschied die Hand an seinen Hut. »Sie sind jedenfalls auf keinen Fall ein Wildman, Herr Savage. Das wissen wir beide doch nur zu gut. Nehmen Sie's mir nicht übel.« Er verscheuchte eine Biene mit der Hand. »Sie stechen.« Dann wandte er sich zum Gehen.

»Rahm.« Ich ging einen Schritt auf ihn zu.

»Ja?« Er drehte sich um.

»Falls Sie einen Moment Zeit hätten … es gibt da etwas, was ich Ihnen gern zeigen würde.«

Er sagte kein Wort, als ich ihm den Bienenstock präsentierte. Hinter Charlottes Hut und Schleier, die ich ihm geliehen hatte, waren seine Augen nicht zu erkennen. Ich redete immer schneller, und der Eifer packte mich, denn nun stellte ich etwas vollkommen Eigenes vor, zum ersten Mal. Und es gab so viel zu sagen, so viel zu erklären. Ich zeigte ihm, wie einfach es sein würde, den Honig zu ernten, wie mühelos man die Rahmen herausnehmen konnte, und wie leicht man den Bienenstock reinhalten konnte. Ich erläuterte meine Veranlassung; dass mein Stock von Hubers Blätterbeute inspiriert sei, mein eigenes Modell jedoch viel einfacher zu handhaben sei und für eine den Bienen angenehmere Temperatur sorge. Und nicht zuletzt zeigte ich ihm, welch guten Einblick meine

Erfindung bot, welche weiteren Möglichkeiten sie für das Studium der Bienen offenbarte.

Schließlich hatte ich nichts mehr zu sagen und merkte, dass ich nach meinem ununterbrochenen Redestrom ganz atemlos war.

Endlich.

Ich wartete auf seine Reaktion, doch sie blieb aus.

Während die Stille zwischen uns anhielt, wuchs meine Angst.

»Es würde mich freuen, Ihre Gedanken darüber zu hören«, sagte ich nach einer Weile.

Er ging um den Bienenstock herum. Studierte ihn von allen Seiten. Öffnete und schloss ihn.

Ich verschränkte die Hände hinter dem Rücken. Meine Handschuhe waren nassgeschwitzter denn je.

Und dann sagte er es.

»Sie haben einen Dzierzon-Stock gebaut.«

Ich starrte Rahm an, verstand nicht, was er meinte. Dann wiederholte er seine Worte betont langsam.

»Sie haben einen DZIERZON-STOCK gebaut.«

»Wie bitte?«

»Johann Dzierzon. Priester und Imker. Pole, derzeit jedoch wohnhaft in Deutschland. Sie haben seinen Bienenstock gebaut.«

»Nein. Das ist meine … ich meine … ich habe doch noch nie von diesem Tzi …«

»Dzierzon.«

Rahm drehte dem Bienenstock den Rücken zu. Er entfernte sich einige Schritte, nahm den Hut ab. Sein Gesicht war gerötet. War er wütend?

»Es ist jetzt zehn Jahre her, dass ich zum ersten Mal von seinem Bienenstock las. Er hat eine Reihe von Artikeln darüber in der *Bienenzeitung* veröffentlicht.«

Er musterte mich mit ausdruckslosem Blick.

»Ich weiß ja, dass Sie dieses Magazin nicht lesen, und die Artikel haben außerhalb von Forschungskreisen bisher auch noch keine Verbreitung gefunden. Dementsprechend verstehe ich natürlich, dass Sie noch nicht davon gehört haben.« Sein Ton war überlegen. »Aber dieser Bienenstock ermöglicht Ihnen ja – wie Sie so korrekt hervorgehoben haben – einen guten Einblick. Es wird Ihnen leichtfallen, die Bienen in vivo zu studieren. Also könnte Ihnen diese Arbeit vielleicht trotzdem gewisse Vorteile einbringen.«

Jetzt lächelte er, und ich verstand, dass er in Wirklichkeit rot war, weil er sich amüsierte und das Lachen verkneifen musste, dieses kurze, freudlose Lächeln, denn ich hatte ihn wieder einmal enttäuscht, und darüber hätte er am liebsten nur noch gelacht.

Doch er ließ seinem Lachen keinen freien Lauf, sondern stand einfach nur so da und sah mich an und schien eine Antwort zu erwarten. Ich fand keine Worte. Das konnte doch nicht stimmen? War all meine Arbeit vergebens gewesen? Mein Hals schwoll an, das Blut stieg mir ins Gesicht. Und als ich nichts erwidern konnte, fuhr er fort:

»Ich würde Ihnen raten, sich gezielter über Ihr Arbeitsgebiet in Kenntnis zu setzen, ehe Sie Ihr nächstes Projekt beginnen. In den letzten Jahren sind in diesem Bereich große Fortschritte gemacht worden. Dzierzon behauptet beispielsweise, dass die Bienenkönigin wie auch die Arbeiterinnen Produkte der Fertilisation sind, wohingegen sich die Drohnen ihrerseits aus unbefruchteten Eiern entwickeln. Eine umstrittene Theorie, die aktuell allerdings sehr viel diskutiert wird. Unter anderem hat sie wohl auch einen jungen Mönch namens Gregor Mendel zu einer Forschungsarbeit über Vererbung inspiriert, die ihresgleichen sucht. Hier gibt es noch viel zu tun, wie Sie verstehen werden.«

Er reichte mir den Imkerhut.

»Dennoch, schön zu sehen, dass Sie wieder auf dem Damm sind. Und vielen Dank, dass Sie mir Ihre kleine Zerstreuung vorgeführt haben.«

Ich blieb mit dem Hut in den Händen stehen, weshalb es seltsam gewesen wäre, die Hand auszustrecken. Außerdem brachte ich nichts über die Lippen, weil ich fürchtete, bereits ein schlichtes Adieu könnte in ein Schluchzen münden.

Rahm setzte sich mit einer routinierten Bewegung den eigenen Hut wieder auf, verabschiedete sich, indem er mir zunickte und abermals die Hand zur Krempe führte, woraufhin er sich umdrehte und ging.

Zurück blieb ich, ein dummer Junge mit seiner kleinen Zerstreuung.

GEORGE

Ich hastete über die Wiese in Richtung Fluss. Kam an der Eiche vorbei. Mein Magen krampfte sich zusammen. Irgendwo mussten sie sein.

Ich nahm mein Handy, prüfte, ob ich einen Anruf verpasst hatte, vielleicht hatte jemand einen Schwarm in seinem Garten? Doch nein. Das Klingeln hätte ich gehört.

Das war kein Schwärmen. Natürlich nicht. Ich wusste es ja. Kein Bienenstock sah so aus, wenn sie schwärmten. Und kein Schwarm verließ die alte Königin.

Systematisch durchkämmte ich die Umgebung, lief hin und her.

Nichts.

Wieder griff ich zu meinem Handy. Ich musste Ordnung in diese Sache bringen und die Kontrolle wiedererlangen, und ich brauchte Hilfe.

Ich wählte Ricks Nummer. Er meldete sich sofort, im Hintergrund war Lärm zu hören, er war im Pub.

»Hier ist Rick, immer zu Diensten!«, sagte er lachend.

Ich konnte nicht antworten, die Worte steckten in meinem Hals fest.

»Hallo? George?«

»Ja. Hallo. Entschuldige die Störung.«

»Stimmt etwas nicht? Warte mal kurz.«

Um ihn herum wurde es stiller, offenbar hatte er das Lokal verlassen.

»Hallo. So. Jetzt kann ich dich besser hören.«

»Ja. Rick... ich wollte dich fragen, ob du kommen kannst. Zur Wiese am Fluss.«

Die Fröhlichkeit wich aus seiner Stimme, er hörte mir an, dass es ernst war.

»Wie meinst du das? Jetzt?«

»Ja. Ja...«

Meine Stimme brach.

»Es ist... so viel. Es gibt so unglaublich viel aufzuräumen.«

Emma weinte. Sie stand mitten auf der Wiese unter einem Baum und weinte. Die Blätter warfen Schatten auf ihr Gesicht, die sich über ihre nassen Wangen bewegten. Vielleicht hatte sie versucht, sich hier unter dem Baum zu verstecken, hatte ihre Verzweiflung verstecken wollen. Aber ich fand sie, legte die Arme um sie und hielt sie fest, wie ich es immer tat, wenn ihr die Tränen kamen. Es half, sie beruhigte sich. Und mich selbst beruhigte es wohl auch ein wenig.

Um uns verstreut lagen die umgestürzten Magazinbeuten, die Pastellfarben leuchteten grell in der Sonne. Sie waren wie kleine Häuser, von einem Riesen zerstört. Und der Riese war ich. Ich hatte nicht die Kraft gehabt, hinter mir aufzuräumen. Ich war über die Wiese hinweggetobt, hatte eine Beute nach der anderen kontrolliert, während mir das Blut in den Ohren rauschte.

Ich hatte nicht alle verloren. Die eine oder andere Beute war noch immer wie vorher, dort summten die Bienen umher und arbeiteten, als sei nichts geschehen, aber die gesunden Bienenstöcke waren zu wenige. Ich hatte keine Lust, sie zu zählen. Ich machte nur weiter. Immer weiter.

Rick und Jimmy waren beide gekommen und arbeiteten jetzt ein Stück von uns entfernt. Rick ging langsam vor und zurück, ausnahmsweise hielt er einmal den Mund, sein Körper wankte leicht, als wüsste er nicht, wo er anfangen sollte. Jimmy war dagegen schon voll im Einsatz, hievte die leeren Kisten hoch und stapelte sie ordentlich.

»So was kann doch nicht einfach so passieren«, schluchzte Emma in meinen Pullover.

Ich hatte keine Antwort.

»Irgendetwas muss … falsch gelaufen sein.«

Ich ließ sie los. »Du glaubst, es liegt an uns?«

»Nein, nein.« Ihr Schluchzen verebbte. »Aber … was ist mit dem Futter?« Sie richtete sich auf, ihr Gesicht lag noch immer im Schatten, und sie sah mich nicht an.

»Alles in Ordnung – Herrgott noch mal, du brauchst nur in den Kalender zu gucken, du weißt doch, dass ihnen jetzt nicht das Futter ausgeht.«

»Nein, nein.«

Emma trocknete sich die Tränen, und ich wusste nicht, was ich mit meinen Händen anstellen sollte.

Sie blickte aus dem Schatten hinaus zur Wiese, ins Licht.

»Es ist ziemlich warm. Viele von ihnen stehen ja den ganzen Tag in der Sonne.«

»Das tun sie jeden Sommer, schon seit Generationen.«

»Ja. Bitte entschuldige. Ich kann nur nicht glauben, dass sie einfach so verschwinden. Ohne Grund.«

Meine Kiefermuskeln spannten sich an. Ich drehte ihr den Rücken zu.

»Nein. Das kannst du nicht glauben. Aber das hilft uns jetzt auch nicht viel weiter.«

Eine einsame Biene summte an uns vorbei.

»Entschuldige«, sagte sie leise. »Bitte komm zu mir.«

Sie breitete die Arme aus, ganz sanft und ruhig, strahlte Geborgenheit aus. Ich vergrub mein Gesicht in ihrem Pullover, hätte gern so wie sie geweint, aber meine Augen waren staubtrocken. Stattdessen bekam ich kaum Luft. Es wurde zu eng, ihr Pullover erstickte mich, ihre Haut strahlte viel zu warm durch den Stoff.

Ich zog mich zurück. Stapelte einige Bretter, hatte aber keinen Ort, an dem ich sie ablegen konnte, also schichtete ich sie auf dem Boden zu einem Haufen. Aufräumen ohne Sinn und Verstand.

Sie kam zu mir, streckte erneut die Arme aus.

»Du ...«

Ich war verraten worden, so wie Cupido von seiner Mutter. Aber ich hatte keine Mutter, vor der ich weinen konnte. Auch keine Mutter, der ich etwas vorwerfen konnte, denn ich wusste nicht, wer mich verraten hatte ...

Und noch dazu konnte ich auch nicht einfach jammern wie ein mit Stichen übersätes Kind.

Ich schüttelte heftig den Kopf, als Emma mir die Arme entgegenstreckte. »Muss jetzt arbeiten.«

Dann nahm ich weitere Bretter, legte sie auf die anderen, ein wackeliger Turm.

»Na gut.« Sie ließ ihre Arme sinken.

»Ich mache euch was zu essen.«

Sie drehte sich um und ging.

Die Abendsonne war ein feuerroter Kreis am Himmel. Harte Strahlen und lange Schatten.

Mein Körper tat weh, aber ich machte einfach weiter. Ich hatte Beuten an sieben verschiedenen Plätzen stehen, doch überall bot sich mir derselbe Anblick.

Jetzt waren wir beim letzten Ort angelangt, dem Wald hinter dem Hof von McKenzie. Es war ein kleiner Forst, umgeben von Feldern. Die Beuten standen im Halbschatten. Normalerweise summten die Bienen gegen die zwitschernden Vögel und umhersurrenden Fliegen an. Jetzt war alles still.

Plötzlich stand Jimmy mit den drei Klappstühlen da.

»Wir müssen uns jetzt setzen«, sagte er.

Er suchte uns einen Platz ein Stück von den Beuten entfernt. Rick und ich stapften hinterher. Rick hatte den ganzen Nachmittag kein Wort gesagt, und ich ertappte mich dabei, dass ich seine Geschichten vermisste. Immer wenn ich ihn ansah, drehte er sich weg, vielleicht wollte er seine feuchten Augen verbergen.

Jimmy packte eine Thermoskanne und Kekse aus. Hatte er sie dabeigehabt? Oder von Emma bekommen? Ich wusste es nicht. Er zog die Plastikfolie von der Kekspackung und legte sie zwischen uns, dann schenkte er Kaffee ein. Wir nahmen die Tassen. Diesmal stießen wir nicht miteinander an.

Der Klappstuhl quietschte. Ich versuchte, ruhig zu sitzen, mich gar nicht zu bewegen, das Geräusch wirkte fehl am Platz. Es gehörte einer anderen Zeit an. Jimmy trank einen Schluck Kaffee und schlürfte dabei. Auch dieses Geräusch klang falsch. Alltäglich. Wie entspannt er die Tasse hielt, plötzlich bekam ich Lust, seine ruhige Hand zu packen und ihm den Kaffee ins Gesicht zu schütten, damit Ruhe einkehrte. Nein, was dachte ich da bloß … Armer Jimmy. Es war nicht seine Schuld.

Wir drei konnten über vieles reden. Über die Imkerei. Über Landwirtschaft, Werkzeug, Handwerk, Tischlerei. Und über den Ort, die Leute, den neuesten Klatsch und Tratsch. Über Gareth konnten wir lange reden. Auch über Frauen, jedenfalls Rick und ich. Normalerweise plauderten wir munter drauflos. Wir fanden immer etwas, worüber wir lachen konnten. Jimmy und ich bestimmten das Tempo, unsere Dialoge waren wie Pingpong, während Rick die längsten Monologe hielt.

Heute fanden wir jedoch keine Worte. Immer, wenn ich etwas sagen wollte, hielt ich inne. Und ich glaube, den anderen ging es genauso. Denn Jimmy räusperte sich ständig, und Rick sah vom einen zum anderen und holte in regelmäßigen Abständen tief Luft. Doch es kam nichts.

Also tranken wir Kaffee und aßen Kekse. Und versuchten, ganz ruhig zu sitzen, damit uns das Quietschen der Stühle nicht daran erinnerte, dass es allzu still zwischen uns war. Der Kaffee war lauwarm und schmeckte nach nichts. Die Kekse ließen sich essen, sie sorgten für ein wenig Linderung, und erst jetzt verstand ich, dass das Ziehen in meinem Bauch Hunger war.

So saßen wir, während sich die Dunkelheit herabsenkte, über uns, um uns. Bis auf die Knochen.

tao

Ich fand keine Straßenschilder, die Karte ergab keinen Sinn, und ich traf niemanden, den ich hätte fragen können. Doch mir wurde immer deutlicher, dass ich an einem Ort war, an dem ich nicht sein sollte. Ich befand mich in einem der Gebiete, vor denen mich die Rezeptionsdame gewarnt hatte, weil die Behörden keine Kontrolle mehr über sie hatten. Hier lebten nur noch jene, die sich der Umsiedlung verweigert hatten. Die verlassen worden waren. Die sich versteckten.

Ich bog um eine Ecke. Vor mir lag eine weitere verlassene Straße. Es wurde immer dunkler, die Schatten fielen länger, und es war viel zu still. Plötzlich nahm ich aus dem Augenwinkel eine Bewegung wahr und drehte den Kopf. Eine offene Tür klaffte in der Mauer zu einem dunklen Hinterhof. War dort drinnen jemand?

Ich ging an der Tür vorbei. Bisher hatte ich gar nicht daran gedacht, Angst zu haben, ich wollte nur von hier wegkommen. Jetzt aber merkte ich, wie sich alle Muskeln in meinem Körper anspannten. Sollte ich kehrtmachen?

Stattdessen wagte ich mich ein paar Schritte weiter vor, ein wenig langsamer jetzt. Nichts geschah. Vielleicht hatte ich mir die Bewegung nur eingebildet. Oder es war ein Tier gewesen, eine Katze oder Ratte. Irgendein Wesen, das verzweifelt versuchte, sein Leben in diesem gottverlassenen Winkel fortzusetzen, wo es keine Nahrung mehr für die Menschen gab, ja kaum einmal Unkraut, nur ein paar struppige Gewächse, die sich ihren Weg durch die Risse im Asphalt bahnten.

Als ich den Kopf hob, sah ich am Ende der Straße etwas Blau-Weißes leuchten. Ich beschleunigte meine Schritte. Jetzt erkannte ich es deutlicher: ein weißes Zeichen vor einem blauen Hintergrund. Es blinkte, vielleicht war die Stromleitung nicht ganz stabil. Aber es bestand kein Zweifel. Am Ende dieser Straße lag eine U-Bahn.

Jetzt joggte ich. Es war nicht sicher, dass die Station in Betrieb war, aber es gab dort bestimmt eine Umgebungskarte. Und vielleicht konnte ich dem Verlauf der Schienen in die bewohnten Gebiete folgen. Hier draußen fuhr die U-Bahn noch überirdisch, nicht im Tunnel, so wie im Zentrum.

Doch ich lief nicht schnell genug. Denn jetzt schlüpfte etwas hinter mir aus dem Hauseingang. Nur aus dem Augenwinkel konnte ich sehen, wie sich ein langer, ungelenker Körper auf mich zubewegte. Ein kurzer Pfeifton zerschnitt die Luft. Im nächsten Moment sah ich zwei weitere Menschen hinter mir auftauchen, auf jeder Straßenseite einen, ohne eine Ahnung zu haben, wo sie sich bisher versteckt hatten.

Sie waren noch etwa zwanzig Meter entfernt, aber sie waren flink. Sie rannten und näherten sich schnell. Ein großes, mageres Mädchen und zwei Jungen. Weder Kinder noch Erwachsene. Sie hatten glatte Haut und Greisenaugen. Sie alle waren mager und ausgezehrt. Doch mein Anblick verlieh ihnen offenbar mehr Kraft, als ihre körperliche Verfassung es zuzulassen schien.

Ich wartete nicht, ich wusste, was sie wollten. Ihre Blicke sagten mir, dass sie zu allem bereit waren, um ihren Hunger zu stillen. Sie trugen dieselbe Verzweiflung in sich wie die Alten im Krankenhaus, hatten jedoch noch die körperlichen Voraussetzungen, aus dieser Verzweiflung heraus zu handeln.

Wieder rannte ich, diesmal jedoch anders. Als ich die Alten zurückgelassen hatte, war ich vor meinem eigenen Ekel geflohen, diesmal rannte ich um mein Leben.

Sie holten auf. Ich wagte es nicht, mich umzudrehen, aber ich konnte sie hören. Die Schritte auf dem Asphalt. Sechs Füße, die in unregelmäßigem Takt auf dem Boden aufkamen. Das Geräusch wurde immer lauter.

Das blaue Schild vor mir wurde größer und größer. Wenn ich dorthin käme, wenn ich die Station erreichte, wenn eine Bahn käme …

Aber mir wurde klar, dass ich mich selbst betrog. Es würde kein Zug kommen, nicht hier. Hier gab es nur mich. Und sie. Drei verzweifelte, ausgehungerte Jugendliche ohne eine Hoffnung auf Leben, und doch von Selbsterhaltung getrieben. Vom Instinkt. Auch sie waren unsere Welt.

Jetzt lagen sie nur noch wenige Meter hinter mir. Ich konnte ihren Atem hören. Bald würden sie über mich herfallen. Mich am Kragen packen und zu Boden werfen.

Mir blieb keine Wahl.

Ich drehte mich um und hob wortlos die Hände, um ihnen zu signalisieren, dass ich mich freiwillig ergab.

Sie blieben stehen. Ein Anflug von Erstaunen huschte über ihre Gesichter und löste für einen Moment ihre Rohheit ab. Ich fixierte das Mädchen. Vielleicht, weil sie eine Frau war, wie ich. Vielleicht würde ich sie am leichtesten überreden können. Ich versuchte alles, was ich über Mitmenschlichkeit wusste, in meinen Blick zu legen. Starrte sie an, zwang sie, meinem Blick standzuhalten. Wäre ich zögerlicher gewesen, hätte sie mich vielleicht nie so angesehen, aber ein rasches Blinzeln verriet mir, dass ich sie überrascht hatte. Denn sie hielt inne und sah von mir zu den beiden anderen. So blieben wir stehen, alle vier. Jetzt wagte ich es, meinen Blick wandern zu lassen, vom einen zum anderen, ließ ihn einen Moment lang auf jedem von ihnen ruhen, wollte, dass sie mich sahen, mich wirklich sahen und nachdachten. Damit ich zu etwas anderem wurde als nur ein Rücken auf der Flucht, eine Beute. Damit ich zu einem Menschen wurde.

»Seid ihr ganz allein hier?«, fragte ich leise.

Niemand antwortete.

Ich trat einen Schritt auf sie zu.

»Braucht ihr Hilfe?«

Dem Mädchen entfuhr ein kurzer Laut, ein Winseln, ein »Ja«. Hastig schielte sie zu dem größeren Jungen hinüber. Vielleicht war er ihr Anführer.

Ich nutzte die Gelegenheit und wandte mich an ihn.

»Ich kann euch helfen. Wir können von hier abhauen. Zusammen.«

Sein Mundwinkel verzog sich zu einem Grinsen.

»Du hast Angst.« Seine Stimme war laut und heller, als ich gedacht hätte.

Ich nickte langsam, sah ihm noch immer in die Augen.

»Du hast recht. Ich habe Angst.«

»Und dann sagt man alles Mögliche.«

Ich verkniff mir eine Antwort.

»Fährt die U-Bahn hier noch?«, fragte ich stattdessen.

»Was glaubst du?«

»Habt ihr schon einmal versucht, in einen anderen Stadtteil zu kommen?«

Er lachte, es war ein brutales Lachen. »Wir haben schon vieles versucht.«

Ich trat einen Schritt auf ihn zu. »Da, wo ich wohne, gibt es Essen. Ich könnte euch etwas kaufen.«

»Was denn für Essen?«

»Was für Essen?« Die Frage ließ mich zögern. »Normale Sachen. Reis.«

»Normale Sachen«, äffte er mich nach. »Du willst also, dass wir für eine Schale Reis unser Zuhause verlassen?«

Ich blickte auf die Straße, die hinter ihm lag. Verlassen. Staubig. Nichts, was einem Zuhause glich.

Er nickte den anderen beiden zu, und sie gingen einen Schritt auf mich zu. Machten sie sich bereit, mich zu packen?

»Nein. Wartet.« Ich steckte die Hand in meine Tasche. »Ich habe Geld!«

Ich wühlte. Meine Finger gerieten an knisterndes Papier.

»Und Essen. Kekse.«

Ich zog ein Päckchen heraus und streckte es ihnen hin.

Das Mädchen war sofort bei mir, riss es mir aus den Händen und wollte das Papier aufreißen.

Schnell wich ich einige Meter zurück.

»Hey!« Der große Junge sprang nach vorn. Das Mädchen ballte die Faust, ich hörte, wie einer der Kekse zu Krümeln zerquetscht wurde.

Das Mädchen wollte gerade mit seiner Beute davonkommen, da war der Junge bei ihr. Er öffnete gewaltsam ihre Finger und nahm ihr die Kekspackung weg. Sie sagte nichts, aber ihr standen Tränen in den Augen.

Der Junge blieb mit den Keksen in der Hand stehen. Das Logo auf der Tüte war schlicht, schwarz-weiß. Der Druck war ein wenig verschmiert, vielleicht vom Schweiß des Mädchens.

»Wir müssen teilen«, sagte der Junge und sah das Mädchen an. »Wir müssen teilen.«

Jetzt waren die drei mit sich beschäftigt.

Sollte ich versuchen zu fliehen?

Nein.

Ich musste ihnen alles geben, was ich hatte. Musste großzügig sein. Nicht davonlaufen. Dann würden sie mich kriegen. Ich hatte keine Wahl.

Ich steckte meine Hand erneut in die Tasche. Schluckte und zögerte, doch ich musste es tun.

»Seht her. Geld.«

Ich wagte mich nicht näher an sie heran und legte einige zerfledderte Scheine auf den Boden, meine letzten. In der Blechdose im Hotelzimmer war nur noch Kleingeld.

Der Junge starrte darauf.

Ich wich einen Schritt zurück. Die Tränen brannten in mir. »Jetzt habt ihr alles bekommen, was ich habe.«

Er blickte weiterhin auf das Geld.

»Und jetzt gehe ich.«

Ich ging noch einen Schritt. Dann drehte ich mich um.

Ruhig ging ich weiter, in Richtung U-Bahn.

Einen Schritt.

Zwei. Drei.

Meine Beine wollten losrennen, aber ich zwang mich, langsam zu gehen. Um weiterhin ein Mensch für sie zu sein, um die Jagd nicht wieder anzuheizen, nicht wieder zu einer Beute zu werden. Den Kopf hoch erhoben, nicht umdrehen.

Ich hörte, wie sie sich hinter mir bewegten. Ein reibender Jackenstoff, ein leises Räuspern. Jedes kleinste Geräusch trat in der Stille hervor. Nur keine Füße auf dem Asphalt.

Sieben. Acht. Neun. Zehn.

Es war immer noch still.

Elf. Zwölf. Dreizehn.

Jetzt wagte ich es, das Tempo zu erhöhen. Ich kam zur Station, die mit Ketten und Vorhängeschlössern abgesperrt war. Erst dann drehte ich mich um.

Sie standen immer noch da, am selben Ort, und sahen mir nach. Alle drei ausdruckslos. Nicht die Spur einer Regung.

Ich lief auf die Ecke zu, ohne sie aus den Augen zu lassen.

Dann war ich abgebogen. Ich konnte sie nicht länger hören. Vor mir lag noch eine verlassene Straße. Jetzt befanden sich rechts von mir die U-Bahn-Schienen, links von mir eine ausgestorbene Häuserreihe. Nicht ein Mensch war hier.

Da rannte ich.

William

Zehn Tage darauf traf das Paket mit der Post ein. Die Schriften Dzierzons. Ich nahm sie mit zu mir herauf und schloss die Tür zum Zimmer im Obergeschoss, das nun mir ganz allein gehörte. Thilda schlief nicht mehr hier, auch jetzt nicht, da ich wieder gesund war. Vielleicht wünschte sie sich, dass ich sie bitten würde, ins eheliche Bett zurückzukehren, vielleicht würde sie nicht kommen, solange ich nicht darum bettelte, und dann würde es nie geschehen.

Das Bett lag leer und einladend vor mir, groß, weich und geschützt. Wie leicht es wäre, sich einfach nur hinzulegen, sich von den Decken umschließen zu lassen, es dunkel und warm zu haben.

Nein.

Besser, ich setzte mich mit meinem Paket ans Fenster. Unten im Garten sah ich Charlottes weißgekleideten Rücken über den Bienenstock gebeugt. Sie verbrachte viele Stunden dort unten, hatte einen Tisch und einen Stuhl hinausgetragen und saß mit Papier und Tintenfass da, ich sah, wie sie ihre Studien machte und etwas in ein Büchlein mit Ledereinband notierte, mit Enthusiasmus und leichten Bewegungen. Sie war wie ich, sie arbeitete so, wie ich früher gearbeitet hatte, doch das kam mir vor wie eine Ewigkeit her. Ich selbst war nach meinem Gespräch mit Rahm nicht mehr beim Bienenstock gewesen. Ich hatte ihm den Rücken gekehrt. Am liebsten hätte ich ihn kurz und klein gehauen und wäre darauf herumgetrampelt, hätte gesehen, wie die Holzlatten in alle Richtungen flogen, zersplitterten und zerstört wurden. Doch ich brachte es nicht über mich – die Bienen hielten mich davon ab; der Gedanke, tausende verzweifelte und heimatlose Bienen würden außer Rand und Band geraten und mich angreifen.

Ich öffnete das Paketband, brach die Siegel und faltete das Papier auseinander, und mit einem deutschen Wörterbuch neben mir begann ich zu lesen. Bis zuletzt hatte ich gehofft, Rahms Behauptungen wären falsch, er hätte etwas missverstanden, und Dzierzon habe gar keinen so fortschrittlichen Bienenstock gebaut. Doch obwohl mein Deutsch schlecht war und ich nur einen Bruchteil des Textes verstand, wurde eines deutlich: Sein Bienenstock ähnelte dem meinen beträchtlich. Zwar waren die Türen an einer etwas anderen Stelle angebracht und das Dach nicht ganz so schräg, aber im Prinzip waren sie identisch und wurden auf dieselbe Weise gebraucht. Außerdem hatte Dzierzon in seinem Stock eine Reihe sehr tiefgreifender Observationsstudien der Bienen vorgenommen, und ein Großteil seiner Forschung beschäftigte sich damit. Seine theoretische Grundlage war fundiert und zeugte von einer unendlichen Geduld, alles war sorgfältig dokumentiert, seine Argumentation vorbildlich geführt. Dzierzons Arbeit war Weltklasse.

Ich legte seine Schriften beiseite und richtete meine Aufmerksamkeit wieder zum Fenster hinaus. Charlotte setzte dort unten gerade den Deckel auf den Bienenstock, entfernte sich einige Schritte und nahm den Imkerhut ab. Sie lächelte vor sich hin, dann kam sie auf das Haus zu.

Ich öffnete meine Tür. Unten hörte ich ihre Schritte, ich begab mich zum Treppenabsatz, von dort aus konnte ich sie sehen. Sie betrat den Flur. Hier setzte sie sich an den Konsolentisch, zog ihr Notizbuch heraus und legte es aufgeschlagen vor sich hin. Sie dachte nach, ihr Blick hing für eine Sekunde in der Luft, ehe sie den Kopf beugte und schrieb. Ich ging die Treppe hinab, und sie hob den Kopf und lächelte, als sie mich sah.

»Vater, wie schön, dass du kommst«, sagte sie. »Hier, das musst du dir anschauen.«

Sie wollte mir das Büchlein zeigen, hielt es mir entgegen.

Doch ich ignorierte es, ging stattdessen zum Kleiderständer, nahm meinen Hut und meine Jacke und zog mich rasch an.

»Vater?«

Sie strahlte mich an, aber ich sah weg.

»Nicht jetzt«, antwortete ich.

Der leidenschaftliche Eifer in ihren Augen sorgte dafür, dass ich nicht mit ihr in einem Raum bleiben konnte. Hastig schritt ich zur Tür.

»Aber es dauert nicht lange. Du musst dir ansehen, was ich mir gedacht habe.«

»Später.«

Sie sagte nichts mehr, fixierte mich nur mit diesem Blick, so entschieden und forsch, als würde sie meine Zurückweisung mitnichten akzeptieren.

Ich konnte nicht einmal mehr die Energie aufbringen, neugierig zu sein. Sie hatte auf keinen Fall etwas herausgefunden, was nicht bereits herausgefunden worden war, und ich hatte nicht die Kraft, es ihr zu erklären, sie zu enttäuschen, ihr beizubringen, dass all die Zeit, die sie dort unten am Bienenstock zugebracht hatte, nur zu Selbstverständlichkeiten führte und all ihre Gedanken schon tausendmal gedacht worden waren. Ich öffnete langsam die Tür, spürte, wie mein Körper erneut von dieser Trägheit ergriffen wurde, meinem Zwerchfell entfuhr ein Seufzer, und ich bereitete mich darauf vor, dass in der nächsten Zeit noch viele folgen würden. Mit der Hand umklammerte ich den Schlüssel zu meinem Laden, meinem einfachen, provinziellen Saatgutladen. Genau dort gehörte ich hin.

Die Swammerpie hinterließ eine Fettschicht am Gaumen, aber ich konnte dennoch nicht aufhören, davon zu essen. Im Laufe des Vormittags hatte ich bereits zwei der Pasteten verschlungen. Ihr Duft strömte aus der Bäckerei und war auch in meinem Laden allgegenwärtig, selbst wenn ich die Tür schloss, er drang durch alle Ritzen und erinnerte mich immerzu daran, wie leicht es war, noch eine zu kaufen, oder gleich mehrere. Der Bäcker gab mir sogar einen Nachlass, er meinte, ich sei zu dünn, aber das würde nicht mehr lange so bleiben. Ich hatte das Gefühl, als wäre mein Körper schon wieder etwas aufgedunsener, als würde er bald seine alte, schwammige Form wiederfinden.

Keine steife Brise fegte mehr durch die Straßen und trieb die Kunden ins Geschäft, der Neuigkeitswert war definitiv passé, und inzwischen war bereits der halbe Tag vergangen, ohne dass jemand vorbeikam. Die großen Bestellungen von Saatgut waren längst getätigt worden, jetzt waren vor allem Kräuter und Samen für schnellwachsende Pflanzen wie Salat und Rettich gefragt.

Ich aß noch einige Stücke, doch die Pastete war viel zu salzig. Um Abhilfe zu schaffen, trank ich lauwarmes Wasser aus einer Schöpfkelle, doch ohne Erfolg.

Dann ging ich zur Tür. Die Nachmittagskutsche aus der Hauptstadt fuhr durch die Straße. Das Gespann hielt am Ende, und die Leute strömten heraus, doch niemand in meine Richtung.

Ich nickte dem Sattler zu, der draußen in der Sonne stand und einen Sattel einfettete, bedachte den Radmacher, der gerade ein neues Rad aus seiner Werkstatt rollte, mit einem freundlichen Lächeln und grüßte kurz meine ehemalige Angestellte Alberta, die zwei große Stoffrollen in den Kolonialwarenladen trug; fleißige Ameisen, die alle Hände voll zu tun hatten. Selbst Alberta schien sich tatsächlich ein wenig nützlich zu machen, mit wackelnden Hüften und flinken Beinen, sie grüßte nach rechts und links, während sie die Treppe hinauftrippelte.

»Herr Savage.« Sie lächelte in meine Richtung.

Dann zögerte sie eine Sekunde, als wäre ihr etwas eingefallen. »Ich habe etwas, das Sie probieren müssen! Warten Sie einen Moment.«

Eifrig verschwand sie mit den Stoffrollen im Laden und

kam kurz darauf mit einem Bündel in der Hand wieder heraus.

Sie stellte sich vor mich. Ich konnte ihren Geruch atmen, mir wurde unwohl davon.

»Worum geht es? Ich bin gerade sehr beschäftigt.«

»Wie ich höre, haben Sie sich auch den Bienen zugewandt«, sagte sie und lächelte mit schiefen Zähnen hinter etwas zu feuchten Lippen.

Plötzlich kam mir Swammerdams Seeungeheuer wieder in den Sinn, aber ich schob den Gedanken von mir.

»Mein Vater betreibt auch Imkerei. Fünf Bienenstöcke hat er. Sehen Sie her.« Sie hielt mir das Bündel hin. »Sie sollten ihn probieren. Es ist der Allerbeste.«

Ohne auf meine Einladung zu warten, ging sie in meinen Laden, legte das Bündel auf die Theke und löste den Knoten. Es enthielt ein Brot und einen kleinen Honigtopf. Sie hielt ihn hoch, betrachtete ihn und schmatzte laut mit den Lippen.

»Kommen Sie!« Sie winkte mich herbei.

Ihre Haut war grob und unrein, am Kinn traten zwei Pickel zum Vorschein. Wie alt sie jetzt sein mochte? Jedenfalls weit über zwanzig. Sowohl ihr Gesicht wie auch ihre Hände zeugten davon, dass sie schon viele Arbeitsstunden in der Sonne zugebracht hatte.

Sie reichte mir ein Stück Brot. Der Honig, der eine trübe Farbe hatte, ringelte sich über die Scheibe und triefte vom Brot herab.

»So probieren Sie doch!«

Sie nahm selbst einen großen Bissen.

Beim Geruch von ihr, dem Honig und der halbverspeisten Swammerpie auf der Theke wollte sich mir der Magen umdrehen. Dennoch probierte auch ich einen Happen, getrieben von meiner guten Erziehung oder aus alberner Höflichkeit.

Ich nickte, doch das Brot quoll in meinem Mund auf.

»Richtig gut.«

Ich kaute, während ich versuchte, nicht an die Brut und die Larven zu denken, die sich in diesem Honig befinden mussten, nachdem er aus dem Strohkorb gequetscht worden war.

Sie ließ mich nicht aus den Augen, während sie aß. Am Ende leckte sie sich den Honig von den Fingern, so übertrieben selbstbewusst, dass es fast lächerlich war.

»Herrlich! Dann sollte man sich wohl wieder ein wenig der Arbeit zuwenden.«

Endlich ging sie, wobei gehen nicht der richtige Ausdruck war, ihre Hüften wogten aus der Tür, und ich konnte den Blick nicht davon abwenden und blieb einfach nur stehen, mitten im Laden.

Dann war sie endlich draußen. Ich drehte mich um die eigene Achse, mein Atem ging schnell. Auf der Theke glänzte ein Honigtropfen. Ich wischte ihn eilig weg, musste ihn loswerden, zusammen mit ihr, diesen feuchten Lippen, den Pickeln, diesem beinahe obszönen Schwung, bei dem sich ihre Körpermitte mit jedem kleinen Schritt bewegte. Hüften, gegen die ich stoßen könnte, als wären sie feuchte, warme Erde. Aber ich beherrschte mich. Hatte mich unter Kontrolle. Selbst wenn ich dafür all meine Kräfte aufbieten musste.

Der einzige Stuhl des Raums zog mich an. Ich stolperte

darauf zu, ließ meinen schwellenden Unterleib darauf sinken und verschränkte die Hände über dem Schoß, als wollte ich mich selbst bändigen.

So saß ich eine Weile und holte tief Luft. Einige Minuten vergingen, ehe die Hitze und die Übelkeit in mir abflauten. Doch ich wusste mich zu beherrschen.

Es war warm, ein Sonnenstreifen beschien die tanzenden Staubkörner in der Luft. Sie bewegten sich ruhig und schwerelos. Ich spitzte die Lippen und pustete, sie wirbelten hoch, beruhigten sich aber überraschend schnell wieder.

Ich pustete erneut, diesmal fester. Auch jetzt stoben sie davon, ehe sie schnell wieder ihre alte, formlose Existenz wiederfanden, so leicht, als könnte nichts sie binden.

Ich versuchte, die einzelnen Staubkörner für sich genommen zu betrachten, doch meine Augen brannten. Es waren zu viele.

Dann konzentrierte ich mich auf die Gesamtheit. Doch es war keine Gesamtheit, nur eine unendliche Menge unkontrollierbarer Staubkörner.

Es hatte keinen Sinn. Selbst das nicht. Sie bezwangen mich. Nicht einmal das konnte ich kontrollieren.

Und so saß ich da, vollkommen geschlagen. Wieder so machtlos wie als Kind.

Ich war zehn Jahre alt. Sonnenstrahlen fielen durch das Laub im Wald und hüllten alles in einen goldenen Schein, in gelbes Licht. Ich saß auf dem Boden, die Erde fühlte sich warm und feucht an durch meine Hose. Reglos und konzentriert saß ich dort vor dem Ameisenhaufen: auf den ersten Blick ein wahres Chaos. Jedes einzelne Wesen war so klein und unbedeutend, es war unglaublich, wie sie einen solchen Haufen hatten erbauen können, der fast über mich hinausragte. Doch mit der Zeit verstand ich immer mehr. Denn ich wurde nie müde, stundenlang konnte ich so sitzen und ihnen zusehen. Sie bewegten sich in klaren Mustern. Schleppten, legten ab und sammelten. Es war eine sorgfältige und friedliche Arbeit, systematisch, instinktiv, ererbt. Und eine Arbeit, bei der es nicht um jeden Einzelnen ging, sondern um die Gemeinschaft. Für sich genommen waren sie nichts, zusammen waren sie der Ameisenhaufen, als wäre er ein lebendes Wesen.

Als ich das verstanden hatte, wurde etwas in mir geweckt, eine Wärme, die mit nichts anderem vergleichbar war, eine Glut. Jeden Tag versuchte ich, meinen Vater zu überreden, mich zu begleiten, hierher, in den gelben Wald. Ich wollte ihm so gern zeigen, was sie zustande gebracht hatten, was diese kleinen Wesen zusammen bewältigten. Doch er lachte nur. *Ein Ameisenhaufen? Lass das doch. Tu etwas Sinnvolles, schaff etwas, zeig uns, was in dir steckt.*

So war es auch an diesem Tag gewesen. Er hatte mich verhöhnt, und wieder war ich allein hier.

Doch mit einem Mal entdeckte ich etwas, eine Unregelmäßigkeit im System. Ein Käfer war auf der Ostseite des Haufens emporgekrabbelt, wo die Sonne schien. Verglichen mit den Ameisen wirkten seine Proportionen zyklopisch. Die Sonne reckte sich durch die Bäume hindurch, und ein Strahl traf den Rücken des Käfers. Nun stand er vollkommen still. Um ihn herum tat sich eine freie Fläche auf, niemand lief direkt an ihm vorbei, die Ameisen ließen ihn in Ruhe und setzten zielstrebig ihre Arbeit fort. Mehr passierte zunächst nicht.

Dann aber bemerkte ich eine Ameise, die auf den Käfer zusteuerte, sie brach aus den gewohnten Bahnen aus, war nicht länger ein Teil des Ganzen.

Und sie trug etwas bei sich.

Ich kniff die Augen zusammen. Was war das? Was hatte sie dabei?

Larven. Ameisenlarven.

Jetzt kamen andere hinzu, verließen das Muster, mit derselben Last. Sie trugen ihre eigenen Kinder.

Ich beugte mich näher heran, um besser sehen zu können. Die Ameisen legten die Larven vor dem Käfer ab. Er blieb für einen Moment stehen und rieb die Vorderbeine aneinander. Dann begann er zu fressen.

Die Beißwerkzeuge des Käfers arbeiteten eifrig. Die Larven verschwanden in seinem Mund, eine nach der anderen. Die Ameisen warteten in einer langen Reihe, allesamt bereit, dem Käfer ihre Nachkommen zu servieren. Ich wünschte, ich hätte es sein lassen können, aber ich konnte den Blick einfach nicht davon abwenden.

Eine neue Larve, hinein in den Mund. Und die Ameisen warteten, sie hatten ihr gewohntes Tun unterbrochen, sich vom Ganzen losgelöst, um etwas derart Groteskes zu tun.

Sie krabbelten auf mich, in mich hinein. Meine Wangen begannen zu glühen, mein ganzer Körper wurde rot, das Blut stieg überallhin. Ich wollte nicht hinsehen, mir wurde unwohl, aber ich konnte es nicht lassen. Zu meinem Erstaunen spürte ich ein Pochen hinter dem Hosenschlitz. Eine Regung, die ich vorher nur andeutungsweise gespürt hatte und die jetzt mit einem Mal alles dominierte. Ich presste die Oberschenkel zusammen, presste sie gegen das, was da hart geworden war. Eine neue Larve wurde im Maul des Käfers zermalmt. Seine auseinanderstehenden Augen glänzten, die Fühler streckten sich. Ich legte mich auf den Bauch und stieß gegen die Erde, ich dachte noch, dass meine Hose schmutzig werden und kaputtgehen könnte, doch ich konnte nicht aufhören. Und gleichzeitig stieg die Übelkeit in mir auf, weil die Larven getötet wurden und in den Eingeweiden des Käfers verschwanden. So etwas hatte ich noch nie gesehen, und es wallte in mir auf.

Während ich so dalag und hart gegen den Boden stieß, hörte ich plötzlich Schritte hinter mir. Vaters Schritte. Er war doch gekommen, er blieb stehen und stellte Beobachtungen an, doch er sah nichts von dem, was ich ihm hatte zeigen wollen. Er sah nur mich, das Kind, das ich war, und meine unendlich große Schande.

Dieser Augenblick… ich auf dem Boden. Erst die Verblüffung meines Vaters, dann sein Lachen, kurz und kalt, freudlos, aber voller Ekel und Hohn.

Sieh dich nur einmal an. Du bist jämmerlich. Schändlich. Primitiv.

Das war schlimmer als alles andere, schlimmer noch als der Gürtel, den ich am Abend zu spüren bekam, und der brennende Schmerz am Rücken in der darauffolgenden Nacht.

Ich hatte ihm etwas zeigen, ihm etwas erklären, meinen Enthusiasmus mit ihm teilen wollen, doch alles, was er zu sehen bekam, war eine Schande.

GEORGE

Ich fuhr ins Zentrum von Autumn. Oder was heißt Zentrum, eigentlich bestand Autumn lediglich aus einer einzigen Kreuzung. Eine Fernstraße Richtung Osten kreuzte eine Fernstraße Richtung Norden, und hier gab es eine kleine Ansammlung von Häusern. Ich hatte nur noch wenig Benzin, tankte jedoch nicht. Es war eine neue Marotte von mir, die Tankstelle nur mit halbvollem Tank zu verlassen. Und diesen leerte ich bis auf den letzten Tropfen. Als würde es weniger kosten, einen leeren Tank zur Hälfte zu füllen, als einen halbvollen Tank vollzutanken.

Inzwischen hatte der Schwund einen Namen. Colony Collapse Disorder. Alle sprachen davon. Ich probierte das Wort. Es kreiste in meinem Kopf. Es hatte einen Rhythmus und ähnlich klingende Buchstaben, die Cs und Os und Ls und Ss, ein kleiner Reim, Colony Collapse Disorder. Dilony Collapse Collorder, Cilono Dollips Cylarder, und wirkte irgendwie medizinisch, als gehörte es in einen Raum mit weißen Kitteln und Überwachungsapparaten, nicht auf meine Wiese, zu meinen Bienen. Ich gebrauchte diese Wörter ohnehin nie. Es waren nicht meine. Lieber sprach ich vom *Verschwinden* oder den *Problemen,* oder – wenn ich einmal wütend war, und das war ich ziemlich oft – *dem großen Schlamassel.*

Vor der Bank gab es eine enge Lücke zwischen einem grünen Pick-up und einem schwarzen Kombi. Ich sah mich um, weit und breit kein anderer Parkplatz. Also quetschte ich mich dicht an dem grünen Pick-up vorbei und versuchte, rückwärts hineinzukommen. Ich habe Längsparken noch nie gemocht, was das angeht, bin ich wohl kein typischer Mann, und meide es, wo es nur geht. Ich glaube, Emma weiß nicht einmal, wie erbärmlich ich darin bin. Aber ich musste in die Bank. Heute. Ich hatte schon viel zu lange gewartet. Mit jedem Tag, der verging, verlor ich Geld, mit jedem Tag ohne meine Magazinbeuten dort draußen in der Sonne zwischen den Blumen.

Ich schlug das Lenkrad stark ein, setzte zurück, bis ich halb am Pick-up vorbei war. Dann lenkte ich gegen und fuhr weiter zurück.

Völlig schief. Ich stand halb auf dem Bürgersteig.

Wieder raus.

Eine ältere Frau kam vorbei und starrte mich an. Plötzlich fühlte ich mich wie ein Teenager, der gerade erst den Führerschein gemacht hat.

Ich wagte einen neuen Versuch, atmete tief durch. Ließ es ruhig angehen, riss das Lenkrad ganz herum, fuhr langsam zurück, lenkte gegen.

Verflixt!

Die Lücke war zu klein, das war das Problem. Ich verließ sie ganz und fuhr in Richtung des weiter entfernten Gemeinschaftsparkplatzes. Es war reine Faulheit, dass ich direkt vor der Bank hatte parken wollen, wir waren viel zu faul in diesem Land. Ich konnte doch genauso gut ein Stück gehen.

Im Rückspiegel sah ich einen großen Chevrolet heranrollen. Mit einer einzigen Bewegung glitt er in die viel zu enge Lücke.

Die Klimaanlagenluft schlug mir wie eine Wand entgegen, als ich die Tür zur Bank öffnete. Nach dem krisenhaften Vorfall mit der Parklücke zitterten meine Hände noch immer ein wenig, aber ich verbarg sie in den Hosentaschen.

Allison saß hinter ihrem Schreibtisch und klapperte wie immer eifrig auf ihrer Tastatur. Sie wusste sich wie eine Dame zu kleiden, trug eine frischgebügelte, geblümte Bluse zu ihrer sommersprossigen, jungen Haut und ihren durch und durch grünen Augen. Sie sah rein aus und roch auch rein. Jetzt hob sie den Blick und lächelte ihr Zahnpastalächeln.

»Hallo George, wie geht es dir?«

Sie gab mir immer das Gefühl, ein wenig besonders zu sein. Als wäre ich ihr absoluter Lieblingsbankkunde. Mit anderen Worten, sie machte ihren Job gut.

Ich ließ mich auf dem Stuhl vor ihrem Schreibtisch nieder, setzte mich auf die Hände, um mein Zittern zu verbergen. Aber der türkisfarbene Wollbezug des Stuhls kratzte an den Handflächen. Also zog ich sie unter meinen Beinen hervor und legte sie auf meinen Schoß, wo ich sie schließlich stillhalten konnte.

»Lang ist's her.« Ihre Zähne strahlten.

»Ja, lange her.«

»Ist alles gut bei Ihnen?«

»Nicht so gut, wie es sein sollte.«

»Oh nein, ja. Es tut mir leid. Ich habe davon gehört.«

Das Perlenband verschwand hastig hinter den weichen, jungen Lippen.

»Aber ich hoffe, Sie können uns aus dem schlimmsten Schlamassel helfen«, erwiderte ich lächelnd.

Leider machte sie keine Anstalten, ihre Zahnpracht noch einmal vorzuführen, sie sah mich nur ernst an.

»Ich werde natürlich mein Bestes tun.«

»Ihr Bestes. Mehr kann ich gar nicht verlangen.« Ich lachte. Dann merkte ich, dass ich mich im Ton vergriffen hatte, und schob meine Hände wieder unter die Beine.

»Okay.« Sie wandte sich zum Bildschirm. »Dann lassen Sie uns mal sehen. Hier haben wir Sie schon.«

Sie schwieg. Betrachtete meine Kontobewegungen, deren Anblick sie anscheinend nicht gerade in Enthusiasmus versetzte.

»Woran hatten Sie denn gedacht?«, fragte sie.

»Tja. Es müsste wohl ein Kredit sein.«

»Ja. Und wie viel?«

Ich nannte die Summe.

Die Sommersprossen auf ihrer Nase hüpften. Ihre Antwort kam ohne Zögern.

»Das bekomme ich nicht hin, George.«

»Du lieber Himmel. Können Sie es denn nicht zumindest mal durchrechnen?«

»Nein. Das kann ich sofort sagen. Dafür fehlt mir die Grundlage.«

»Na gut. Können Sie mit Martin reden?«

Martin war ihr Chef. Ein konfliktscheuer Typ, also nicht gerade einer, der in eine Kneipenschlägerei verwickelt wurde. Die meiste Zeit hielt er sich in seinem verglasten Büro auf und kam nur ab und zu heraus, wenn große Summen beurteilt und genehmigt werden mussten, das wusste ich von Jimmy, der gerade ein Haus gekauft hatte. Jedes Mal, wenn ich ihn sah, hatte Martin weniger Haare. Ich schielte durch seine Glaswand. Sein Hinterkopf leuchtete mondartig im Schein der Deckenlampe.

»Das hat keinen Zweck. Glauben Sie mir«, sagte sie.

Ein Kloß setzte sich beharrlich in meinem Hals fest. Sollte ich sie anbetteln? War es das, was sie wollte? Sie war fast zwanzig Jahre jünger als ich. Emma hatte öfter auf sie aufgepasst, als sie ein kleines Mädchen gewesen war. Zart wie eine kleine Fee, wer hätte gedacht, dass aus ihr einmal ein so harter Knochen werden würde?

»Ehrlich, Allison.«

»Aber George. Brauchen Sie wirklich so viel?«

Ich konnte nicht in die grünen Augen hinter dem Schreibtisch sehen.

»Der ganze Betrieb liegt lahm«, sagte ich leise in Richtung Boden.

»Aber …« Sie schwieg eine Weile, grübelte. »Können wir nicht überlegen, wie wir ihn ohne größere Investitionen wieder in Gang bringen?«

Ich hätte am liebsten losgebrüllt, sagte jedoch nichts. Sie hatte keinen Schimmer von der Imkerei.

»Wo liegen denn Ihre Hauptausgaben?«

»In der Arbeitskraft. Ich muss meine Angestellten bezahlen, das wissen Sie doch!«

»Ja, natürlich.«

»Und dann gibt es die laufenden Ausgaben. Futter. Benzin. Solche Sachen.«

»Aber jetzt? Was sind das für Investitionen, die Sie unbedingt tätigen müssen?«

»Neue Bienenstöcke. Wir mussten viele verbrennen.«

Sie kaute auf ihrem Kugelschreiber herum.

»Gut. Und was kostet ein Bienenstock?«

»Tja, es sind Materialkosten. Schwer zu sagen. Sie müssen gebaut werden.«

»Gebaut werden?«

»Ja. Ich baue sie von Grund auf. Jeden einzelnen. Abgesehen vom Königinnengitter.«

»Königinnengitter?«

»Ja, das muss zwischen ... ach, vergessen Sie es.«

Sie nahm den Stift aus dem Mund. Oben hatten ihre Zähne Spuren hinterlassen. Wenn sie noch fester kaute, würde sie das Plastik durchbeißen und ihre weißen Zähne mit Tinte beschmieren. Das wäre etwas. Blaue Kugelschreibertinte auf den weißen Zähnen, der gebügelten Bluse, den weichen Lippen, wie eine misslungene Halloween-Schminke.

»Aber ...« Sie dachte nach. »Ich habe doch gesehen, dass Gareth, also Gareth Green, Bienenstöcke anliefern lässt. Ich meine, ich habe sie kommen sehen, auf einem Lastwagen. Fix und fertig.«

»Ja, das liegt daran, dass Gareth sie bestellt«, erklärte ich so deutlich, als würde ich mit einem Kind sprechen.

»Ist das denn teurer, als sie zu bauen?«

Sie legte den Stift beiseite. Anscheinend wollte sie mir nicht die Freude machen, ihr reines Aussehen zu besudeln.

Der Kloß in meinem Hals wurde immer größer. Bald würde ich ihn nicht mehr verbergen können.

»Ich meine doch nur«, fuhr sie fort und entblößte aufs Neue ihre weißen Zähne, als würde sie eine fröhliche Nachricht verkünden, »dass Sie vielleicht Geld sparen können, indem Sie sie bestellen und nicht mehr selbst bauen. Und Zeit. Zeit ist ja auch Geld.«

»Das habe ich verstanden«, erwiderte ich leise. »Ich habe schon verstanden, was Sie sagen wollten.«

William

Als ich mich endlich wieder bewegen konnte, war es vollkommen dunkel. Über der Straße lag Stille, nur aus dem Wirtshaus drang Gegröle. Ein trister Ort, eng und stickig, wo die Becherschwinger des Orts Abend für Abend zusammenkamen und Hof und Grund versoffen. Gerade liefen welche vorbei, die von dort kamen, Schatten vor dem Fenster, Geschrei und Gesang und grobes Gelächter, das allmählich leiser wurde, als sie sich entfernten.

Ich fror. Im Laden war es kalt geworden, die Abendluft strömte durch die Tür herein, die ich nicht richtig geschlossen hatte, ehe ich eingedöst war. Mein Nacken war verspannt, weil mein Kopf auf die Brust gesunken war, und mein Hemd mit Speichel befleckt.

Steif stand ich auf, eilte zur Tür und schloss sie hastig. Was, wenn mich jemand gesehen hatte, wenn Kunden vorbeigeschaut und mich zur besten Öffnungszeit schlafend im Geschäft vorgefunden hatten? Daraus konnten noch mehr Geschichten entstehen, und ich würde mich einmal mehr zum Gespött des Dorfs machen. Aber vielleicht, hoffentlich, hatte an diesem Nachmittag eine ebensolche verdammte – oder besser gesagt gesegnete – Ruhe geherrscht wie auch am Vormittag.

Mein Magen schrie nach Essen, und das letzte Stück von der Pastete war noch da, in Papier gewickelt. Trocken und kalt, außen war das Fett zu einem gelblich weißen Rand erstarrt, dessen Farbe und Form an eine Made erinnerte. Ich aß sie trotzdem und schwor mir gleichzeitig, dass ich mich nie wieder dazu verleiten lassen würde, dieses Gericht zu mir zu nehmen. Vielleicht sogar nie wieder Pastete überhaupt. Aber was spielte das schon für eine Rolle.

Ich schloss die Tür ab und ging nach Hause.

Die Stimmen aus dem Wirtshaus wurden immer lauter.

Seine Fenster leuchteten als warme, gelbe Quadrate in der Dunkelheit. Jetzt wurde ich, zum ersten Mal in meinem Leben, von ihnen angezogen. Nur einen Becher billigen Wein, das konnte doch wohl nicht schaden. Ich blieb stehen. Wenn man mich dort drinnen sähe, wenn man sähe, dass ich einer von ihnen geworden war, was würde das eigentlich ändern?

Vor dem Wirtshaus war alles beim Alten. An diesem Abend spielten sich die gleichen Szenen ab wie an allen anderen Abenden. Zwei grobschlächtige Arbeiter stritten sich lauthals, der eine stieß und knuffte den anderen, bald würden sie sich prügeln. Ein dicker Kerl lallte vor sich hin, während er die Straße entlangtorkelte, und im selben Moment taumelte ein langer Bengel aus der Tür, verschwand um die Ecke und erbrach sich dort, wo ihn niemand sehen konnte, aber die Geräusche, die von einem langen Abend und einer großen Menge Alkohol zeugten, waren nicht zu missdeuten.

Nein. Ich ging weiter nach Hause. So tief war ich trotz allem doch noch nicht gesunken.

Als ich an dem Gebäude vorbeikam, bemerkte ich, dass an diesem Sommerabend noch mehr Leute unterwegs waren als sonst.

Ein junges Mädchen kreischte vulgär. »Hör auf, du! Lass mich!«

Es war ein Nein, das eigentlich als Ja gemeint war, gefolgt von einem lauten Kichern.

Erst jetzt erkannte ich die Stimme. Es war Alberta. Ich musste sie gar nicht erst sehen, um zu wissen, wie ihre großen Brüste in diesem Moment aus dem Kleid quollen, und konnte den aufdringlichen Geruch, der aus der Kluft zwischen ihnen aufstieg, förmlich riechen.

Jemand presste sich an sie und betatschte mit seinen Händen all ihre Rundungen, lallte an ihrem Hals irgendetwas Unzusammenhängendes, gefangen von seiner eigenen Lust, seinem Rausch, seiner Begierde, er drückte sich gegen dieses Fallobst, diese Frucht, die bereits von Fäulnis befallen war und bald, ganze neun Monate lang, bis zur Unkenntlichkeit aufquellen würde. Es war ein junger Bursche, der seiner schlaksigen Figur nach zu urteilen vielleicht gerade einmal fünfzehn oder sechzehn war und dessen Stimme noch immer rau und frisch klang, wie gerade dem Stimmbruch entsprungen, er war viel jünger als sie, sollte längst zu Hause sein, in seinem Bett, und schlafen, oder vielleicht lernen, studieren, Zukunftspläne schmieden, um jemanden stolz und sich einen Namen zu machen. Eine Tür ging auf, ein Lichtstrahl fiel heraus und enttarnte, mit wem Alberta im Stehen ihr Lager teilte, wer diese junge Figur war, die schon viel zu früh selbst vom Fäulnisprozess befallen worden war, von dem, was er für Leidenschaft hielt, und der genau in diesem Moment dabei war, seine ganze Existenz aufs Spiel zu setzen, und der mich nicht sah, den Vater, der geglaubt hatte, sein Leben wäre längst am Tiefpunkt angekommen, obwohl ihm erst in diesem Moment endgültig der Boden unter den Füßen weggezogen wurde.

Edmund.

tao

Ich setzte meinen Weg entlang der U-Bahn-Gleise fort, kam an weiteren Stationen vorbei, sah aber keine Menschen, keinerlei Zeichen von Leben. Ich legte Kilometer um Kilometer zurück, noch immer rennend, mit brennenden Lungen und Blutgeschmack im Mund. Jeder Versuch, eine Tür zu öffnen und auf den Bahnsteig zu kommen, war derselbe Schlag ins Gesicht. Die Bahn hatte ihren Betrieb eingestellt. Ich befand mich noch immer im Niemandsland.

Ich hätte nicht gedacht, dass meine Beine mich so weit tragen würden, dass ich zu solchen Leistungen im Stande wäre. Aber jetzt hatte ich keine Kraft mehr.

Ich sank an einer Hauswand zusammen, mit einem Stechen in der Brust vom Sauerstoffmangel. Die Dunkelheit senkte sich auf mich und die Stadt herab oder auf das, was einmal eine Stadt gewesen war. Direkt gegenüber lag ein eingestürztes Gebäude, das zusätzlich vom Vandalismus zerstört war, vielleicht hatten das seine Bewohner vor ihrem Auszug sogar selbst erledigt. Als hätten sie gewollt, dass nichts übrigblieb. Doch es gab überall Spuren von Menschen. Alte Werbeplakate, ein kaputtes Fahrrad, von

Wind und Wetter zerfetzte Gardinen, Namensschilder an Türen, einige handgeschrieben und verspielt, andere massenproduziert und streng. Wo waren sie jetzt, all jene, die hier ihr Leben gelebt hatten?

Vorher hatte ich nicht darüber nachgedacht, aber der Müll war beseitigt worden. Die leeren Tonnen standen auf dem Bürgersteig, in einer geraden Reihe, die ganze Straße hinunter. Vielleicht war das tatsächlich das Letzte gewesen, was hier geschehen war. Ein Müllwagen war durch die menschenleeren Straßen gerumpelt und hatte aufgeräumt, um die Ratten fernzuhalten, oder vielleicht auch, um den letzten Rest Nahrung, den letzten organischen Abfall einzusammeln, den man noch hervorwühlen, aussortieren und neu aufbereiten konnte. Als Tierfutter oder auch für uns, als Menschennahrung, versteckt in Hackfleischfüllungen und Würsten, als Fertigessen, dem all die künstlichen Geschmacksstoffe zugesetzt worden waren, die das Essen in diesen Zeiten genießbar machten.

Mir lief das Wasser im Mund zusammen. Die Kekspackung hatte ich mir für den Heimweg aufgehoben. Jetzt hatte ich gar nichts mehr.

Ich wollte wieder auf die Beine kommen, aber sie versagten mir den Dienst. Meine Muskeln brannten. Ich versuchte es noch einmal, stützte mich an der Wand ab, und diesmal schaffte ich es.

Schritt für Schritt bewegte ich mich zum nächsten Hauseingang und schob vorsichtig die Tür auf, die sich mit einem metallischen, scheppernden Geräusch öffnete.

Dahinter lag ein leerer Innenhof. Blätter waren hereingeweht und bildeten in den Ecken kleine Haufen. Auf beiden Längsseiten gab es eine Tür.

Ich versuchte, die eine zu öffnen.

Sie führte in ein schmales, enges Treppenhaus. Draußen neigte sich der Tag dem Ende zu, ein paar schmale Fenster in der Wand ließen das schwindende Tageslicht herein.

Ich humpelte hinauf. Jeder Schritt schmerzte, aber immerhin bekam ich jetzt wieder Luft. Ich gelangte in die erste Etage. Zu jeder Seite eine Tür, ich versuchte die näher gelegene, doch sie war verschlossen. Ich ging die zwei Schritte zur anderen Tür und drückte ohne viel Hoffnung die Klinke herab. Ich erschrak, als die Tür aufging.

Ich blieb stehen. Ein Geruch strömte aus der Wohnung ins Treppenhaus, umhüllte mich. Es war nichts Spezielles daran, aber jedes Zuhause hat seinen eigenen Geruch. Den Geruch der dort lebenden Menschen. Das Essen, das sie gegessen, die Kleider, die sie gewaschen, die Schuhe, die sie benutzt und der Schweiß, den sie ausgedünstet, der Atem, den sie in der Nacht ausgestoßen hatten, das Bettzeug, das gewechselt, eine Bratpfanne, die saubergemacht werden sollte, aber bis zum nächsten Tag warten musste.

Doch jetzt war nur noch ein Anflug all dieser Gerüche übrig, der beinahe von der abgestandenen Luft übertüncht wurde.

Ich trat über die Türschwelle. Die Wohnung war klein, nur zwei Zimmer, wie Kuans und meine Wohnung. Vielleicht hatte auch sie eine kleine dreiköpfige Familie beherbergt. Ein Schlafzimmer, das auf den Hinterhof hinausging, ein Wohnzimmer mit integrierter Küche zur Straße hin.

Ich schloss hinter mir ab und ging ins Wohnzimmer. Es war so gut wie leer, verlassen, obwohl die größten Möbel stehen gelassen worden waren. Ein zerschlissenes, graues Ecksofa nahm fast den halben Raum ein. An der gegenüberliegenden Wand stand eine klotzige alte Kommode aus schwarzlackiertem Holz.

Rasch durchsuchte ich die Küchenschränke, ich konnte es einfach nicht lassen, obwohl ich bereits wusste, dass sie leer sein würden. Nur ein großer, zerkratzter Teekessel stand noch ganz unten in einem Schrank. Sonst nichts.

Abgesehen von ein paar Kabeln und einem uralten Telefon mit gesprungener Wählscheibe in der untersten Schublade war auch die Kommode leer.

Dann ging ich ins Wohnzimmer. Die Schränke klafften mir entgegen, ihre Türen standen offen, als hätte jemand keine Zeit mehr gehabt, sie zu schließen, nachdem alles geleert worden war. Aus den Wänden ragten Nägel, und man konnte die Schatten der Bilder sehen, die dort einmal gehangen hatten.

An der einen Wand stand ein schmales Doppelbett. Nur eine Matratze lag darauf, die Kissen und Decken waren entfernt worden. Dort hatten sie geschlafen, gelesen, gelacht, sich gestritten und geliebt. Wo waren sie jetzt? Und waren sie noch immer zusammen?

An der anderen Wand befand sich ein Kinderbett. Es könnte einem Kind im Vorschulalter gehört haben, denn es war länger als ein Gitterbett, aber kürzer als ein Erwachsenenbett. Es hätte Wei-Wen gehören können. Ein kleines Kissen war noch übrig, in der Mitte eingedrückt, dort, wo der Kopf gelegen hatte.

Plötzlich gaben meine Beine erneut nach. Ich sank auf das Kinderbett und blieb einige Sekunden dort sitzen. Nicht ein Mensch weit und breit, nur ich allein. Alles war verlassen. Leer. Und auch ich fühlte mich verlassen, genauso verlassen wie diese Wohnung.

Ich spürte ein Ziehen in der Brust. War es Sehnsucht? Ich hatte kaum an Kuan gedacht, hatte es vermieden, ihn auf Abstand gehalten, immer wenn sein Gesicht in meinem Kopf auftauchte, hatte ich es verdrängt. Ich hatte mich gezwungen, nur an Wei-Wen zu denken. Daran, mein Kind zu finden.

Ich stand auf, ging ins Wohnzimmer zurück, zog das Telefon aus der Kommode und sah mich um. Neben dem Sofa entdeckte ich eine Buchse. Es konnte keinen Anschluss geben, nicht hier, so weit von allem entfernt.

Trotzdem eilte ich dorthin und steckte das Telefon ein. Dann hob ich den Hörer.

Ein schwacher Summton.

Rasch wählte ich mit der gesprungenen Scheibe unsere Nummer.

Erst hörte ich nur ein Knistern, lautlose Signale, die Kilometer um Kilometer durch alte, nahezu zerbröckelte Kabel vordrangen.

Und dann klingelte es.

Einmal.

Bald würde mich eine Stimme erfüllen, Kuans Stimme. Ich hatte mir nicht überlegt, was ich sagen sollte, ich musste ihn einfach nur hören.

Zweimal.

Denn vielleicht gehörten wir immer noch zusammen, vielleicht war es tatsächlich noch so, obwohl der Abstand zwischen uns so groß war.

Dreimal.

War er nicht da?

Die Sekunden vergingen.

Viermal.

Doch dann.

»Hallo?«

Seine Stimme in meinem Ohr.

Ich schluchzte vor Erleichterung. »Hallo …«

»Tao!«

Ich konnte nichts erwidern, versuchte mein Schluchzen zu unterdrücken, aber es ging nicht.

»Was ist los? Ist etwas passiert?«

»Ich bin … ich weiß nicht, wo ich bin …«

»Was meinst du?«

»Ich … hier ist niemand …«

Der Ton knisterte, dann verschwand er ganz.

»Kuan? Nein!«

Das Telefon summte leise, anschließend war die Leitung tot.

Ich versuchte es erneut, wählte seine Nummer. Wartete.

Nichts.

Ich zog den Stecker raus und steckte ihn wieder rein.

Das Telefon blieb stumm.

Da legte ich den Hörer auf die Gabel und stellte es auf den Fußboden. Stand auf und starrte es an.

Plötzlich schoss mein Fuß vor und trat mit aller Kraft

dagegen. Wieder und wieder. Die alte Elektronik und das gesplitterte Plastik flogen in alle Richtungen.

Danach ging ich ins Schlafzimmer, zu dem Kinderbett, auf dem ich sitzen blieb, während es dunkel wurde. Das Gefühl der Einsamkeit traf mich so brutal, dass ich nach Luft schnappen musste. Der Augenblick beherrschte alles, er wurde zu einer Ewigkeit. Ich, allein in einer verlassenen Wohnung. Es gab nichts anderes. Ich hatte alles verloren. Selbst das Geld war weg.

Das neue Kind… was wäre es wohl geworden? Noch ein Junge? Ein Mädchen? Mir ähnlich? Ungeschickt, still, immer am Rande der Gruppe… Ich würde dieses Kind nie kennenlernen. Ich hatte es geopfert, und mir war nichts geblieben. Hier hörte das Leben auf.

Ich legte mich auf die Seite und zog die Beine an mich. Blind tastete ich nach dem kleinen Kissen, nahm es, umarmte es, drückte es an mich, an meine Brust.

So schlief ich ein.

Wei-Wens Haar roch nach Kinderschweiß und etwas Trockenem, wie Sand. Ich presste meine Lippen darauf, fing ein paar Haarsträhnen ein und zog sanft daran.

»Au, Mama! Du isst meine Haare!«

Lachend ließ ich sie wieder los und drückte meinen Mund stattdessen auf seine Wange. Sie war so zart, so überraschend zart, was für zarte Wangen Kinder doch haben können. Es war, als könnte ich meine Lippen dagegenpressen, ohne je einen Widerstand zu spüren, egal, wie fest ich presste. Am liebsten hätte ich einfach nur so dagelegen und alle Zeit der Welt gehabt.

»Mein Kind. Du bist so gut.«

Er schniefte. Starrte an die Decke, wo ein paar selbstleuchtende Klebesterne das Sonnensystem bildeten. Als Kind hatten sie mir gehört, ich hatte sie mir erbettelt, als meine Eltern mir eigentlich eine Puppe hatten kaufen wollen. Als ich erwachsen geworden war und in eine eigene Wohnung ziehen wollte, hatte ich sie vorsichtig von der Decke abgezogen. Ich hatte sie in eine Tüte gelegt und ganz unten in meinen Koffer mit Kindheitserinnerungen gelegt, und als Wei-Wen schließlich geboren wurde, hatte ich sie wieder an seine Decke geklebt. Es war, als hätte ich ein Band zwischen meiner und seiner Kindheit geknüpft, zwischen uns und der Welt, der Welt und dem Universum.

Ich hatte ihm beigebracht, die Namen der Planeten auswendig zu lernen, ich wollte, dass er verstand, wie klein wir selbst waren – dass wir Teil von etwas Größerem waren. Auch wenn er damals zu klein gewesen war, um es zu verstehen. Die Sterne und Planeten waren für ihn noch immer nur Aufkleber dort oben an der Decke. Nur dass es die Sonne und den Mond wirklich gab, verstand er, denn die sah er ja mit eigenen Augen am Himmel. Dass der Mond keinen eigenen Aufkleber hatte, dass er nicht wichtig genug war, um dort oben an der Decke zu kleben, konnte er allerdings nicht verstehen. Er war doch fast genauso groß wie die Sonne.

»Das ist Jupiter.« Er streckte den Finger aus.

»Hm.«

Ich roch an ihm, konnte es nicht sein lassen. Aber er ließ sich nicht ablenken.

»Er ist am allergrößten.«

»Ja, er ist am größten.«

»Und Saturn. Das ist der mit den Ringen.«

»Ja, Saturn«, sagte ich.

»Saturn.«

»Ja. Das ist der mit den Ringen.«

»Er ist am schönsten.«

Er überlegte kurz.

»Warum hat die Erde keine Ringe?«

»Tja … das weiß ich auch nicht.«

»Ich finde, sie sollte sich welche holen. Weil das am schönsten ist.«

Ich bohrte meine Nase in seine Wange.

Er wand sich ein wenig, drehte sein Gesicht weg.

»Jetzt kannst du gehen, Mama.«

»Ich kann doch noch ein bisschen liegen bleiben?«

»Nein.«

»Bis du eingeschlafen bist?«

»Nein. Jetzt kannst du gehen.«

Er war bereit, das Bett bot genug Geborgenheit für die Nacht. Mein Auftrag als Mutter war erledigt.

Ich küsste ihn ein letztes Mal auf die Wange. Er hatte nicht die Geduld zu warten und zog sich abrupt die Decke über den Kopf.

»Jetzt geh schon. Ich muss schlafen.«

»Ja. Ich gehe jetzt. Dann gute Nacht. Wir sehen uns morgen wieder.«

»Nachtsehnunsmorgenwieder.«

Ich wollte einfach nur da bleiben, unter dem Sonnensystem, unter Saturns Ringen aus phosphoreszierendem, neongrünen Plastik, doch beim ersten Tageslicht wurde ich wach. Das Fenster hatte keine Gardinen, und das graue Licht verbreitete sich langsam im Raum. Ich blieb in derselben Position liegen, versuchte wieder zurückzufinden, in das andere Zimmer, das andere Kinderbett, aber ich konnte es nicht.

An diesem Morgen, in diesem fremden Bett, war das Erste, was ich dachte, dasselbe wie an allen anderen Morgen: sein Name.

Wei-Wen.

Mein Kind.

Seine Zartheit. Sein Gesicht.

Ich wollte nichts anderes, als es festhalten. Doch ein anderes Gesicht drängte sich davor. Ein Gesicht aus dieser Welt. Der Junge, der lange, schlaksige Junge mit dem Kekspaket in den Händen. Sein Blick auf mir, zum Angriff bereit.

Und die Alten. Viele von ihnen waren nicht in der Lage, die Situation zu begreifen, sie verstanden nicht, dass man sie zurückgelassen hatte, damit sie starben. Doch die Frau, die auf mich zugekommen war, hatte es gewusst. Mein Auftauchen hatte sie geweckt, hatte Hoffnung in ihr geweckt.

Was würde mit ihr geschehen?

Was würde mit dem schlaksigen Jungen geschehen?

Und was mit dem Kellner aus dem Restaurant?

Und seinem Vater?

Was war mit Wei-Wen geschehen? Was?

Etwas, das auch die anderen anging.

Die Absperrung des Waldes, das Militär, der Zaun, die Geheimhaltung …

Etwas, das uns alle anging.

Abrupt setzte ich mich auf.

Jetzt verstand ich es.

Ich hatte am falschen Ende angefangen. Hatte damit angefangen, ihn finden zu wollen. Aber ich würde ihn nie finden, solange ich nicht wusste, was ihm zugestoßen war. Und welche Bedeutung das hatte.

Wei-Wens Gesicht trat wieder hervor. Doch es war nicht sein normales, zartes Kindergesicht. Es war das Gesicht an jenem Tag. Wei-Wen in Kuans Armen. Seine Haut, die mit jeder Sekunde weißer wurde. Der schwere Atem. Jetzt wurden die Bilder deutlicher. Bilder, an die ich nicht hatte denken wollen, mit denen ich mich nicht konfrontieren wollte. Ich sank auf den Boden, zog die Beine an mich und starrte vor mich hin.

Da war er. Das blasse, feuchte Gesicht. Schweißtropfen, die von seinem Nasenrücken herabrannen. Seine Augen. Er war bei Bewusstsein gewesen, als Kuan mit ihm herbeigerannt kam. Sein kleiner Körper hatte mit der Atemnot gekämpft, die ihm schier die Brust zerriss. Und seine Augen, die Todesangst darin. Er hatte mich direkt angestarrt, konnte nicht einmal mehr um Hilfe bitten.

Dann, auf halbem Weg zwischen dem Hügel und den Wohnhäusern, war sein Kopf nach hinten gekippt. Er hatte das Bewusstsein verloren. Ich hatte gesehen, wie es geschehen war, wie sein Blick weggeglitten und er verschwunden war.

Als wir endlich angekommen waren, war sein Atem nur noch ein dünner Faden gewesen, der ihn mit der Welt verband.

Ich legte den Kopf auf meine Knie. Zwang mich, die Minuten dort draußen noch einmal zu durchleben. Sein Gesicht zu sehen, es anzusehen. Weshalb hatte sein Atem ausgesetzt? Was war passiert?

Die Blässe, die feuchte Haut. Sie erinnerte mich an etwas, was ich schon einmal gesehen hatte. Plötzlich tauchte ein anderes Gesicht vor meinem inneren Auge auf. Noch ein Gesicht. Daiyu. Das Gartenfest. Daiyu lag in dem hellblauen Hosenanzug auf dem Boden. Ihre schwarzen Schuhe glänzten in der Sonne. Auch ihr hatte der kalte Schweiß auf der Stirn gestanden. Auch sie hatte versucht, ihre Lungen mit Luft zu füllen, mit demselben rasselnden Atem und denselben flehenden Augen. *Hilf mir,* sagte der Blick. Wir standen im Kreis um sie herum, hatten unten im Garten gespielt, während die Erwachsenen ein Stück entfernt am Tisch saßen. Daiyus Hand lag neben ihr ausgestreckt. Sie hielt etwas darin. Ein Stück Kuchen. Jener Kuchen, von dem sie sich erst kurz zuvor etwas genommen hatte. Sie hatte gerade davon gegessen, das Stück vom Teller genommen, war damit herumgegangen und hatte hineingebissen, während wir anderen spielten.

»Daiyu kriegt keine Luft! Sie kriegt keine Luft!«

Sofort war ihre Mutter da. Wir ließen sie vor, und sie rief etwas.

»Meine Tasche, holt meine Tasche her!«

Dann öffnete sie Daiyus Hand und nahm den Kuchen heraus, ehe sie sich zu uns umdrehte.

»Sind da Nüsse drin?«

Nüsse? Das wusste keiner von uns. Der Ausdruck in ihrem Gesicht war so insistierend, dass ich mich verantwortlich fühlte. Als hätte ich persönlich wissen müssen, welche Zutaten in dem Kuchen enthalten waren.

Jemand kam mit der Tasche herbeigerannt. Daiyus Mutter wühlte darin, fand nicht, wonach sie suchte, stülpte sie um. Der Inhalt fiel zu Boden. Ich sah einen Lippenstift, Kosmetiktücher, eine Haarbürste. Sie griff nach etwas, einer kleinen weißen Packung mit grünen Buchstaben. Sie riss sie auf und entnahm eine Spritze.

Dann stand meine eigene Mutter neben mir. Sie drehte meinen Kopf zu sich, weil sie nicht wollte, dass ich noch mehr sah. Vorsichtig führte sie mich weg.

»Was ist denn? Was ist mit Daiyu?«, fragte ich. »Was hat sie?«

William

Es war Morgen. Die Blätter filterten das Licht. Über mir bewegte sich alles, die Bäume im Wind, die Wolken am Himmel; nichts ruhte. Mir wurde schwindelig, ich schloss die Augen. Lag einfach nur auf dem Rücken und ließ mich von all dem Gelb umfangen, lag ganz still auf der nasskalten, feuchten Erde. Denn es gab nichts anderes, da war nichts mehr, das mich zurückhalten konnte. Nicht meine Leidenschaft, die Forschung. Nicht Edmund, er war verloren, war es die ganze Zeit schon gewesen. Nicht einmal das Begehren. Es war verschwunden. Ich wollte nicht länger gegen die Erde stoßen, euphorisch, dem Höhepunkt entgegen. Ich wollte mich von ihr verschlingen lassen, bis ich selbst zu Erde wurde.

Ich hatte nichts gegessen, aber das spielte keine Rolle, die Pasteten lagen mir immer noch schwer im Magen, klebten an meinem Gaumen, trockneten mir die Mundhöhle aus.

Das Dorf, die Arbeit dort und ringsherum, mein eigenes Heim, all das schien tausende Kilometer entfernt. Ich war durch die Dunkelheit gelaufen, bis meine Füße schmerzten und keine Geräusche mehr zu mir vordrangen. Hier und da gab es im Wald Trampelpfade, ich folgte einem von ihnen, verließ ihn aber bald darauf wieder, ich wollte weg von allem, was an die Menschen erinnerte. Am Ende war ich einfach zusammengesunken, hier im Gras.

Ob sie mich vermissten? Nach mir suchten? Vielleicht würde ich sie bald hören, sie rufen hören, die Stimmen meiner Mädchen in all ihren verschiedenen Tonhöhen, von Georgianas dünner, piepsiger Stimme am oberen Ende der Skala bis zur tiefsten von allen, Thilda selbst, die unangenehm herausstach.

Vielleicht vermisste mich aber auch niemand, vielleicht waren sie es gewohnt, dass ich einfach verschwand, vielleicht dachten sie nicht einmal darüber nach, dass ich weg war.

Oder kümmerten sie sich um Edmund? Sicher war er heute wieder krank, wie so häufig. Wahrscheinlich schlief er, bis die Sonne den Zenit erreicht hatte, und war leichenblass, weil er sich nie im Freien aufhielt. Doch das war keine Krankheit. Wie hatte ich das nicht begreifen können … Oder nein, sicher waren sie nicht groß mit seiner Krankheit beschäftigt. Es war ein Tag wie jeder andere, denn er lag beileibe nicht zum ersten Mal darnieder. All die Tage, die er vertrödelt, die er schlafend in seinem Zimmer gelegen hatte, während sein Körper sanft den Alkohol abbaute. Keine vererbte Melancholie, lediglich ein selbstverschuldetes Unwohlsein. Er war nicht besser als die Arbeiter, die ihr Leben im Bierkrug ertränkten. Ein ganz gewöhnlicher Trunkenbold.

Ich beobachtete den Verlauf der Sonne am Himmel. Sie verschwand wieder hinter den Bäumen, ihre Schatten wurden länger und zunehmend kälter. Mein Körper nahm die gleiche Temperatur an wie die Erde darunter. Hinter meinen Augenlidern wartete die Dunkelheit. War ich bereits ein Teil von ihr?

»Vater?«

Dann ein weiterer Ruf. Ein klarer Ton aus der Mitte der Skala.

»Vater?«

Die Stimme wurde lauter, und kurz darauf vernahm ich zielstrebige Schritte auf Moos und Heidekraut.

Als ich meine Augen aufschlug, sah ich direkt in Charlottes.

»Schönen Nachmittag«, sagte sie und wirkte kein bisschen überrascht. Vielleicht hatten sie meine Abwesenheit überhaupt nicht bemerkt und gar nicht nach mir gesucht?

Sie stand einfach nur da und sah mich an, studierte mich, wie ich der Länge nach dalag, als wäre ich ein Insekt. Plötzlich spürte ich, wie mir das Blut in die Wangen stieg.

»Ja, hier hast du mich.«

Ich setzte mich eilig auf, klopfte mir den Schmutz vom Hemd, fuhr mir mit den Händen durchs Haar und schüttelte Staub und Tannennadeln heraus.

»War ich schwer zu finden?«

»Wie meinst du das?«

»Hast du lange gesucht?«

»Nein, nicht besonders lange. Der Weg ist doch gleich dort drüben.« Sie deutete hinter sich, und da entdeckte ich den Fußweg zu unserem Haus, ebenfalls war es mir geradezu unmöglich, einige allzu bekannte Bäume zu übersehen. Ich war keineswegs in den Tiefen des Waldes verschwunden. In meiner Wirrnis war ich ganz und gar nicht weit gekommen. Ich befand mich vielmehr direkt neben meinem eigenen Haus.

Sie setzte sich neben mich, und erst jetzt entdeckte ich, dass sie etwas in der Hand hielt. Das Notizbuch, vor dem sie immer saß, und dessen Seiten sie so eifrig füllte.

»Ich würde dir gern eine Sache zeigen. Darf ich?«

Sie öffnete das Buch, ohne meine Antwort abzuwarten.

»Es ist etwas, was mich schon lange beschäftigt.«

Ich versuchte die Seite zu fokussieren, aber die Tintenstriche schlängelten sich wie Würmer über das Papier.

»Warte.« Sie nahm mir die Brille ab, putzte sie schnell am Zipfel ihres Kleids und setzte sie mir wieder auf die Nase.

Sie war jetzt sauberer, doch nicht allein deshalb setzte ich mich gerade hin und versuchte, mich auf ihr Buch zu konzentrieren. Ihre kleine Geste hatte mich so gerührt, dass ich einen Kloß im Hals hatte. Wie dankbar ich war, dass sie gekommen war, dass gerade sie es war, die mich gefunden und in diesem Zustand gesehen hatte, und kein anderer. Ich schluckte und richtete meine Aufmerksamkeit auf das, was sie mir zeigen wollte.

Es war eine Zeichnung. Ein Bienenstock. Aber ganz anders als meiner.

»Ich habe mir gedacht, wenn wir ihn auf den Kopf stellen würden, wäre alles anders«, sagte sie. »Wenn wir die Rahmen von oben einsetzen, statt sie an der Decke einzuhängen, können wir den Stock auch von oben öffnen und haben eine viel bessere Kontrolle.«

Ich starrte auf die Zeichnungen. Allmählich nahmen sie Gestalt an.

»Nein«, sagte ich und räusperte mich. »Nein, das wird nicht funktionieren.« Ich suchte nach Worten. »Sie werden sich an den Seiten der Kiste festsetzen.« Ich richtete mich erneut auf, schließlich war ich immer noch eine Autorität. »Die Bienen werden sie mit Propolis und Wachs festkleben, und man wird sie unmöglich wieder lösen können.«

Da lächelte sie.

»Ja, aber nur, wenn der Abstand zwischen ihnen zu gering ist. Fünf Millimeter oder weniger.«

»Und wenn sie zu weit voneinander entfernt sind, bauen die Bienen wild«, sagte ich. »Wie auch immer, es funktioniert nicht von oben. Diese Möglichkeit hatte ich auch schon in Betracht gezogen.« Letzteres sagte ich mit einem überlegenen Lächeln.

»Das weiß ich, aber du hast nicht verschiedene Varianten getestet. Es geht nur darum, das richtige Maß zu finden.«

»Ich verstehe nicht ganz.«

Sie zeigte erneut auf die Zeichnungen. »Es muss einen Punkt in der Mitte geben, Vater. Wann hören sie auf, Wachs und Propolis zu produzieren? Und wann fangen sie an, wild zu bauen? Was ist, wenn wir diesen Nullpunkt finden? Mit der richtigen Anzahl an Millimetern zwischen der Außenkante des Rahmens und der Innenwand der Kiste werden sie weder Wachs produzieren noch wild bauen.«

Ich musste sie einfach ansehen. Sie richtig ansehen. Sie

saß vollkommen ruhig da, aber ihre leuchtenden Augen verrieten ihren Eifer. Was sagte sie da? Wachs. Wildbau. Gab es etwas dazwischen?

Meine Kräfte kehrten zurück, und ich kam wieder auf die Beine.

Der Nullpunkt!

GEORGE

Nach meinem Besuch in der verfluchten Bank fuhr ich hinaus zur Wiese am Alabast River. Jetzt war sie leer, nur ein paar wenige Magazinbeuten standen unverändert am hinteren Ende. Noch war Leben in ihnen, aber ich wusste nicht, wie lange. Nichts unterschied sie von den anderen. Es gab keinen Grund, warum ausgerechnet sie überleben sollten.

Ich drehte meine Runden über die Wiese. Überall im Gras waren die Abdrücke der Beuten zu sehen. Flachgedrücktes, totes Gras. Doch zwischen den abgestorbenen Halmen sprossen schon wieder neue. Bald wären die Abdrücke verschwunden, und es bliebe keine Spur mehr von all den Bienenvölkern, die hier einmal gelebt hatten.

Ich näherte mich dem Summen und sehnte mich plötzlich nach einem Stich. Dem brennenden Schmerz. Der Schwellung. Ich sehnte mich danach, laut und inbrünstig fluchen zu können.

Ein Mal, nur ein einziges Mal, war ich richtig ordentlich gestochen worden. Damals war ich acht Jahre alt. Ich weiß noch, dass ich in der Küche saß. Meine Mutter kam aus dem Laden nach Hause. Ich erinnere mich nicht mehr, warum, aber ausgerechnet an diesem Tag hatte sie mir etwas mitgebracht. Oder doch – sie wollte mich besänftigten. Ich sollte zum dritten Mal großer Bruder werden, und sie wusste, dass diese Nachricht bei mir keine Begeisterungsstürme auslösen würde. Außer zu meinem Geburtstag und an Weihnachten bekam ich nie Spielsachen, aber heute hatte sie mir trotzdem etwas gekauft. Ein Spielzeugauto. Aber nicht irgendeines. Hot Wheels. Das hatte ich mir schon seit Ewigkeiten gewünscht. Ich platzte fast vor Freude, schnappte mir das Auto und rannte auf die Wiese, ehe sie mir überhaupt von dem Kind in ihrem Bauch erzählen konnte.

Auf der Wiese stand mein Vater mit dem Kopf im Bienenstock. Ich dachte nicht nach und lief direkt auf ihn zu. *Guck mal! Guck mal, was ich bekommen habe! Jetzt guck doch, Papa!* Dann erst registrierte ich seinen Blick hinter dem Netz. *Komm nicht her! Dreh um!,* warnte er. Aber es war zu spät, um noch anzuhalten.

Ich musste mehrere Tage im Bett verbringen. Keiner hatte nachgezählt, aber es mussten über hundert Stiche gewesen sein. Ich bekam hohes Fieber, der Doktor kam und gab mir Tabletten, die so stark waren, dass sie einen Bären hätten töten können. Von dem neuen Kind erfuhr ich erst viel später.

Anschließend vermied ich Stiche um jeden Preis.

Normalerweise betrachtete ich sie als Strafe. Als ein Zeichen dafür, dass ich meine Arbeit nicht gut gemacht hatte. Mich nicht geschützt hatte. Nicht vorsichtig genug gewesen war. Eine Saison ohne Stiche war das Ziel, aber einige wenige holte man sich immer, kein Imker kommt ohne einen einzigen Stich über den Sommer. Mit Ausnahme dieses Jahres. Bisher war ich nicht ein einziges Mal gestochen worden, allerdings aus ganz anderen Gründen, als ich es mir gewünscht hätte.

Ich drehte die Runden über die Wiese, kam immer näher. Sie summten müde. Ich hielt an und zählte. Es waren nicht genug. Und auf keinen Fall 2,5 pro Quadratmeter.

Als ich fest mit dem Fuß aufstampfte, flog eine einsame Biene auf.

Stich mich. Stich mich!

Sie segelte durch die Luft, drehte ab, flog weg. Sie wollte mir den Gefallen nicht tun.

Ich drehte mich um und ging.

Ich hatte nicht viel neues Material gekauft. Die letzte Bestellung des Frühlings lag noch immer in einem ganz neu duftenden Stapel in einer Ecke. Er jagte mir Angst ein. Zwischen mir und dem Stapel lagen viele Stunden. All die Arbeit, die darin steckte, all die neuen Magazinbeuten zu zimmern. Und anschließend noch weitere. Nur neue Holzlatten musste ich noch bestellen, je früher, desto besser. Denn ich würde sie selbst bauen. Solange ich Imker war, baute ich meine Bienenstöcke selbst.

Ich nahm eine Latte und wog sie in der Hand, fühlte das Holz. Es war immer noch feucht. Angemessen weich. Lebendig.

Dann zog ich die Handschuhe an. Durch sie hindurch war das Holz nichts anderes als totes Material. Ich holte den Gehörschutz und stellte die Säge an.

In diesem Moment fiel Licht durch die Tür herein auf den Boden. Ein Streifen, der größer wurde, ein Schatten, der ihn ausfüllte. Dann verschwand das Licht.

Ich drehte mich um.

Dort stand Emma.

Sie blickte von mir zu den Latten und schüttelte schwach den Kopf.

»Was machst du?«

Sie fragte, obwohl sie die Antwort kannte.

Jetzt kam sie einige Schritte auf mich zu.

»Das ist doch Wahnsinn.«

Sie nickte zu den Holzlatten.

»Du musst so viele bauen. Wir brauchen so viele.«

Als wüsste ich das nicht selbst. Ich war mir dessen mehr als bewusst.

Ich zuckte mit den Schultern und wollte den Gehörschutz wieder aufsetzen, aber etwas in ihrem Blick hielt mich davon ab.

»Wir hätten verkaufen können«, sagte sie.

Ich ließ den Gehörschutz fallen, mit einem lauten Knall schlug er auf den Boden.

»Wir hätten im Winter verkaufen können. Und umziehen. Wir hätten jetzt schon da sein können.«

Mehr sagte sie nicht, sprach nicht weiter aus, was sie dachte.

Als wir noch die Chance hatten. Als der Hof noch etwas wert war.

Ich bückte mich und hob den Gehörschutz mit beiden Händen auf, als würde eine Hand nicht reichen, als wäre ich ein Kind.

Dann setzte ich ihn auf und kehrte ihr den Rücken zu.

Ich hörte nicht, wie sie ging. Sah nur den Streifen, wie er größer wurde und wie ihr Schatten ihn ausfüllte, wie er dann wieder kleiner wurde und schließlich verschwand.

Wir redeten nicht mehr darüber. Sie sagte nichts mehr. Die Tage vergingen. Ich zimmerte, bis ich Blasen an den Händen bekam, meine Finger von den Schnittwunden bluteten und mein Rücken schmerzte. Was Emma in der Zwischenzeit machte, wusste ich nicht. Jedenfalls sprach sie nicht mehr davon. Sah mich nur ab und zu an, mit feuchten Augen und einem Blick, der sagte: *Es ist deine Schuld.*

Wir versuchten, so zu leben wie vorher. Dieselben Dinge zu machen. Aßen jeden Tag zusammen. Sahen abends zusammen fern. Sie schaute viele Serien. Lachte und weinte vor der Kiste. Hielt die Luft an. Diskutierte mit mir. *Hast du das gesehen! Nein, das kann doch nicht wahr sein. Aber er hat das doch gar nicht verdient. Und dann ausgerechnet sie, die so sympathisch ist. Du liebes bisschen.*

Und wir saßen zusammen auf dem Sofa. Nie getrennt in unseren Sesseln. Sie mochte es, wenn ich ihr übers Haar streichelte. Darin wühlte. Doch jetzt lagen meine Hände meistens auf meinem Schoß. Sie waren zu wund.

Eines Abends, als wir so dasaßen, klingelte das Telefon. Sie machte keine Anstalten, sich zu rühren. Ich auch nicht.

»Geh du dran«, sagte sie, die Augen auf den Fernseher gerichtet, und wartete auf irgendeine Abstimmung, deren Ergebnis bald verkündet wurde, würde die Blonde rausfliegen oder die Brünette? Ungeheuer spannend, so schien es.

»Vielleicht ist es Tom«, sagte ich.

»Na und?«

»Es ist besser, wenn du mit ihm redest.«

Sie sah mich überrascht an.

»Also ehrlich, George.«

»Ja?«

»Du kannst doch nicht aufhören, mit ihm zu reden?«

Ich antwortete nicht.

Das Telefon klingelte noch immer.

»Ich gehe jedenfalls nicht dran«, sagte sie und streckte die Nase in die Luft.

»Gut. Dann gehen wir eben nicht dran«, erwiderte ich.

Aber sie gewann natürlich, und so stiefelte ich doch in den Flur und nahm den Hörer ab.

Es war Lee. Er rief mich an, um mir zu erzählen, wie gut die Ernte lief.

»Ich bin jeden Tag draußen«, sagte er glücklich. »Und sie wachsen und wachsen. Massenhaft Beeren.«

»Das gibt es ja nicht«, sagte ich. »Trotz des Regens?«

»Sie müssen sich richtig ins Zeug gelegt haben, als die Sonne noch schien. Es wird also doch ein gutes Jahr. Viel besser als befürchtet.«

»Nicht schlecht.«

»Nein. Ich wollte nur, dass du es weißt. Tolle Bienen hast du.«

»Hatte«, korrigierte ich.

»Wie bitte?«

»Hatte. Ich hatte tolle Bienen.«

Er verstummte. Dann war der Groschen gefallen. »Nein. Hat es dich auch erwischt? Sind sie weg?«

»Ja.«

»Aber ich dachte, so weit im Norden seid ihr nicht davon betroffen? Dass es das nur in Florida gibt. Und in Kalifornien.«

»Anscheinend nicht.« Ich versuchte, meine Stimme zu beruhigen, aber sie brach.

»Oh, George. Du lieber Gott. Ich weiß gar nicht, was ich sagen soll.«

»Da gibt es nicht viel zu sagen.«

»Nein … Bist du versichert?«

»Nicht gegen so etwas.«

»Aber … was machst du? Was machst du denn jetzt?«

Ich wickelte die Telefonschnur stramm um meinen Zeigefinger. Sie schnitt an einer Wunde ein, die ich mir früher am Tag zugezogen hatte. Ich wusste nicht, was ich antworten sollte.

»Tja …«

»George.« Jetzt sprach er lauter. »Bitte sag, wenn ich irgendetwas tun kann.«

»Danke.«

»Das meine ich ernst.«

»Ich weiß.«

»Ich würde dir ja gern Geld leihen, aber …«

»Gern bestimmt nicht«, witzelte ich.

Er lachte auf, wahrscheinlich war er froh, ein bisschen scherzen zu können.

»Ich habe auch keins. So gut ist die Ernte nun auch wieder nicht.«

»Obwohl du Rabatt bekommen hast?«

»Obwohl ich Rabatt bekommen habe.«

Dann wurde er still.

»Ich hätte mich nicht darauf einlassen sollen.«

»Was meinst du?«

»Dass du mir einen Rabatt gewährst.«

»Lee …«

»Wenn ich gewusst hätte …«

»Lee. Bitte vergiss es einfach.«

Ich wickelte den Zeigefinger wieder aus, er war bis zur Handfläche spiralförmig gemustert.

»Weißt du was«, sagte er plötzlich fröhlich. »Eigentlich habe ich dich auch angerufen, um dir das Gegenteil zu erzählen. Meine Ernte ist im Eimer. Es waren lausige Bienen.«

Ich musste lachen.

»Das freut mich zu hören.«

»Gut, dass sie verschwunden sind«, sagte er.

»Ja. Gut, dass sie verschwunden sind.«

Wieder wurde es still in der Leitung.

»Aber mal im Ernst, George. Was willst du jetzt machen?«

»Ich weiß es nicht. Vielleicht muss ich dazu übergehen, fertige Magazinbeuten zu bestellen.«

»Bestellen? Nein. Das ist dein Vermächtnis. Diese Beuten sind dein Vermächtnis.«

»Das ist heutzutage aber nicht mehr viel wert.«

»Nein …«

Ich hörte, wie er schlucken musste.

»Aber du, unabhängig davon … lass dich nicht entmutigen.«

»Ja … nein.«

Ich konnte nicht mehr sagen. Die Wärme seiner Worte machte es mir unmöglich.

»George? Bist du noch da?«

»Ja …«

Ich holte tief Luft und riss mich zusammen.

»Ja. Ich bin hier. Ich rühre mich nicht vom Fleck.«

tao

Ein paar Kilometer entfernt von der Wohnung, in der ich übernachtet hatte, fand ich endlich eine geöffnete U-Bahn-Station. Ohne es zu wissen, war ich gestern Abend ganz in der Nähe gewesen, schon auf dem Weg in den bewohnten Teil der Stadt. Gemeinsam mit mir warteten zwei andere Menschen, eine tattrige alte Dame, mager, ja beinahe knochig, die sich zu einer Bank schleppte, und ein Mann Mitte fünfzig mit wachsamen Augen, der schwere, prall gefüllte Einkaufstaschen trug. Vielleicht war er in den verlassenen Häusern auf Beutezug gewesen.

Wir mussten eine halbe Stunde warten, ehe endlich eine U-Bahn in die Station rumpelte. Es dauerte viel zu lange. Ich musste zurück, musste eine Bibliothek finden, musste Antworten finden. Ich schlich mich ohne Fahrkarte hinein und bemerkte kaum, dass die alte Frau Mühe hatte, rechtzeitig einzusteigen, erst als es fast zu spät war, sah ich ihren verzweifelten Blick und eilte herbei, um ihr zu helfen. Sie bedankte sich mehrmals und hätte gern ein Gespräch angefangen, aber ich konnte jetzt nicht mit ihr reden.

Ich setzte mich abseits in den Wagen. Am liebsten hätte

ich gestanden, weil ich kaum ruhig bleiben konnte, aber der Zug wackelte so, dass ich es nicht wagte. Er schien schon lange nicht mehr in Stand gesetzt oder gereinigt worden zu sein. Es stank, die Fenster waren mit einer dicken Fettschicht bedeckt, die Summe von tausenden Fettfingern, die sie geöffnet hatten, als die Sonne brannte, um sie an kalten Tagen wieder zu schließen. Außen hatten sie einen dicken Panzer aus Staub und Dreck angesetzt. Bei dem ohrenbetäubenden Lärm, mit dem der Zug durch die städtische Landschaft ratterte, konnte ich keinen Gedanken fassen. Und doch fühlte ich mich gleichzeitig wie ein Tier, das eine Witterung aufgenommen hatte – hetzend, zielgerichtet. Immer dieselben beiden Gesichter gingen mir im Kopf herum. Wei-Wen und Daiyu. Dieselbe Blässe. Derselbe rasselnde Atem.

Ich musste umsteigen, erst ein Mal, dann noch zwei weitere Male. Der Fahrplan war heruntergerissen worden, die elektronische Anzeige funktionierte längst nicht mehr. Mir blieb nichts anderes, als zu warten, das erste Mal genau 23 Minuten, dann 14 und schließlich 26. Ich merkte mir jedes Mal die Zeit.

Nach der vierten Fahrt war ich endlich da. Es war fast wie eine Heimkehr, endlich war ich in einer vertrauten Umgebung, als wäre ich weit länger als nur vierundzwanzig Stunden fort gewesen. Der Hunger rumorte in meinem ganzen Körper, aber ich hatte keine Zeit zum Essen, leerte nur schnell eine weitere Kekspackung, die ich noch im Hotelzimmer hatte – schon wieder Kekse –, und fragte die Rezeptionsdame, wo ich die nächste Bibliothek fand.

Es gab nur eine. Eine einzige geöffnete Bibliothek in

ganz Peking. Sie lag in Xicheng, wohin es eine direkte Verbindung vom Hotel gab. Unterwegs kam ich am alten Tierpark vorbei. Die Ornamente am Eingang waren fast gänzlich verwittert, und die Vegetation dahinter drohte die Oberhand zu gewinnen und die Mauer zu sprengen. Was war aus den ganzen Tieren geworden? Den vom Aussterben bedrohten Arten? Dem letzten Koalabären? Vielleicht streunten sie jetzt frei durch die Straßen und hatten in den verlassenen Häusern ein neues Zuhause gefunden. Es war ein tröstlicher Gedanke, dass sie ihr Leben auf dieser Erde weiter fortsetzen konnten, auch wenn es nur noch so wenige von uns Menschen gab.

Der Platz vor der Bibliothek war verlassen. Ich überquerte ihn eilig, hatte keine Zeit, mich zu ängstigen. Die Eingangstür war so schwer, dass ich fürchtete, sie könnte verschlossen sein, doch als ich mich mit aller Kraft dagegenstemmte, konnte ich sie aufschieben.

Der Raum dahinter war gigantisch, in verschiedene Etagen unterteilt, wie eine riesige Treppe. Die Wände waren von oben bis unten mit Büchern zugestellt, es mussten tausende sein. In der Mitte, in wie mit dem Lineal gezogenen Reihen, standen mehr Arbeitstische und Stühle, als ich zählen konnte. Es war halbdunkel, Licht kam nur durch die Fenster im Dach, alle Lampen waren gelöscht, und kein Mensch war zu sehen, als wäre die Bibliothek doch geschlossen.

Ich ging ein paar Schritte hinein.

»Hallo?«

Niemand antwortete.

Ich hob die Stimme. »Hallo!«

Nach einer Weile hörte ich Stimmen am anderen Ende des Raums. Eine junge Wachfrau kam zum Vorschein. »Hallo?«

Sie trug eine Uniform, die einmal schwarz gewesen sein musste, jetzt aber verblichen und grau war vom Alter und zu vielem Waschen. Sie sah mich erstaunt an. Vielleicht war ich die erste Besucherin seit langem.

Dann gewann sie die Fassung wieder und zeigte mit ausgestrecktem Arm auf das Meer von Büchern. »Ich nehme an, Sie wollen etwas ausleihen? Bedienen Sie sich einfach!«

»Muss ich mich denn nicht registrieren? Brauchen Sie nicht meinen Namen?«

Sie sah mich überrascht an, als wäre sie gar nicht auf eine solche Idee gekommen. Dann lächelte sie. »Das ist schon in Ordnung.«

Anschließend war ich ungestört.

Zum ersten Mal seit langem ließ ich mich von Büchern umfangen, von Worten. Ich hätte ein ganzes Leben hier zubringen können. Tao mit dem roten Tuch. Die sich auszeichnete. Aber das war ein anderes Leben.

Ich fing in der naturwissenschaftlichen Abteilung an. Wei-Wen litt unter etwas, das er nicht vertragen hatte, er hatte dort draußen auf den Feldern einen allergischen Schock erlitten. Vielleicht einen Schlangenbiss? Ich fand ein älteres Buch über in China heimische Schlangen. Es war groß und schwer, ich legte es vor mich auf den Tisch und suchte auf gut Glück im Text. Ich wusste, dass es in diesem Gebiet früher einmal Kobras gegeben hatte, jetzt aber nicht mehr. So hatte man es uns jedenfalls erzählt. Sie hatten Frösche gefressen, die wiederum Insekten gefressen hatten, und als die meisten Insekten ausgerottet worden waren, verschwand letzten Endes auch die Lebensgrundlage der Kobra. Ich blätterte zu einem Bild. Eine finstere Schlange, deren Nackenhaut sich wie ein Kragen weitete, angespannt, zum Angriff bereit, mit einem charakteristischen, kreideweißen Muster unterhalb des Kopfes. Konnte es sie doch noch geben?

Ich las über den Biss und die Symptome nach. Lähmungen, Ausschlag, Schmerzen, ein Engegefühl in der Brust, Fieber, Halsschmerzen, Atemprobleme. Das ähnelte Wei-Wens Reaktionen durchaus.

Nekrose, las ich weiter. Der Angriff einer chinesischen Kobra führte immer zur Nekrose, einem Zelltod, dem Wundbrand nicht unähnlich, um die Bissstelle herum.

Wir hatten keinen Biss gesehen. Hätten wir ihn nicht bemerken müssen?

Und selbst wenn wir ihn übersehen hätten, selbst wenn es eine Kobra gewesen war, die Wei-Wen angegriffen hatte, wäre das kein Grund zur Geheimhaltung, kein Grund für Zelt und Zaun, kein Grund, ihn uns wegzunehmen.

Ich setzte meine Suche in der medizinischen Abteilung fort. Wenn es kein Biss gewesen war, was konnte es dann sein? Während ich durch die medizinischen Lexika und Handbücher blätterte, dämmerte es mir allmählich. Vielleicht hatte ich es die ganze Zeit gewusst, ohne es wahrhaben zu wollen, weil es zu groß war, zu bedeutsam.

Es klingelte einmal, dann meldete er sich sofort.

»Tao, was ist passiert? Wir wurden unterbrochen. Wo warst du?«

Ich durfte das Telefon der Wachfrau benutzen, das in einem abgeschiedenen Büro tief im Inneren der Bibliothek lag. Der Hörer war staubig, schon seit Monaten nicht mehr in Gebrauch.

»Ach, nichts Schlimmes«, sagte ich und hatte das Gespräch vom Vorabend schon fast wieder vergessen. »Es ist alles gutgegangen.«

»Aber … was war passiert? Du klangst so …« In seiner Stimme lag eine Fürsorge, die normalerweise Wei-Wen vorbehalten war.

»Ich hatte mich verlaufen. Aber dann habe ich den Weg wiedergefunden«, antwortete ich schnell, ich musste ihm eine Erklärung liefern, um weiterzukommen.

»Ich hatte den ganzen Tag Angst um dich.«

Diese Sorge, ich konnte sie nicht ertragen. Ich hatte nicht deshalb angerufen. Gestern hätte ich sie dankend angenommen, heute war sie mir nur im Weg.

»Vergiss es einfach«, sagte ich. »Ich glaube, ich habe herausgefunden, was mit Wei-Wen passiert ist.«

»Was?«

»Ein anaphylaktischer Schock.«

»Ana …«

»Das ist eine allergische Reaktion«, erklärte ich und hörte, wie oberlehrerhaft ich klang. Ich versuchte, meinen Ton zu ändern, ich wollte ihn nicht belehren. »Wei-Wen hat einen allergischen Schock erlitten. Er war gegen irgendetwas da draußen allergisch.«

»Und warum … wie kommst du darauf?«, fragte er.

»Hör mal zu«, sagte ich. Dann las ich ihm hastig einen Text über die Symptome und die Behandlung vor. Atemnot, Blutdruckabfall, Bewusstlosigkeit und die Behandlung mit Adrenalin.

»Alles stimmt«, sagte ich. »Genau so hat er reagiert.«

»Hat er Adrenalin bekommen?«, fragte er.

»Wie meinst du das?«

»Als die Sanitäter kamen, hat er da Adrenalin bekommen? Du hast gesagt, dass man Adrenalin spritzt, wenn es lebensbedrohlich ist.«

»Ich weiß nicht. Ich habe nicht gesehen, dass sie ihm etwas gegeben haben.«

»Ich auch nicht.«

»Aber… das können sie ja auch im Rettungswagen getan haben.«

Er schwieg, eine Weile hörte ich nur seinen flachen Atem. »Es hört sich richtig an«, sagte er schließlich.

»Es ist richtig. Das muss es sein«, sagte ich.

Er erwiderte nichts, anscheinend dachte er nach. Ich wusste, worüber. Dasselbe, worüber ich gegrübelt hatte, seit ich in der verlassenen Wohnung aufgewacht war. Schließlich sprach er es aus.

»Aber was? Wogegen war er allergisch?«

»Es könnte etwas sein, das er gegessen hat«, antwortete ich.

»Ja, aber was? Die Pflaumen? Oder etwas, das er im Wald gefunden hat?«

»Ich glaube, es war etwas, das er im Wald gefunden hat, aber nichts, was er aß.«

Er blieb stumm, vielleicht verstand er es nicht.

»Ich glaube nicht, dass es Essen war«, fuhr ich fort. »Ich glaube, es kam von außen.«

»Ja?«

»Erst dachte ich, es wäre ein Schlangenbiss gewesen. Aber das stimmt nicht mit den Symptomen überein …«

Wieder sagte er nichts, wartete einfach nur, aber sein Atem ging jetzt schneller.

»Ich glaube nicht, dass es ein Biss war, sondern ein Stich.«

William

Hertfordshire, 4. August 1852

Hochgeschätzter Dzierzon,

hier schreibt Ihnen ein Ebenbürtiger, auch wenn Sie meinen Namen möglicherweise noch nicht kennen. Nichtsdestotrotz haben wir vieles gemeinsam, weshalb ich es als unbedingte Notwendigkeit ansah, mit Ihnen in Verbindung zu treten. Der Unterzeichnete verfolgt Ihre Tätigkeit schon über einen längeren Zeitraum. Vor allem Ihre Ausarbeitung eines neuen Standards für Bienenstöcke hat meine Aufmerksamkeit erregt. Ich kann Ihnen nur meine grenzenlose Bewunderung zuteilwerden lassen für Ihre ausgezeichnete Arbeit, die von Ihnen vorgenommenen Einschätzungen, und, nicht zuletzt, für den Bienenstock selbst, wie er in der *Eichstädterw Bienenzeitung* vorgestellt wurde.

Auch der Unterzeichnete hat einen Bienenstock entwickelt, der teilweise auf denselben Prinzipien beruht wie der Ihre und den ich Ihnen jetzt, in aller Bescheidenheit, vorstellen möchte, in der Hoffnung, Sie könnten vielleicht ein wenig von Ihrer kostbaren Zeit opfern, um mit mir in einen Austausch darüber zu treten.

Hubers Stock hat mich früh davon überzeugt, dass es

möglich sein müsste, einen Bienenstock zu entwickeln, aus dem man die Wachstafeln entfernen kann, ohne dass es die Bienen das Leben kostet, ja sogar ohne sie in Angst zu versetzen. Die Lektüre seiner Aufzeichnungen verhalf mir auch zu der Erkenntnis, dass wir in viel größerem Maß als bisher angenommen im Stande sind, diese fabelhaften Wesen zu zähmen. Diese Einsicht war für meine weitere Arbeit ganz essentiell.

Zunächst entwickelte ich einen Bienenstock, der dem Ihren ähnlich war, mit einer seitlichen Öffnung und abnehmbaren Deckenleisten. Diese Einrichtung half mir jedoch nicht bei der Lösung aller Herausforderungen. Wie Sie sicher selbst erfahren haben, ist die Entfernung der Tafeln bei diesem Modell keine einfache Operation, sondern ebenso umständlich wie zeitaufwendig, und obendrein muss sie, bedauerlicherweise, auf Kosten der Bienen und ihrer Nachkommen vorgenommen werden.

Ein seltenes Mal jedoch erlebt man dieses alles verändernde Heureka! Mich beglückte es an einem späten Sommernachmittag, als ich, in akademische Kontemplation versunken, auf dem Waldboden ruhte. Die ganze Zeit über hatte ich mir den Bienenstock als Haus mit Fenstern und Türen vorgestellt, so wie auch der Ihre konstruiert ist. Ein Zuhause. Doch warum sollte man die Angelegenheit nicht aus einer anderen Perspektive beleuchten? Denn die Bienen sollen dem Menschen ja nicht gleichgemacht werden – sie sollen von uns gezähmt werden, unsere Untertanen werden. So wie der Himmel an jenem Nachmittag auf mich herabsah, und vielleicht auch unser Heiliger Vater, ja, ich glaube wahrhaftig, Er muss an diesem

Nachmittag seine Finger im Spiel gehabt haben, so sollen auch wir auf die Bienen blicken. Unser Kontakt mit ihnen muss naturgemäß auch von oben herab geschehen.

Alles änderte sich, als ich das Ganze auf den Kopf stellte und begann, an den Eingang des Bienenstocks zu denken, und zwar ebenfalls von oben. So verfiel ich auf die Idee, derentwegen ich mich nun auch an Sie wende: meine in naher Zukunft patentierten *beweglichen Rahmen.* An diesen werden die Tafeln befestigt, sodass sie mit dem eigentlichen Bienenstock weder oben noch unten oder an den Seiten in Berührung kommen. Dank dieser Erfindung bin ich im Stande, die Tafeln nach eigenem Gusto herauszunehmen oder zu versetzen, ohne sie herauszuschneiden oder den Bienen zu schaden. So steht es mir auch frei, die Bienen in andere Stöcke zu verlegen, und ich habe weit mehr Kontrolle über sie als zuvor.

Und wie, werden Sie sich nun gewiss fragen, hindert man die Bienen daran, dass sie die Tafeln mit Wachs und Propolis an den Seitenwänden oder anderen Tafeln befestigen oder wild bauen? Ja, das will ich Ihnen erklären! Durch Berechnungen und Experimente über einen längeren Zeitraum hinweg bin ich auf die alles entscheidende Zahl gekommen. Und diese ist, mein Freund – wenn Sie es mir gestatten, Sie so zu nennen –, die NEUN. Neun Millimeter müssen zwischen den Tafeln liegen. Neun Millimeter zwischen den Tafeln und der Seite, den Tafeln und dem Boden, den Tafeln und der Decke. Nicht mehr und nicht weniger.

Ich hoffe und glaube, dass »Savages Standardbeute« bald in ganz Europa erhältlich sein wird, ja, vielleicht sogar außerhalb der Grenzen unseres Kontinents. Bei meiner Arbeit habe ich die Einfachheit zum Prinzip ernannt, und auch der praktische Aspekt war wesentlich, sodass dieser Stock von allen verwendet werden kann, von den Grünschnäbeln unter den Imkern wie auch von den Erfahrenen, die hunderte von Bienenstöcken ihr eigen nennen. Zuvorderst aber hoffe ich, der Bienenstock möge uns Naturforschern zu besseren Observationsbedingungen verhelfen, sodass wir weiterhin forschen und neue Beobachtungen anstellen können zu diesem kleinen Wesen, das so unendlich faszinierend und nicht zuletzt wichtig für uns Menschen ist.

Ich habe bereits die Patentierung meiner Erfindung beantragt, aber wie Sie sicher wissen, kann sich die Bearbeitungszeit solcher Gesuche in die Länge ziehen. In der Zwischenzeit sehe ich Ihrer Reaktion auf meine Arbeit gespannt entgegen. Ja, vielleicht möchten Sie sogar selbst den Versuch anstellen, einen Bienenstock nach meinen Prinzipien zu entwickeln. Das wäre mir eine größere Ehre, als Sie es sich vorstellen können.

In tiefer Ehrfurcht,
Ihr William Atticus Savage

Die erste Kutsche fuhr auf den Hofplatz. Mein Herz machte einen Hüpfer, denn jetzt ging es los. Ich hatte mich in meine feinsten frischgebügelten Kleider geworfen, war frisch gewaschen und rasiert und hatte sogar den Staub von meinem Zylinder gebürstet. Hier kamen sie, und ich war bereit.

Die Bienenstöcke standen in zwei Reihen am anderen Ende des Geländes. Ja, es waren viele jetzt, Conolly hatte wirklich alle Hände voll zu tun gehabt. Das vereinte Summen von tausenden Bienen war so laut, dass wir sie bis ins Haus hinein hören konnten. Meine Bienen; gezähmt von mir, meine Untertanen, die auf den kleinsten Wink von mir gehorchten, wobei jede einzelne von ihnen Tag für Tag dazu beitrug, den Bienenstock mit leuchtendem, bernsteingelben Honig zu füllen, und nicht zuletzt auch zum Wachsen und Gedeihen des Volkes – für noch mehr Untertanen.

In den letzten Wochen hatte ich eine Reihe von Einladungen zu meiner allerersten Präsentation von ›Savages Standardbeute‹ verschickt. An die lokalen Bauern, aber auch an Naturforscher aus der Hauptstadt. Und an Rahm. Viele hatten mir geantwortet, er nicht. Aber er würde doch wohl kommen. Er musste kommen.

Edmund war auch bereit. Ich hatte den Eindruck, dass er den Ernst der Lage verstanden hatte. Ja, selbst Thilda hatte ihm wohl ins Gewissen geredet. Denn es war noch nicht zu spät, er war jung, in dieser Phase des Lebens wurde man allzu leicht fehlgeleitet, verführt von den simplen Freuden. Sich von seiner Leidenschaft antreiben lassen, so hatte er es einmal ausgedrückt, ein Argument, dem ich dereinst die allergrößte Achtung entgegengebracht hatte, und jetzt galt es nur noch, dafür zu sorgen, dass er eine qualitativ hochwertige Art der Leidenschaft fand. Meine Hoffnung war, dass er in der Begegnung mit der Forschung und, unmittelbar mit der Natur, inspiriert würde. Dass der Stolz, den ich in ihm wecken würde, der

Stolz darauf, ein Teil dieser Familie zu sein und unseren Namen weiterzutragen, ihn wieder auf den richtigen Weg zurückführen würde.

Die weiblichen Mitglieder meiner Familie hatten gemeinsam Stühle und Bänke zu den Bienenstöcken getragen. Dort sollte das Publikum sitzen, während ich meine Präsentation hielt. Außerdem hatten Thilda und die Mädchen mehrere Tage lang in der Küche geschnippelt, gebraten und gekocht. Natürlich sollten Speisen gereicht werden, auch wenn unsere allerletzten Ersparnisse, ja selbst das Schulgeld dafür aufgebraucht wurden. Denn es handelte sich ja nur um eine kurzfristige Investition, und nach diesem Tag würden sich alle Probleme lösen, davon war ich überzeugt.

Charlotte war mir die ganze Zeit nicht von der Seite gewichen. Seit unserer Begegnung im Wald unternahmen wir alles gemeinsam, ihre Ruhe steckte mich an, ihr Eifer wurde mein Eifer. Dies war auch ihr Tag. Gleichwohl herrschte eine stille Übereinkunft zwischen uns, dass ihr Imkeranzug heute in der Kleiderkiste im Mädchenzimmer bleiben würde. Sie gehörte zu den anderen Frauen und schien sich auch mit Servierschüsseln in der Hand und vom Küchendampf geröteten Wangen wohlzufühlen. Zwischendurch aber bedachte sie mich immer wieder mit einem glücklichen, gespannten Lächeln, das mir verriet, dass sie diesem Tag mit mindestens ebenso großer Erwartung entgegensah wie ich.

Die erste Kutsche hielt vor mir, und ich bereitete mich auf die Begrüßung vor. Erst jetzt sah ich, wer es war. Conolly, nur Conolly.

Ich streckte ihm die Hand entgegen, aber er ergriff sie nicht, sondern klopfte mir nur auf die Schulter.

»Habe mich die ganze Woche gefreut«, sagte er lächelnd. »War noch nie bei einer solchen Veranstaltung dabei.«

Ich lächelte auch, versuchte aber, eine überlegene Miene dabei zu machen, denn ich wollte nicht zugeben, dass für mich dasselbe galt, aber er stieß mich mit dem Ellbogen an.

»Sie freuen sich auch. Das sehe ich doch.«

So standen wir da wie zwei kleine Jungen am ersten Schultag und trippelten aufgeregt auf der Stelle.

Erst kamen die hiesigen Bauern – zwei, die schon Bienen hatten, und einer, der überlegte, mit der Imkerei anzufangen. Sie spazierten zu den Bienenstöcken, während Conolly und ich auf die übrigen Gäste warteten.

Kurz darauf trafen zwei mir unbekannte Herren zu Pferde ein. Beide trugen Reitkleidung und Zylinder und waren von Staub bedeckt, als wären sie weit gereist. Sie stiegen ab und kamen auf mich zu, und erst jetzt erkannte ich meine alten Studienkameraden, mit wachsenden Geheimratsecken, Kugelbäuchen und grobporigen Gesichtern voller Falten. Wie alt sie geworden waren, nein, nicht sie, wir, wie alt *wir* geworden waren.

Sie grüßten, dankten für die Einladung, sahen sich um und nickten anerkennend. Sie kommentierten, welche Möglichkeiten darin lagen, derart im Einklang mit der Natur zu wohnen, im Gegensatz zu der Existenz, die sie selbst gewählt hatten, in einem urbanen Wald, wo die Bäume Ziegelgebäude waren und die fruchtbare Erde

Kopfsteinpflaster, und alles, was man sah, wenn man zum Himmel blickte, Stockwerke, Dächer und Schornsteine.

Jetzt strömten die Leute herbei; weitere Bauern, einige von ihnen nur aus Neugier, und sogar drei Zoologen aus der Hauptstadt, die mit der Vormittagskutsche anreisten und an der Straße unterhalb des Hofs abgesetzt wurden.

Doch kein Rahm.

Ich eilte ins Haus und kontrollierte die Uhr auf dem Kaminsims. Ich hatte gehofft, um Punkt eins anzufangen. Erst dann, wenn alle auf ihren Plätzen versammelt waren, würde ich mich nach unten begeben und mich vor sie stellen. Und Edmund, mein Erstgeborener, würde auch Teil der Versammlung sein – *er* sollte mich so vor allen stehen sehen.

Inzwischen war es halb zwei. Die Leute wurden allmählich unruhig. Einige angelten diskret ihre Uhr aus der Westentasche und warfen einen kurzen Blick darauf. Sie hatten tüchtig beim Essen und den Getränken zugelangt, die Thilda und die Mädchen auf Tabletts umhertrugen, und schienen gut versorgt. Es war warm, einige lüfteten den Hut, zogen Taschentücher hervor und fuhren sich damit über die feuchten Nacken. Mein eigener Hut war ein kochender schwarzer Behälter, der auf meinen Kopf drückte und mir das Denken erschwerte. Ich bereute meinen Aufzug. Immer mehr Besucher sahen fragend erst zu den Bienenstöcken hinüber, dann zu mir. Die Konversation, insbesondere meinerseits, versiegte, ich konnte mich nicht auf mein Gegenüber konzentrieren, immer wieder wanderte mein Blick zum Tor. Noch immer kein Rahm. Warum kam er denn nicht!

Ich würde trotzdem anfangen. Ich musste.

»Hol die Kinder«, bat ich Thilda.

Sie nickte. Mit leiser Stimme begann sie die Mädchen um sich zu sammeln und schickte Charlotte los, um Edmund zu holen.

Ruhigen Schrittes ging ich zu den Bienenstöcken, und die Zuschauer bemerkten, dass endlich etwas passierte. Die letzten Gespräche verstummten, und alle Blicke folgten mir.

»Verehrte Herren, seien Sie doch so gut und nehmen Sie Platz«, sagte ich und deutete mit dem Arm auf die Reihen, die wir unten aufgebaut hatten.

Ich musste sie nicht lange bitten. Die Bänke und Stühle standen im Schatten, und vermutlich hatten sie sich schon lange dorthin gesehnt.

Nachdem alle sich gesetzt hatten, sah ich, dass wir übertrieben hatten, es waren bei weitem nicht so viele Zuschauer anwesend wie erwartet. Aber die Mädchen kamen hinzu, und auch Edmund. Sie verteilten sich so unorganisiert, wie nur Kinder es können, und füllten die größten Lücken.

»Nun. Jetzt scheinen alle einen Platz gefunden zu haben«, sagte ich. Doch am liebsten hätte ich das Gegenteil geschrien. Denn er war nicht hier, und ohne ihn war dieser Tag sinnlos. Also fing ich stattdessen Edmunds Blick dort unten ein. Nein, sinnlos war es nicht. Denn ich tat das alles ja schließlich für Edmund.

»Dann müssen Sie mir nur einen kleinen Augenblick

gewähren, während ich mich in meinen Schutzanzug kleide.« Ich versuchte mich an einem Lächeln. »Man ist ja trotz allem doch kein Wildman.« Alle, selbst die Bauern, lachten laut und herzlich. Dabei hatte ich gedacht, ich würde einen Scherz für die Eingeweihten machen, etwas, das *sie* von *uns* unterscheiden würde … Doch es spielte keine Rolle. Worauf es jetzt ankam, war der Bienenstock, und ich wusste, dass sie seinesgleichen noch nie gesehen hatten.

Ich eilte ins Haus und zog mich um, zwängte mich aus dem schweren Wollanzug und hinein in den weißen Overall. Der dünne Stoff lag kühl auf meiner Haut, und es war eine Erleichterung, den schwarzen Zylinder abzunehmen und stattdessen den weißen, leichten Imkershut aufzusetzen und den blütenzarten Schleier vors Gesicht zu ziehen.

Ich sah aus dem Fenster. Sie saßen still auf ihren Stühlen und Bänken. Jetzt. Jetzt musste ich es tun. Mit oder ohne ihn. Der Teufel sollte Rahm holen, ich würde doch wohl auch ohne seine Besserwisserei zurechtkommen!

Und so ging ich hinaus und schritt den Pfad hinab zu den Bienenstöcken. Er war breit geworden, mit Radspuren von Conollys holprigem alten Karren, an einigen Stellen hatte er tiefe Löcher, ich hatte die neuen Bienenstöcke selbst nach unten transportiert, denn Conolly wagte sich ja nicht in die Nähe der Bienen, und ich hatte den Karren nur mit Müh und Not wieder den Hang hinaufziehen können.

Die Gesichter des Publikums lächelten mich an, alle in freundschaftlicher Erwartung. Das verlieh mir Sicherheit.

Und dann stellte ich mich vor sie und sprach. Endlich, zum ersten Mal, konnte ich meine Erfindung mit der Welt teilen, endlich durfte ich über ›Savages Standardbeute‹ berichten.

Anschließend kamen alle zu mir und schüttelten mir die Hand, einer nach dem anderen, *faszinierend, verblüffend, beeindruckend,* die Lobesworte regneten derart auf mich herab, dass ich nicht mehr unterscheiden konnte, wer was gesagt hatte, alles verschwamm ineinander. Aber das Allerwichtigste nahm ich wahr: Edmund war da, und er sah alles. Sein Blick war wach und klar und sein Körper ausnahmsweise weder unruhig noch träge, sondern einfach nur anwesend. Seine Aufmerksamkeit war die ganze Zeit auf mich gerichtet.

Er sah alles, all die Hände, sogar die letzte Hand, die mir entgegengestreckt wurde.

Ich hatte meine Handschuhe ausgezogen, und die kühlen Finger berührten die meinen und jagten mir einen Schreck durch den ganzen Körper.

»Gratuliere, William Savage.«

Er lächelte. Nicht bloß der Anflug eines Lächelns, sondern eines, das blieb, das in seinem Gesicht ruhte, ja, das tatsächlich dorthin gehörte.

»Rahm.«

Er hielt meine Hand und nickte zu den Bienenstöcken.

»Das war etwas anderes.«

Ich bekam kaum ein Wort heraus.

»Aber … wann sind Sie gekommen?«

»Früh genug, um alles Wichtige zu erfahren.«

»Ich … ich habe Sie gar nicht gesehen …«

»Aber ich habe Sie gesehen, William. Und außerdem …«

Er strich mit der linken Hand über den Ärmel meines Imkeranzugs, und ich spürte, wie sich die Haare darunter aufstellten, eine wohlige Gänsehaut.

»… wissen Sie, dass ich mich ohne den nötigen Schutz auf keinen Fall in die Nähe der Bienen wage. Deshalb habe ich mich ganz hinten gehalten.«

»Und ich … ich hätte nicht gedacht …«

»Nein. Aber hier bin ich also.«

Er ergriff mit beiden Händen die meine. Ihre Wärme durchströmte mich, pumpte mein Blut in jeden kleinsten Winkel meines Körpers. Und aus dem Augenwinkel sah ich Edmund. Er war noch immer da, hatte uns, hatte mich, noch immer im Blick, war noch immer genauso aufmerksam und wach. Er sah.

tao

Ich blieb den ganzen Tag in der Bibliothek, las Bücher und alte Zeitungsartikel, sah Filme auf einem leiernden Videogerät in der untersten Etage. Ich musste mir ganz sicher sein.

Vieles von dem, was ich las, war Schulstoff. Ich fühlte mich in den langweiligen Naturgeschichtsunterricht zurückversetzt, in dem der Lehrer so monotone Vorträge hielt, dass wir dieses Fach bald in Gute-Nacht-Geschichte umtauften. Wir waren noch zu klein, um die Bedeutung dessen zu begreifen, was er vermittelte. Wenn der Lehrer uns mit seinen faltenumkränzten Augen anblickte, drehten wir uns lieber zur Sonne vor dem Fenster, überlegten, welche Phantasietiere die Schönwetterwolken bildeten, oder schielten zur Uhr an der Wand, um herauszufinden, wie lange es noch bis zur nächsten Pause dauerte.

Jetzt stieß ich erneut auf alle Fakten, die uns der Lehrer damals hatte eintrichtern wollen. Einige Jahreszahlen hatte ich sogar noch im Kopf.

2007. Das war das Jahr, als der Kollaps einen Namen bekam. CCD – Colony Collapse Disorder.

Doch es hatte schon lange davor angefangen. Ich fand

einen Film über die Entwicklung der Imkerei im vorigen Jahrhundert. Nach dem Zweiten Weltkrieg entwickelte sich die Bienenzucht auf der ganzen Welt zu einem blühenden Wirtschaftszweig. Allein in den USA gab es 5,9 Millionen Bienenkolonien. Doch die Zahlen sanken sowohl dort wie auch im Rest der Welt. 1988 hatte sich die Zahl der Bienenstöcke bereits halbiert. Das Bienensterben traf viele Orte, Sichuan beispielsweise schon in den 1980er Jahren. Doch erst als es die USA erreichte – in einer so dramatischen Weise wie eben in jenen Jahren 2006 und 2007, als Bauern mit mehreren tausend Bienenstöcken im Laufe weniger Wochen von dem Massenschwund getroffen wurden –, erst da bekam der Kollaps einen Namen. Vielleicht weil es in den USA geschah, denn zu dieser Zeit war nichts wirklich von Bedeutung, ehe es nicht auch in den USA geschah. Das Massensterben der Bienen in China verdiente keine eigene weltumspannende Diagnose. So war es damals gewesen. Später sollte sich alles umkehren.

Über die CCD war eine Vielzahl von Büchern geschrieben worden. Ich blätterte darin, fand jedoch keine eindeutigen Antworten. Über die Ursache des Kollapses herrschte keine Einigkeit, denn die eine Ursache gab es nicht. Es waren viele. Als Erstes waren giftige Pflanzenschutzmittel in den Blickpunkt gerückt. In Europa waren im Jahr 2013 einige Pestizide vorübergehend verboten worden und nach und nach auch auf den übrigen Kontinenten. Nur die USA weigerten sich hartnäckig. Manche Forscher glaubten, die Gifte würden das innere Navigationssystem der Bienen beeinflussen und so verhindern, dass sie wieder zum

Bienenstock zurückfanden. Die Giftstoffe wirkten auf das Nervensystem kleiner Insekten ein, weshalb sich viele Wissenschaftler sicher waren, dass eine der Hauptursachen des Bienensterbens in diesen Pestiziden lag. Das Verbot folge einem Vorsorgeprinzip, wurde gesagt. Aber die Forschungsergebnisse waren nicht eindeutig genug und die Konsequenzen eines generellen Verbots zu weitreichend. Ganze Ernten wurden von Insekten zerstört, was eine Nahrungsmittelknappheit zur Folge hatte. Eine moderne Landwirtschaft war ohne Gift nicht möglich. Und die Erfolge des Verbots waren zu geringfügig, die Bienen verschwanden dennoch. 2014 wurde festgestellt, dass in Europa 7 Milliarden Bienen fehlten. Weil das Gift im Boden gespeichert wurde, behaupteten manche, die Bienen würden weiterhin sterben, weil das Gift sie noch immer beeinflusste. Doch sie fanden nur wenig Gehör, und nach einer kurzen Testphase wurde das Verbot wieder aufgehoben.

Es lag nicht allein an den Spritzmitteln. Auch die Varroamilbe, ein winziger Parasit, der die Bienen angriff, trug eine Mitschuld. Sie setzte sich wie ein großer Ball auf dem Körper der Biene fest, saugte die Hämolymphe aus ihnen heraus und verbreitete Viren, die häufig erst viel später entdeckt wurden.

Hinzu kamen die extremen Wetterlagen. Allmählich veränderte sich das Klima auf der Welt. Ab dem Jahr 2000 ging es immer schneller. Trockene, warme Sommer ohne Blüten und Nektar töteten die Bienen. Harte Winter töteten die Bienen. Und Regen. Wenn es regnete, hielten die Bienen sich genau wie der Mensch lieber drinnen auf. Nasse Sommer bedeuteten einen langsamen Tod.

Ein weiterer Faktor war die Monokultur. Für die Bienen war die Erde eine grüne Wüste. Kilometerweit nur Felder, auf denen immer dieselben Nutzpflanzen angebaut wurden, und ein Mangel an unberührten Flächen. Der Mensch entwickelte sich rasant, und die Bienen kamen nicht hinterher. Und verschwanden.

Ohne die Bienen lagen mit einem Mal tausende Hektar bewirtschaftete Felder brach. Blühende Büsche ohne Beeren, Bäume ohne Obst. Plötzlich wurden landwirtschaftliche Erzeugnisse, die früher alltäglich gewesen waren, zur Mangelware: Äpfel, Mandeln, Apfelsinen, Zwiebeln, Brokkoli, Karotten, Blaubeeren, Nüsse und Kaffeebohnen.

Im Laufe der 2030er Jahre ging auch die Fleischproduktion zurück, weil die wichtigsten Futterpflanzen für Nutztiere nicht mehr kultiviert werden konnten. Aus demselben Grund mussten die Menschen bald darauf ohne Milchprodukte auskommen. Und die Produktion von Biotreibstoff wie Sonnenblumenöl, in die man große Hoffnungen gesetzt hatte, war auf einmal hinfällig, weil auch sie von der Bestäubung abhängig war. So kehrte man abermals zu den nicht erneuerbaren Energien zurück, was wiederum die Erderwärmung beschleunigte.

Zur selben Zeit stagnierte das Bevölkerungswachstum. Erst kam es zum Stillstand, dann begann die Kurve nach unten zu zeigen. Zum ersten Mal in der Geschichte der Menschheit vermehrten wir uns nicht mehr. Unsere Art befand sich auf dem Rückzug.

Das Bienensterben betraf die Kontinente in unterschiedlichem Maße. Die amerikanische Landwirtschaft geriet als Erstes in die Krise. Im Gegensatz zu den Chinesen gelang es den Amerikanern nicht, auf Handbestäubung umzustellen. Sie hatten nicht ausreichend Arbeitskräfte, arbeiteten nicht billig, nicht lang, nicht hart genug. Auch importierte Arbeiter lösten das Problem nicht, denn sie mussten ebenfalls versorgt werden, und obwohl sie fleißiger und ausdauernder waren als die Amerikaner, produzierten sie trotzdem nicht viel mehr Nahrung, als sie selbst aßen.

Der Kollaps in den USA führte zu einer weltweiten Nahrungsmittelkrise. Unterdessen starben auch in Europa und Asien die Bienen.

Australien war als letztes Land betroffen. In einem Dokumentarfilm aus dem Jahr 2028 erfuhr ich, wie es dazu kam. Eigentlich lag die Hoffnung aller auf Australien, denn hier gab es die Varroamilbe nicht, und noch dazu schienen die Bienen nicht so stark wie sonst auf die Pestizide zu reagieren. Aus Australien kamen gesunde Bienen, weshalb die Bienenzucht zu einem großen Wirtschaftsfaktor geworden war. Das Land entwickelte sich zur wichtigsten Forschungsnation auf dem Gebiet der Bienen, Bestäubung und Imkerei.

Niemand wusste, wie es dazu kam, doch an einem Tag im Frühjahr 2027 stellte der Imker Mark Arkadieff in Avon Valley fest, dass in einem seiner Bienenstöcke etwas nicht stimmte. Arkadieff betrieb eine ökologische Honigfarm. Er machte alles richtig. Bestäubung nur in kleinem Umfang, lediglich einige wenige Bienenstöcke auf einmal wurden vorsichtig und schonend an andere Orte gebracht und nur zu Höfen, die garantiert keine Pestizide verwendeten. Er pflegte seine Bienen gut, wechselte die Bodenbretter, wenn sie schmutzig waren, und sorgte dafür, dass sie immer genug Futter hatten. Arkadieff selbst sagte, er gehöre den Bienen und nicht umgekehrt. Er sei ihr untertäniger Diener, sie würden sein Leben und seinen Jahresrhythmus bestimmen, wann er aufstand und wann er sich hinlegte. Er hatte seiner Frau Iris einen Heiratsantrag gemacht, als sie gerade behutsam versuchten, ein schwärmendes Bienenvolk in einen neuen Bienenstock zu geleiten.

Es war ungerecht, dass ausgerechnet Arkadieffs Hof, die Happy Bees Honey Farm, der erste Ort auf dem australischen Kontinent war, der von der Milbe heimgesucht wurde. Vermutlich war es die Schuld seiner Schwester. Sie wohnte in Kalifornien und hatte kurz zuvor zwei Wochen auf der Farm verbracht. Sie musste die Seuche in ihrem Gepäck gehabt haben. Vielleicht war es auch die Arbeitskleidung gewesen, die sie in Südkorea bestellt hatten. Niemand hatte etwas bemerkt, als sie die unschuldig aussehenden grauen Pakete geöffnet und die zweckdienlichen Overalls herausgenommen hatten, um sie für die Arbeit auf dem Hof einzusetzen. Oder konnte etwas im Dünger gewesen sein, den der Nachbarhof gerade hereinbekommen hatte, große Säcke, die in Norwegen produziert worden waren?

Mark und seine Frau wussten es nicht. Sie wussten nur, dass ihre Bienen in diesem Frühling erkrankt waren und sie es erst entdeckt hatten, als es schon zu spät war.

Er führte das Nachrichtenteam auf seinem Hof herum, während er seine Geschichte erzählte. Als er die leeren Bienenstöcke öffnete, an deren Boden nur noch ein paar tote Bienen lagen, konnte er die Tränen nicht zurückhalten.

Von nun an war kein Land mehr sicher. Die Welt stand vor der größten Herausforderung in der Geschichte der Menschheit. Man unternahm eine letzte Kraftanstrengung, und die Varroamilbe konnte teilweise bekämpft werden. An einigen Orten versuchte man eine Abkehr von der einseitigen Landwirtschaft. Zwischen den Feldern wurden Schutzhecken angelegt. Giftstoffe wurden noch einmal verboten. Doch das hatte erneut zur Folge, dass ganze Ernten von Schädlingen vernichtet wurden.

Englische Forscher hatten genmanipulierte Pflanzen entwickelt, Pflanzen, die die insekteneigenen Pheromone enthielten, die E-Beta-Farnesene, jene Stoffe, die die Insekten selbst absonderten, um zu signalisieren, dass Gefahr im Verzug war. Diese genmanipulierten Pflanzen wurden nun breit angebaut. China, das unter Lebensmittelknappheit litt, nutzte die Neuzüchtung als Erstes. Die Pheromone würden die Bienen nicht beeinflussen, hieß es, sie würden nicht darauf ansprechen. Die Naturschützer protestierten lauthals und meinten, die Bienen würden sehr wohl darauf reagieren, auf dieselbe Weise wie auch die Schädlinge. Doch man ignorierte sie. Es sei eine Win-win-Situation, wurde behauptet. Der Mensch könne mit der industriellen Landwirtschaft fortfahren – eine andere Lösung gäbe es nun einmal nicht –, und die Bienen blieben von dem Nervengift im Pflanzenschutzmittel verschont.

Und so wurden die Felder mit genmanipulierten Nutzpflanzen überzogen, und die Ergebnisse waren positiv. So positiv, dass man den Schritt nun überall auf der Welt wagte und sich die genmanipulierten Pflanzen mit großer Geschwindigkeit verbreiteten. Sie waren auf dem Vormarsch. Allein, das Bienensterben ging weiter. Es eskalierte. Im Jahr 2029 fehlten in China 100 Milliarden Bienen.

Ob die Bienen tatsächlich auf die Pheromone reagierten, konnte nie zweifelsfrei festgestellt werden. Es war ohnehin zu spät. Die Pflanzen wuchsen inzwischen auch wild. An jedem Straßenrand konnte man Gewächse finden, die Insekten in die Flucht schlugen.

Dann hielt die Welt inne.

In der Bibliothek fand ich Interviews mit Imkern aus allen Teilen der Welt. Ihre Resignation war unverkennbar. Sie waren Repräsentanten der Krise. Einige von ihnen waren wütend und schworen, dass sie kämpfen würden, aber je später die Interviews geführt wurden, desto deutlicher zeigte sich ihre Verzweiflung. Hätte ich diese Filme früher gesehen, hätten sie keinen großen Eindruck bei mir hinterlassen. Es waren Zeugnisse aus einer anderen Zeit. Mitgenommene Männer in mitgenommener Arbeitskleidung, grobe Gesichtszüge, sonnenverbrannte Haut, eine schlichte Ausdrucksweise, sie hatten nichts mit mir zu tun. Jetzt aber wurde jeder dieser Menschen für mich lebendig, jede persönliche Katastrophe. Jeder Einzelne von ihnen hinterließ Spuren.

GEORGE

Eines Tages tauchte er einfach auf. Vielleicht hatte Emma ihn angerufen. Ich hörte seine Stimme, als ich die Haustür öffnete. Ich war im Schuppen gewesen, unter meinem Ohrenschutz hörte ich nichts, keine ein- oder ausfahrenden Autos, keine Stimmen auf dem Hofplatz und auch keine Emma, die mich rief.

Es war die Stimme eines erwachsenen Mannes. Ich brauchte einen Moment, um zu verstehen, dass er es war. So klang seine Stimme jetzt.

Ich lief über den Hofplatz. Er war gekommen! Emma hatte ihm bestimmt von der Lage berichtet. Sie telefonierten wohl immer noch miteinander, und er war gekommen, um zu helfen! Wenn er hier war, würde alles leichter. Mit ihm zusammen konnte ich alles bewältigen. 20 Stunden am Tag zimmern. Härter arbeiten als je zuvor.

Dann aber hörte ich, worüber er sprach. Er erzählte von seinem Ferienjob. Voller Eifer. Ich blieb stehen, konnte mich nicht überwinden, hineinzugehen.

»Es ging um Tomaten – aber trotzdem«, sagte er. »Irgendwie ist alles spannend, sobald man sich näher damit beschäftigt. Ich habe noch nie so große Tomaten gesehen. Und der Fotograf auch nicht. Und der Bauer, der den Wettbewerb gewonnen hatte, war wahnsinnig stolz. Der Artikel kam auf die erste Seite, stell dir das mal vor! Das Erste, was ich geschrieben habe, kam direkt auf den Titel!«

Ich legte die Hand auf die Klinke.

Emma lachte hemmungslos und war so voll des Lobes, als wäre er ein Fünfjähriger, der gerade Fahrradfahren gelernt hatte.

Ich drückte die Klinke herunter und öffnete die Tür. Sie verstummten jäh.

»Hallo«, sagte ich. »Ich wusste gar nicht, dass du kommen wolltest.«

»Da bist du ja«, begrüßte Emma mich.

»Ich wollte Mama überraschen«, erklärte Tom.

»Er ist den ganzen weiten Weg gekommen, obwohl er am Sonntag schon wieder fahren muss«, sagte Emma.

»Und was hat das für einen Sinn?«, fragte ich.

»Es ist doch Mamas Geburtstag«, sagte Tom.

Das hatte ich völlig vergessen. Ich überlegte schnell, was für ein Datum wir hatten, und stellte erleichtert fest, dass der Geburtstag erst morgen war.

»Außerdem wollte ich sehen, wie es hier so geht«, fügte er leise hinzu.

»Und was hat das für einen Sinn?«

»George«, sagte Emma in scharfem Ton.

»Hier läuft alles prima«, sagte ich zu Tom. »Aber schön, dass du zum Geburtstag nach Hause gekommen bist.«

Am nächsten Tag feierten wir mit einem Fischgericht. Wir hatten keinen Fisch mehr gegessen, seit er das letzte Mal zu Hause gewesen war. Tom erzählte Geschichten von der Lokalzeitung, bei der er jetzt jobbte. Er sagte es nicht direkt, aber ich hörte heraus, dass er viel Lob erntete. Der Redakteur meinte, er hätte »einen Blick dafür«, was auch immer dieses »dafür« eigentlich sein sollte. Emma lachte die ganze Zeit, ich hatte schon fast vergessen, wie ihr Lachen klang.

Zuvor war ich noch hektisch in die Stadt gefahren und hatte eine teure Strumpfhose und eine Handcreme gekauft.

»Ach. Du hättest mir dieses Jahr nichts schenken brauchen«, sagte sie, als sie das Päckchen öffnete.

»Natürlich sollst du ein Geschenk haben«, erwiderte ich. »Außerdem sind es nützliche Sachen, von denen du etwas hast.«

Sie nickte und murmelte einen Dank, aber ich konnte sehen, wie ihre Augen das halb abgekratzte Preisschild streiften, wahrscheinlich überlegte sie, wie viel Geld ich ausgegeben hatte, das wir eigentlich nicht hatten.

Tom schenkte ihr ein dickes Buch mit einem Bild von einem Bauernhof im Nebel auf dem Cover. Sie mochte Bücher, von denen sie lange etwas hatte.

»Von meinem ersten Honorar gekauft«, sagte er und lächelte.

Für dieses Geschenk bedankte sie sich überschwänglich. Dann wurde es plötzlich still. Tom nahm einen Bissen Fisch. Er kaute langsam, und ich spürte seinen Blick.

»Erzähl doch mal, Papa«, sagte er plötzlich.

Meinte er die Bienen? Er wollte wohl einfach nur höflich sein.

»Na dann. Jetzt hör mir mal gut zu. Es war einmal ...«, begann ich.

»George«, sagte Emma.

Tom sah mich weiterhin an, mit demselben offenen Blick.

»Mama und ich haben ein bisschen darüber geredet, aber sie hat gesagt, du müsstest es mir richtig erklären, du bist schließlich der Experte.«

Er stellte Fragen wie ein Erwachsener. Als wäre er der Erwachsene. Ich rutschte hin und her, spürte die Bespannung des Stuhls am Hintern, die Lehne kratzte an meinem Rücken.

»Mit so einem Interesse hätte ich gar nicht gerechnet«, sagte ich.

Er legte sein Besteck beiseite und tupfte sich sorgfältig mit der Serviette den Mund ab.

»Ich habe in letzter Zeit ziemlich viel über CCD gelesen. Aber irgendwie sind das alles immer nur Spekulationen. Ich dachte, du, der du jeden Tag draußen bist, hast dir vielleicht andere Gedanken darüber gemacht, warum ...«

»Aha, wie ich sehe, ist der Herr Journalist zu Besuch gekommen. Willst du einen Artikel darüber schreiben, oder wie?«

Er schloss die Augen und verzog sein Gesicht. Das hatte gesessen.

»Nein, Papa. Nein. Es ist nicht deshalb.«

Dann verstummte er.

Plötzlich konnte ich den Fischgeruch nicht mehr ertragen, er stach in der Nase und setzte sich in Haaren und Kleidern fest, und ich stand abrupt auf.

»Haben wir noch was anderes?«

»Es ist noch mehr Fisch da«, sagte Emma und legte das Buch beiseite, das sie die ganze Zeit über in der Hand gehalten hatte.

Ich ging zum Kühlschrank, ohne die beiden anzusehen.

»Ich meinte etwas anderes als Fisch.«

»Es gibt gleich Nachtisch.« Ihre Stimme war noch genauso sanft und unbekümmert.

»Von Nachtisch werde ich nicht satt.«

Ich drehte mich um und starrte erst sie an, dann Tom. Beide blickten zu mir zurück, saßen dort dicht nebeneinander am Tisch und sahen mich an, geradezu mild, obwohl sie mich in diesem Moment sicher für einen Idioten hielten.

Tom wandte sich an Emma.

»Du hättest meinetwegen keinen Fisch machen müssen. Es ist doch dein Geburtstag. Du hättest lieber etwas kochen sollen, was dir selbst auch schmeckt.«

»Ich mag Fisch aber gern«, sagte sie. Es hörte sich an, als würde sie aus einem Buch ablesen.

»Morgen macht ihr dann aber wieder etwas zu essen, was ihr normalerweise auch essen würdet«, fuhr Tom fort. Immer noch so verdammt höflich. Das hörte ja gar nicht mehr auf.

»Wolltest du nicht sowieso morgen abreisen?«, fragte ich.

»Eigentlich ja«, antwortete Tom leise.

»Aber ein frühes Abendessen schafft er noch«, sagte Emma. »Stimmt's, Tom?«

»Ja, doch«, antwortete er.

»Wie früh denn?«, fragte ich. »Ich würde vorher gern noch was schaffen.« Meine Stimme stand in einem scharfen Kontrast zu ihrem Gesäusel.

»Gegen drei, hatten wir gesagt, oder?«, fragte Emma Tom.

»Vielleicht kann ich auch ein bisschen länger bleiben«, sagte er.

Ich überhörte ihn. »Um drei? Das ist für mich eher ein Mittagessen«, sagte ich zu Emma.

»Macht euch meinetwegen bitte keinen Stress«, sagte Tom.

»Ein einfaches Essen macht mir keinen Stress«, zwitscherte Emma.

»Hier gibt es nämlich einiges zu tun, wie du vielleicht gemerkt hast«, sagte ich. Wenigstens einer von uns konnte doch wohl ehrlich sein.

»Ich helfe gern, solange ich hier bin«, sagte Tom schnell.

»Ein halber Tag mit deinen Collegemuskeln bringt uns nicht unbedingt weiter.«

Emma reagierte gar nicht erst darauf, sondern flötete weiter, an Tom gerichtet: »Ja, es wäre schön, wenn du Papa ein bisschen helfen könntest.«

»SCHÖN«, sagte ich.

Darauf erwiderte niemand etwas. Zum Glück. Ich hätte brechen müssen, wenn ich mir ihr süßliches Geplauder noch länger hätte anhören müssen.

Tom nahm sein Besteck wieder und stocherte im Essen herum, er schob ein paar Gräten und eine grauglitzernde Haut hin und her.

»Ich wäre gern länger geblieben.«

Wäre. Als spräche er über etwas, was schon vorbei war. Etwas, mit dem er nichts zu tun hatte.

»Vielleicht kannst du anrufen und fragen, ob du später kommen kannst?«

»Ich war einer von 38 Bewerbern auf diese Stelle«, sagte Tom leise.

Ich stiefelte zur Tür, ich hatte keine Lust, mir seine Ausreden noch länger mitanzuhören.

Als ich schon auf dem Vorplatz war, holte er mich ein.

»Papa … warte.«

Ich drehte mich nicht um, sondern steuerte weiter auf den Schuppen zu. »Ich muss arbeiten.«

»Darf ich mitmachen?«

»Es ist kompliziert, sich in diese Materie einzuarbeiten. In so kurzer Zeit hat das nicht viel Zweck.«

»Ich will aber gern.«

Du liebe Güte. Diese Beharrlichkeit war neu. Seine Worte überrumpelten mich, ich hatte einen lästigen Kloß im Hals. Meinte er das ernst? Ich musste mich umdrehen und ihn ansehen.

»Das gibt nur ein Durcheinander«, sagte ich.

»Papa. Es ist nicht, weil ich Journalist bin. Es ist … weil es mir etwas bedeutet. Wirklich.«

Er sah mich an mit seinen großen, weit geöffneten Augen. »Es ist auch mein Hof.«

Dann sagte er nichts mehr, stand einfach nur da. Wahrscheinlich wollte er auch nicht mehr sagen, sondern mich einfach nur in Grund und Boden starren. Ich konnte diesem Blick nicht standhalten, den schönen Augen, meinem Jungen. Kind und Erwachsener in einer Person.

Er meinte es ernst.

»Gut.« Ich nickte, meine Stimme war brüchig. »In Ordnung.« Ich räusperte mich, aber mehr gab es wohl gar nicht zu sagen.

Dann gingen wir zusammen hinein.

William

Der Brief kam mit der Nachmittagskutsche. Ich schwebte immer noch auf Wolke sieben nach dem gestrigen Tag, an dem alles genau so verlaufen war, wie ich es mir gewünscht hatte, vielleicht sogar noch besser, mein neues Leben hatte begonnen. Ich zehrte noch immer von dem Augenblick zwischen Edmund, Rahm und mir, von der Stunde, in der alles so war, wie es sein sollte, in der die Vorstellung vom Augenblick und der Augenblick selbst zu einer höheren Einheit verschmolzen.

Als ich den Poststempel sah, begann ich zu zittern. Karlsmarkt. Das Schreiben war von ihm, eine Anerkennung, etwas anderes konnte es gar nicht sein. Ich hatte meinen Brief schon vor Wochen geschickt, und seine Antwort hätte an jedem anderen Tag eintreffen können, aber nein, sie kam genau jetzt, an diesem Tag. Ich zitterte. Das war zu viel. War ich Ikarus? Würden meine Flügel schmelzen? Nein, es war keine Hybris gewesen, sondern das Ergebnis harter Arbeit. Ich hatte seine Anerkennung verdient.

Ich nahm den Brief mit in mein Zimmer und setzte mich, und so ehrfürchtig, als stünde ich vor der Himmelspforte, brach ich das Siegel.

Karlsmarkt, 29. August 1852

Sehr geehrter William Savage,

Ihren Brief habe ich mit großem Enthusiasmus empfangen, eine höchstinteressante Arbeit haben Sie da geleistet. Ich kann mir vorstellen, dass die Imker in Ihrer Umgebung großen Nutzen aus Ihren Bienenstöcken ziehen können.

Doch wie dem auch sei: Ich nehme an, dass sich vieles geändert hat, seit Sie Ihren Brief an mich versendet haben, und man Sie inzwischen mit den Errungenschaften von Pastor Lorenzo Langstroth bekannt gemacht hat. Womöglich hat man sogar Ihr Patentgesuch abgelehnt? Deshalb mögen Sie mir es nachsehen, wenn ich Ihnen nun etwas berichte, was Ihnen schon längst bekannt ist.

Mir scheint, als hätten Sie sich genau dieselben Gedanken gemacht wie ein Bienenvater auf der anderen Seite des Atlantiks. Ich muss gestehen, dass ich die Beschreibungen Ihres Bienenstocks mit großem Erstaunen gelesen habe, weil er dem des Pastors ungeheuer ähnlich ist. Ich hatte selbst das Vergnügen, das letzte Jahr hindurch mit Pastor Langstroth zu korrespondieren, und weiß mit Sicherheit, dass er nun ein Patent auf eben solche Rahmen bekommen hat, wie Sie sie in Ihrem Brief schildern. Auch er hat das goldene Maß für den Abstand zwischen den Wänden und Rahmen der Beute und den einzelnen Rahmen errechnet, ist jedoch auf 9,5 Millimeter gekommen.

Ich hoffe, Sie werden Ihre ungeheuer fruchtbare Forschung fortsetzen, denn ich bin vollkommen überzeugt davon, dass wir, was das Wissen über das Leben der Bienen betrifft, bisher nur an der Oberfläche gerührt haben. Ich würde mich freuen, mehr von Ihnen zu hören, und hoffe, wir können hiermit eine wechselseitige Korrespondenz einleiten zwischen uns, die auch ich als Ebenbürtige auf diesem Gebiet betrachte.

Ehrerbietig,
Johann Dzierzon

Ich hielt den Brief mit beiden Händen, aber dennoch zitterte er, die Buchstaben wackelten und waren kaum lesbar. In meinen Ohren hallte ein Lachen.

Gegenseitige Korrespondenz. Ebenbürtige auf diesem Gebiet. Ich wiederholte die Worte für mich selbst, aber sie ergaben keinen Sinn.

Es war zu spät. Ich war niemandem ebenbürtig.

Man sollte mich selbst in eine Kiste mit Deckel sperren, in der man mich von oben observieren und kontrollieren konnte. Jetzt war ich gezähmt, vom Leben selbst.

Ich ließ den Brief auf den Tisch sinken und stand auf. Ich musste etwas umstürzen, zerstören, zerreißen. Was auch immer, um den Orkan in meinem Inneren zu besänftigen. Meine Hände schnellten los und rissen Bücher, Tintenfässer und Zeichnungen vom Schreibtisch. Alles fiel zu Boden, die Tinte spritzte in alle Richtungen und verlief auf den Holzdielen in Form einer tiefen, bodenlosen Pupille, die sich niemals wegwischen ließe, sondern mich stets als Erinnerung an meine Niederlage anstarren würde. Als ob das nötig war. Ich selbst, mein ganzer aufquellender, schlaffer Körper, war Erinnerung genug.

Mein Bücherregal nahm denselben Weg, hiernach mein Arbeitsstuhl. Die wissenschaftlichen Illustrationen an der Wand riss ich in Stücke. Swammerdams Seeungeheuer wurden zerfetzt, nie wieder würde ich meinen Blick darauf richten und Gott in den allerkleinsten Bestandteilen der Schöpfung erkennen.

Danach war die Tapete an der Reihe. Die vermaledeite, gelbe Tapete. Streifen für Streifen rupfte ich sie von der Wand, bis große Wunden das dahinterliegende Mauerwerk freigaben.

Und dann, endlich, hielt ich sie in den Händen, die Zeichnungen des Bienenstocks. Wertlos. Sie mussten für immer vernichtet werden.

Die Muskeln in meinen Händen spannten sich an. Ich wollte sie auseinanderreißen und zerknüllen, aber ich konnte nicht.

Ich brachte es nicht über mich.

Denn es war nicht an mir, das zu tun. Es war nicht meine Aufgabe, sie zu zerstören, sondern seine. Alles war seine Schuld, und deshalb auch seine Verantwortung.

Also rannte ich in den Flur.

»Edmund!«

Ich stürmte einfach herein, ohne anzuklopfen, er hatte sich nicht die Mühe gemacht, die Tür abzuschließen.

Er schreckte aus dem Bett hoch, sein Haar war zerzaust, die Augen rot, und er dünstete Alkohol aus. Ich wandte mich vom Gestank ab, ohne groß darüber nachzudenken, so wie ich es wohl auch zuvor getan hatte, mich selbst überlistet und so getan hatte, als würde er nicht existieren.

Nein. Nicht heute und auch nie wieder. Eigentlich hätte er Prügel verdient. Prügel auf den Rücken mit der Gürtelschnalle, bis die Haut aufplatzte und das Blut floss.

Doch zunächst einmal dies. »Schau her!« Ich schleuderte die Zeichnungen auf sein Bett. »Hier sind sie!«

»Was?«

»Du hast mich erst dazu gebracht. Hier sind sie! Was soll ich damit?«

»Vater … ich habe geschlafen.«

»Sie sind keinen Schilling wert. Verstehst du das!«

Sein Blick wurde etwas klarer, er sammelte sich und hob eine der Zeichnungen auf.

»Was ist das?«

»Nicht einmal das Papier wert, auf dem sie gezeichnet wurden. Nichts!«

Er blickte auf die bedeutungslosen Tintenstriche.

»Ach so, der Bienenstock. Das ist der Bienenstock«, sagte er leise.

Ich atmete heftig und versuchte, die Fassung wiederzuerlangen. »Sie gehören jetzt dir. Die Zeichnungen. Du wolltest, dass ich damit anfange. Jetzt kannst du damit tun und lassen, was du willst.«

»Ich wollte, dass du damit anfängst … wie meinst du das?«

»Du hast es angestoßen. Jetzt kannst du sie zerstören. Verbrenn sie. Zerreiß sie. Mach, was du willst.«

Er stand langsam auf und trank einen Schluck Wasser aus einer Tasse, die er mit erstaunlich fester Hand hielt.

»Ich verstehe nicht, was du meinst, Vater.«

»Das ist dein Werk. Ich habe sie für dich gemacht.«

»Aber warum?« Er glotzte mich an. Ich konnte mich nicht erinnern, wann er mich zuletzt so direkt angesehen hatte. Jetzt waren seine Augen schmal. Er sah älter aus als seine sechzehn Jahre.

»Das Buch!«, schrie ich.

»Was für ein Buch? Wovon redest du?«

»Hubers Buch. François Huber! Der blinde Imker!«

»Vater. Ich verstehe dich nicht.« Er starrte mich an, als wäre ich aus dem Irrenhaus entflohen.

Ich sank in mir zusammen. Er erinnerte sich nicht einmal. Dieser Augenblick, der mir so unendlich viel bedeutet hatte. »Den du bei mir hinterlassen hattest … nach diesem Sonntag … als die anderen in der Kirche waren.«

Plötzlich schien es ihm zu dämmern.

»Ach, der Tag, ja. Im Frühjahr.«

Ich nickte. »Das ist etwas, was ich nie vergessen werde. Dass du an diesem Tag aus eigenem Antrieb zu mir kamst.«

Sein Blick wich mir aus, seine Hände bewegten sich, als wollte er nach irgendetwas greifen, bekam aber nichts anderes zu fassen als Staub in der Luft.

»Es war Mutter, die mich gebeten hat, zu dir zu gehen«, sagte er endlich. »Sie hat geglaubt, es würde helfen.«

Thilda; er war der ihre, noch immer, für immer.

GEORGE

Wir zimmerten den Rest des Tages, bis es dunkel wurde. Er strengte sich an, aber nicht widerwillig wie früher. Jetzt wollte er es wirklich. Er stellte Fragen und bohrte nach, er lernte schnell, war sorgfältig und doch flink.

Das Geräusch des Hammers auf den Nägeln war rhythmisch, die kreischende Säge wie Musik. Und zwischendurch: Stille. Nur Wind und die Vögel draußen.

Die Sonne brannte auf das Dach des Schuppens, uns rann der Schweiß. Er hielt den Kopf unter den Wasserhahn, um sich abzukühlen, schüttelte sich wie ein Hund und lachte. Tausend kalte Wassertropfen trafen mich, und ich konnte nicht anders, als miteinzustimmen.

Der Sonntag verging auf dieselbe Weise. Wir arbeiteten und redeten über kaum etwas anderes als Magazinbeuten. Er schien sich wohlzufühlen. Seit er ein kleines Kind gewesen war, hatte ich ihn nicht mehr so erlebt. Er aß mit gutem Appetit, sogar ein Stück Schinken zu Mittag.

Ich schielte auf meine Uhr. Wir saßen im Freien und tranken eine Tasse Kaffee. Es war bald drei, der Bus fuhr demnächst. Vielleicht hatte er es vergessen. Vielleicht hatte er sich anders entschieden.

Auch er sah auf die Uhr.

Dann nahm er sie ab und steckte sie in die Tasche.

»Papa. Wie war das, beim ersten Mal?«

Er sah mich an, und mit einem Mal war sein großer Ernst wieder da.

»Was meinst du?«

»Die erste Magazinbeute, die du geöffnet hast?«

»Was glaubst du denn? Es war schrecklich.«

»Aber … was war anders? Wie unterscheidet es sich?«

Ich nahm einen Schluck Kaffee, er schwappte in meinem Mund umher und ließ sich nur schwer herunterkriegen.

»Tja, ich weiß nicht … Sie sind einfach weg. Nur ganz unten waren noch ein paar übrig. Es ist so furchtbar, nur die Königin und die Larven. Ganz allein.«

Ich drehte mich weg, weil er meine feuchten Augen nicht sehen sollte. »Und es passiert so schnell, am einen Tag sind sie gesund, am nächsten einfach nur weg.«

»Anders als das Wintersterben«, sagte er.

Ich nickte. »Kein Vergleich. Da kennt man ja den Grund. Entweder liegt es am Wasser oder am Futtermangel oder an beidem.«

Er schwieg, hielt seine Tasse mit beiden Händen und grübelte.

»Aber das Wintersterben wird es auch wieder geben«, sagte er schließlich.

Ich nickte. »Ja, klar. Manche Winter sind hart.«

»Und sie werden noch härter«, fuhr er fort. »Denn die

Winter werden strenger werden, und es werden Stürme kommen, Unwetter.«

Ich sollte etwas sagen, einen Beitrag leisten, doch ich wusste nicht, was.

»Und das Sommersterben«, fuhr er fort. »Du wirst auch mehr Sommersterben erleben. Denn die Sommer werden feuchter und instabiler.«

»Ja doch«, sagte ich. »Aber so genau wissen wir das ja nicht.«

Er sah mich nicht an, redete einfach nur weiter, hob seine Stimme. »Du wirst auch wieder einen Kollaps erleben. Es wird wieder passieren.« Jetzt sprach er laut. »Die Bienen sterben, Papa. Und nur wir können etwas dagegen unternehmen.«

Ich drehte mich zu ihm. So hatte ich ihn noch nie reden hören, ich versuchte mich an einem Lächeln, das zu einer schiefen Grimasse geriet.

»Wir? Du und ich.«

Er lächelte nicht, schien aber auch nicht wütend zu sein. Er war todernst.

»Wir, die Menschen. Wir müssen etwas ändern. Darüber habe ich doch gesprochen, als wir in Maine waren. Wir dürfen dieses System nicht unterstützen. Wir müssen etwas ändern, ehe es zu spät ist.«

Ich schluckte. Wo kam dieses Engagement her? So war er noch nie gewesen. Mit einem Mal war ich so stolz, dass ich ihn immerzu ansehen musste, er dagegen war plötzlich sehr mit seiner Kaffeetasse beschäftigt.

»Sollen wir wieder was tun?«, fragte er leise.

Ich nickte.

Es wurde Abend. Es wurde Nacht.

Wir saßen zu dritt auf der Veranda. Der Himmel war klar.

»Erinnerst du dich noch an die Schlange?«, fragte ich.

»Und die Bienen«, erwiderte Tom.

»Die Schlange?«, fragte Emma.

Tom und ich sahen uns an und lächelten.

Am nächsten Tag schlief ich lange und erwachte mit einem Lächeln im Gesicht. Bereit für neue Magazinbeuten.

Emma saß am Tisch und las, als ich in die Küche kam. Sie hatte mit dem dicken Buch angefangen.

Vor ihr stand ein einsamer Teller. Ich sah mich um.

»Wo ist er?«

Sie legte das Buch beiseite und schaute traurig.

»Ach, George.«

»Ja?«

»Tom ist schon früh gefahren. Noch vor dem Frühstück.«

»Ohne sich zu verabschieden?«

»Er wollte dich nicht wecken, hat er gesagt.«

»Aber ich dachte …«

»Ja, ich weiß.« Sie hob das Buch wieder, klammerte sich daran fest, ohne noch mehr zu sagen.

Ich wollte auch nichts sagen und drehte mich weg.

Es war ein Gefühl, als wollte Gott mich ärgern. Als hätte er eine Leiter vom Himmel herabgelassen, und ich hätte emporklettern dürfen, um einen Blick zu werfen auf Engel, die auf Wiesen aus Zuckerwatte saßen, ehe er mich jäh von seiner Wolke stieß und ich wieder auf die Erde fiel. Die Erde an einem regnerischen Tag, grau, matschig, ärmlich.

In Wirklichkeit schien die Sonne unerschütterlich und versengte unseren Planeten.

Ich hatte die Bienen verloren.

Und wohl auch Tom. Vor langer Zeit. Ich war nur zu starrköpfig gewesen, um es einzusehen.

tao

Hallo? Wir schließen jetzt.«

Die Wachfrau rasselte mit einem schweren Schlüsselbund. »Sie können gern morgen wiederkommen. Oder etwas ausleihen.«

Ich hob den Kopf. »Danke.«

Vor mir lag ein längerer Artikel über das Hummelsterben. Die Hummeln und Wildbienen verschwanden gleichzeitig mit den Bienen, aber ihr Tod war nicht so auffällig oder unheilverkündend, denn die Artenvielfalt hatte ohnehin immer mehr abgenommen, ohne dass jemand Alarm schlug. Dabei sorgten die Wildbienen weltweit für ein Drittel der Bestäubung. In den USA übernahmen die Honigbienen einen Großteil der Arbeit, auf den anderen Kontinenten waren jedoch die wilden Bienenarten am wichtigsten. Allerdings war der ständige Schwund der Arten und der Anzahl der Bienen in diesem Fall schwieriger zu messen. Milben, Viren und wechselhaftes Wetter trafen auch die wilden Bienen. Die Giftstoffe machten ihnen ebenfalls zu schaffen. Davon lagerten so viele in der Erde, dass es ausreichte, um künftige Generationen zu vergiften, sowohl der Bienen wie der Menschen.

Man forschte intensiv nach anderen Insekten, die sich für eine effektive Bestäubung eignen würden. Als Erstes versuchte man es mit Wildbienen, was sich jedoch als aussichtslos herausstellte, weil sie ja auch vom Schwund betroffen waren. Anschließend versuchte man eigens zu diesem Zweck, verschiedene bestäubende Fliegenarten zu züchten, *Ceriana conopsoides, Chrysotoxum octomaculatum* und *Cheilosia reniformis,* jedoch ebenfalls ohne Erfolg. Währenddessen wurde die Welt durch den Klimawandel zu einem immer ungastlicheren Ort. Der Anstieg des Meeresspiegels und das Extremwetter führten zu einer Massenflucht, und die Nahrungsmittelknappheit wurde immer prekärer. Während die Menschen früher Kriege um die Macht geführt hatten, ging es nun um Lebensmittel.

Auch dieser Artikel endete im Jahr 2045. Hundert Jahre nach dem Ende des Zweiten Weltkriegs war die Erde kein Lebensraum mehr, der von Milliarden Menschen bevölkert werden konnte. Im Jahr 2045 gab es keine Bienen mehr auf der Welt.

Ich ging zu den Regalen, wo ich viele der aktuellsten Bücher über den Kollaps gefunden hatte, um sie zurückzustellen. Als ich gerade eines zurückschieben wollte, fiel mir in der Nähe ein grünes Buch auf. Es war weder besonders dick noch hoch, aber die grüne Farbe zog meinen Blick an, ebenso wie der gelbe Schriftzug seines Titels. *Der blinde Imker.*

Ich griff danach, um es herauszuziehen. Aber das Buch leistete Widerstand, der Kunststoff des Einbands hatte sich an den Büchern festgesaugt, zwischen denen es stand, und gab einen kleinen Seufzer von sich, als ich es losriss.

Ich öffnete es, die Buchdeckel waren steif, aber die Seiten fielen gefügig zur Seite und hießen mich willkommen. Das letzte Mal hatte ich dieses Buch in unserer schlichten Schulbibliothek als zerfledderte Kopie gelesen. Diesmal hielt ich ein vollkommen ungebrauchtes Exemplar in den Händen. Ich sah im Impressum nach: 2037. Die erste Auflage.

Dann schlug ich das erste Kapitel auf und stieß erneut auf die Bilder. Die Königin und ihre Kinder, die lediglich Larven in Zellen waren, und all der goldene Honig, der sie umgab. Wimmelnde Bienen auf einem Rahmen im Bienenstock, dicht an dicht, eine wie die andere, unmöglich voneinander zu unterscheiden. Gestreifte Körper, schwarze Augen, regenbogenfarbig schimmernde Flügel.

Ich blätterte weiter, kam zu den Passagen, in denen es um das Wissen ging, dieselben Sätze, die ich als Kind gelesen hatte, aber jetzt beeindruckten sie mich umso mehr: »… um in der Natur und mit der Natur zu leben, müssen wir uns von der eigenen Natur entfernen. Bildung handelt davon, sich selbst zu trotzen, der eigenen Natur, den Instinkten zu trotzen …«

Das Geräusch von Schritten riss mich aus meiner Lektüre, die Wachfrau umrundete ein Regal und kam auf mich zu. Sie sagte nichts, klimperte jedoch erneut mit den Schlüsseln, demonstrativ diesmal.

Schnell nickte ich ihr zu, um ihr zu zeigen, dass ich auf dem Weg war. »Das würde ich mir gern ausleihen.« Ich hielt das Buch hoch.

Sie zuckte nur mit den Schultern. »Bedienen Sie sich.«

Im Hotel angekommen, legte ich es zusammen mit einem Stapel weiterer Bücher auf das Bett. Letztendlich hatte ich so viele Bücher ausgeliehen, wie ich tragen konnte. Jetzt schnell unter die Dusche, um anschließend weiterzulesen.

Mitten im Zimmer schälte ich mich stehend aus meiner Kleidung. Ich zog alles in einem aus, die Socken steckten noch in den Hosenbeinen, und ließ die Sachen in einem wilden Haufen auf dem Boden liegen.

Ich duschte, bis das warme Wasser ausging, wusch mir drei Mal hintereinander die Haare und schrubbte meine Kopfhaut mit den Fingernägeln, um den Staub der toten Stadt zu entfernen. Anschließend trocknete ich mich ausgiebig ab, doch die Feuchtigkeit blieb auf meiner Haut; das Badezimmer war voller Wasserdampf. Am Ende putzte ich mir lange die Zähne, spürte, wie Belag und Bakterien verschwanden, wickelte mir das Handtuch um und ging wieder ins Zimmer.

Als Erstes fiel mir auf, dass meine Kleidung weggeräumt worden war. Der Boden war leer. Ich drehte mich zum Bett um, dort saß eine Frau. Sie war jünger als ich, hatte eine zarte Haut und keine schwarzen Ränder unter den Nägeln, ihre Kleidung war sauber, glatt und stramm, eine Uniform. Es war eine Frau, die auf keinen Fall in den Bäumen arbeitete.

In der Hand hielt sie eines der Bücher, welches, konnte ich nicht genau sehen.

Sie hob den Kopf und sah mich ernst und neutral an. Ich bekam kein Wort über die Lippen, mein Gehirn arbeitete frenetisch, um die Situation einzuordnen. Sollte ich sie kennen?

Sie erhob sich ruhig und legte das Buch beiseite, dann hielt sie mir meine Sachen hin, die ordentlich zusammengelegt waren.

»Es wäre gut, wenn Sie sich anziehen würden.«

Ich rührte mich nicht. Sie benahm sich, als wäre es selbstverständlich, dass sie in meinem Zimmer war. Und vielleicht war es auch so. Ich starrte sie an, versuchte, ihr Gesicht in einen Zusammenhang zu bringen. Doch sie schien nirgends hinzupassen. Ich merkte, wie sich mein Handtuch löste und drohte, an mir herabzugleiten und mich zu entblößen und noch schutzloser zu machen. Ich zog es hoch und presste die Arme dagegen, um es festzuhalten, und ich fühlte mich unbeholfen und durchschaut.

»Wie sind Sie hier reingekommen?«, fragte ich mit einer festen Stimme, die mich selbst überraschte.

»Ich habe mir einen Schlüssel geliehen.« Sie sagte es mit einem kleinen Lächeln, als wäre es völlig normal.

»Was wollen Sie? Wer sind Sie?«, stotterte ich.

»Sie ziehen sich bitte jetzt an und kommen mit.«

Es war keine Antwort, sondern ein Befehl.

»Warum? Wer sind Sie?«

»Hier.« Wieder streckte sie mir den Stapel mit der Kleidung entgegen.

»Wollen Sie Geld? Ich habe kaum noch etwas.« Ich ging zur Nachttischschublade, wo ich noch einige Münzen aufbewahrte, und hielt sie ihr hin.

»Das Komitee schickt mich«, sagte sie. »Sie müssen jetzt mitkommen.«

William

Die Zeichnungen lagen auf meinem Schoß. Ich saß auf einer Bank im Garten in einiger Entfernung zu den Bienenstöcken, nahe genug, um sie gut hören und sehen zu können, weit genug entfernt, um nicht gestochen zu werden. Ich saß still wie ein Tier, das die Witterung des Feindes aufgenommen hatte, eine Beute in Erwartung des Angriffs.

Doch der Angriff war längst vorüber. Ich war zu Aas geworden.

Die Biene stirbt, wenn ihre Flügel von zu viel Gebrauch zerschlissen sind, wie die Segel des Fliegenden Holländers. Sie stirbt in der Bewegung, während sie abhebt, sie trägt eine schwere Last, vielleicht hat sie mehr als gewöhnlich geladen, strotzt nur so vor Pollen und Nektar, doch diesmal ist es zu viel, die Flügel tragen sie nicht mehr. Sie kehrt nie wieder zu ihrem Bienenstock zurück, sondern stürzt mit all ihrer Last zu Boden. Hätte sie menschliche Gefühle, wäre sie in diesem Augenblick glücklich, sie würde die Himmelspforte passieren in der Gewissheit, dass sie der Idee von sich gerecht geworden ist, der Idee der Biene, wie Platon sie hätte formulieren können. Der

Verschleiß der Flügel, ja, ihr gesamter Tod ist ein deutlicher Beweis dafür, dass sie ihrer Bestimmung auf Erden gefolgt ist und, in Anbetracht ihres kleinen Körpers, unendlich viel erreicht hat.

Ein solcher Tod wäre mir nie vergönnt. Es gab keine deutlichen Anzeichen dafür, dass ich meiner Bestimmung auf Erden gerecht geworden war. Ich hatte nichts erreicht. Ich würde alt werden, würde erst auseinandergehen, um dann dahinzusiechen, ohne Spuren zu hinterlassen, man würde mich für nichts in Erinnerung behalten, allerhöchstens für eine salzige Pastete, die eine fettige Schicht am Gaumen hinterließ. Nichts als Swammerpie.

Da konnte es genauso gut gleich zu Ende gehen. Der Pilz war noch immer da, er lag in der obersten Schublade links im Laden, sicher verschlossen mit einem Schlüssel, auf den nur ich allein Zugriff hatte. Niemand würde erfahren, dass ich meinen Tod selbst herbeigeführt hatte. Und ich wäre erlöst.

Aber ich konnte es nicht, denn ich konnte mich nicht von der Bank erheben, konnte nicht einmal meine Zeichnungen vernichten, meine Hände verweigerten diese einfache Bewegung, der Impuls blieb in den Fingerkuppen stecken und lähmte mich.

Wie lange ich allein so dasaß, ich weiß es nicht.

Sie kam, ohne dass ich es bemerkte, plötzlich saß sie neben mir auf der Bank. Lautlos, nicht einmal ihr Atem war zu hören. Meine Augen starrten auf die summenden Bienen vor uns, vielleicht auch ins Nichts.

In den Händen hielt sie den Brief von Dzierzon. Sie

musste ihn in dem Durcheinander in meinem Zimmer gefunden und gelesen haben, so wie sie schon früher alles zwischen meinen Sachen gesucht und gefunden hatte. Denn es war immer sie gewesen, der aufgeräumte Laden, das Buch auf meinem Schreibtisch. Ich hatte es nur nicht gesehen, es nicht sehen wollen.

Die Anwesenheit einer anderen Person hob meine Lähmung auf. Vielleicht lag es auch daran, dass sie es war. Sie war der einzige Mensch, den ich jetzt hatte.

Ich nahm die Zeichnungen von meinem Schoß und legte sie auf den ihren.

»Zerstör sie für mich«, bat ich leise. »Ich schaffe es nicht.«

Sie blieb einfach nur sitzen. Ich versuchte sie anzusehen, aber sie hatte sich von mir abgewandt.

»Hilf mir«, flehte ich.

Sie legte die Hand auf die Zeichnungen und schwieg eine Weile.

»Nein«, sagte sie dann.

»Aber das ist Unrat, verstehst du das denn nicht?« Meine Stimme brach, aber das rührte sie nicht.

Sie schüttelte nur langsam den Kopf. »Es ist noch zu früh, Vater, vielleicht werden sie später noch einen Wert haben.«

Ich holte tief Luft, sprach mit ruhiger Stimme und versuchte, vernünftig zu klingen.

»Sie haben keinerlei Nutzen. Ich möchte wirklich einfach nur, dass du sie vernichtest, weil ich es nicht über mich bringe. Schaff sie weg, an irgendeinen Ort, wo ich sie nicht sehen kann – und wo ich dich nicht davon abhalten kann … Verbrenn sie! In einem großen Feuer, dessen Flammen bis zum Himmel schlagen.«

Ich wünschte, die Worte würden sie dazu antreiben, endlich aufzustehen und meiner inständigen Bitte nachzukommen, so wie sie für gewöhnlich all meinen Aufforderungen nachkam. Doch sie blieb einfach sitzen, fuhr mit einem Finger behutsam über die Striche, die zu ziehen ich mich so angestrengt hatte, über die Details, mit denen ich so sehr gerungen hatte. »Nein, Vater. Nein.«

»Aber das ist alles, was ich will!« Mit einem Mal spürte ich eine Enge im Brustkorb. Und ich spürte die Hand meines eigenen Vaters im Nacken, die Erde an den Knien, in meinen Ohren dröhnte sein höhnisches Lachen, und ich erwartete den Gürtel. Er war der Erwachsene, ich das Kind, noch einmal war ich zehn Jahre alt, und die Schande lastete auf mir, denn ich hatte wieder einmal versagt. »Verbrenn sie … bitte.«

Erst jetzt sah ich die Tränen in ihren Augen. Ihre Tränen. Wann hatte ich sie zuletzt gesehen? Nicht, als sie all die Stunden im Winter bei mir gesessen hatte, nicht, als sie mit einem berauschten Edmund nach Hause kam, nicht, als sie mich beinahe unter der Erde begraben vorfand.

Dann erst verstand ich. Dies waren ja auch ihre Zeichnungen, ihr Werk. Sie war die ganze Zeit über dabei gewesen, aber ich hatte nur mich selbst gesehen, meine Forschung, meine Zeichnungen, meine Bienen. Erst jetzt wurde mir bewusst, dass wir von Beginn an zu zweit gewesen waren, sie gehörten auch ihr. Die Bienen gehörten auch ihr.

»Charlotte.« Ich schluckte. »Oh, Charlotte. Wer bin ich eigentlich für dich gewesen?«

Verblüfft sah sie auf. »Wie meinst du das?«

»Ich meine, ich hätte dir … mehr geben sollen.«

Sie wischte sich mit dem Handrücken durch die Augen, aus ihrem Blick sprach nichts als Verwunderung.

»Mehr? Nein …«

Ich wollte ihr so vieles sagen, dass sie einen besseren Vater verdient hätte, der auch an sie dachte, dass ich ein Idiot gewesen war, der sich nur mit den eigenen Dingen beschäftigt hatte, während sie mir unbeirrbar beigestanden hatte, was immer ich auch getan hatte. Doch die Worte gerieten zu groß, ich brachte sie nicht heraus.

Alles, was ich konnte, war, ihre Hand zu nehmen. Sie ließ es zu, beeilte sich jedoch, die andere Hand schützend über die Zeichnungen zu legen, damit der Wind sie nicht fortriss.

So blieben wir schweigend sitzen.

Sie atmete einige Male tief durch, als wollte sie etwas sagen.

»So darfst du nicht denken«, begann sie schließlich. Dann wandte sie sich zu mir und sah mich mit ihren klaren, grauen Augen an. »Ich habe mehr bekommen, als ein Mädchen je erwarten darf. Mehr als jedes andere Mädchen, das ich kenne. Alles, was du mir gezeigt und erklärt und mit mir geteilt hast … die ganze Zeit, die wir miteinander verbracht haben, unsere Gespräche, alles, was du mir beigebracht hast … Für mich bist du … ich …«

Sie beendete den Satz nicht, blieb einfach sitzen und fügte schließlich hinzu:

»Ich hätte keinen besseren Vater haben können.«

Ein Schluchzen entfuhr mir, ich starrte angestrengt in die Luft, während ich mit den Tränen kämpfte.

Wir blieben sitzen, die Zeit verging, die Natur umgab uns mit all ihren Lauten, dem Vogelgesang, dem Windesrauschen, dem Quaken eines Froschs. Und den Bienen. Ihr gedämpftes Summen beruhigte mich.

Vorsichtig befreite Charlotte ihre Hand aus meiner und nickte schwach.

»Du sollst sie nicht länger sehen müssen.«

Sie stand auf, nahm die Zeichnungen mit, trug sie mit beiden Händen, als wären sie noch immer wertvoll, und ging auf das Haus zu.

Ich musste tief seufzen, aus Dankbarkeit und Erleichterung, aber auch aus der Gewissheit heraus, dass es jetzt vorbei war.

Ich blieb sitzen und betrachtete die Bienen, ihre Ausdauer, ihr ewiges Hin und Her, sie befanden sich niemals im Stillstand.

Nicht, ehe ihre Flügel rissen.

GEORGE

Ich lag wieder wach. Dabei hätte einem guten Schlaf nichts im Wege gestanden. Das Zimmer war angenehm kühl, und es war still. Und dunkel. Wie dunkel es zurzeit wurde, viel dunkler als vorher. Dann fiel mir die Lampe wieder ein. Das war der Grund, ich hatte es nie geschafft, sie zu reparieren. Die Leitungen hingen immer noch aus der Wand wie kriechende Würmer mit Köpfen aus Isolierband. Ich kam jeden Tag an ihnen vorbei, nahm sie wahr und bekam schlechte Laune davon. Eines von vielen Dingen, die ich nie in Angriff nahm. Es war nicht wichtig, das wusste ich ja. Ich brauchte dieses Licht nicht, keiner von uns. Emma drängte mich auch nicht dazu, ich glaube, sie dachte nicht einmal darüber nach. Aber diese kriechenden Leitungen waren ein Teil all dessen, was nicht so war, wie es sein sollte, all dessen, was nicht intakt war.

Ich brauchte sieben Stunden Schlaf. Mindestens. Meine Bewunderung hatte schon immer denjenigen gegolten, die mit wenig Schlaf auskommen. Die nach fünf Stunden aufwachen und parat sind, gleich die volle Leistung bringen. Sie sind es, die im Leben wirklich weit kommen, das hatte ich zumindest gehört.

Ich drehte mich zu meinem Wecker. 0:32 Uhr. Schon seit 23:08 Uhr lag ich hier. Emma war sofort eingeschlafen, und auch ich war ab und zu eingedöst. Doch dann war ich sofort wieder hochgeschreckt, mit klarem Kopf, hellwach. Und mein Körper arbeitete, lag niemals still, wollte nicht auf der Matratze zur Ruhe kommen. Wie ich mich auch drehte und wendete, jede Lage war unbequem.

Ich musste schlafen. Wenn ich jetzt nicht schlief, würde ich morgen nichts leisten können. Vielleicht würde ein Drink helfen.

Schnaps hatten wir nicht da, wir tranken ihn nur selten. Aber ein Bier fand ich im Kühlschrank, und ein Glas im Küchenschrank. Fehlte nur noch der Flaschenöffner. Er hing nicht an seinem festen Platz an der Wand, einem Haken über der Spüle, dem vierten Haken von rechts, zwischen der Schere und der Bratpfanne. Wo war er? Ich öffnete die Besteckschublade. Fand den Korkenzieher und ein paar poröse alte Gummibänder ganz hinten in einem eigenen Fach. Aber der Flaschenöffner war nicht da. Ich öffnete noch eine Schublade. Nichts. Hatte sie das System geändert? Alles umsortiert? Es wäre nicht das erste Mal.

Ich suchte weiter, Schublade für Schublade. Das Bier musste ich abstellen, denn ich brauchte beide Hände, und ich gab mir keine Mühe, leise zu sein. Wenn sie unbedingt alles umräumen wollte, musste sie das eben ertragen. Es war zum Verrücktwerden, wie viele Schubladen es in dieser Küche gab, und wie viel Quatsch sie enthielten. Sogenannte nützliche Küchenhelfer, die Staub ansetzten. Eierkocher, eine elektrische Pfeffermühle, ein Utensil, das eigens dafür entwickelt worden war, einen Apfel in sechs

Teile zu schneiden. All das hatte sich ein halbes Leben lang angesammelt. Das meiste davon war auf Emmas Mist gewachsen. Ich hätte am liebsten eine Tüte genommen und alles hineingeworfen. Aufgeräumt.

Doch dann tauchte er auf. Er lag in der großen Schublade mit den Kochlöffeln, Schöpfkellen und Schneebesen. Ganz hinten. Ganz unten. Anscheinend hatte er tatsächlich einen neuen Platz. Schnell öffnete ich das Bier. Ich hatte Lust, zu ihr zu gehen, sie zu wecken und ihr zu sagen, dass sie es gefälligst lassen sollte, immer alles zu ändern. Stattdessen trank ich einen großen Schluck Bier. Er rann mir kühl die Kehle hinunter.

Mein Magen knurrte, aber ich konnte mich nicht dazu aufraffen, etwas zu essen zu suchen. Nichts sprach mich an. Und Bier hatte ja auch Nährstoffe. Ich war kein bisschen müde, nur unruhig. Tigerte hin und her, lief in die Küche und griff nach der Fernbedienung. Doch dann hielt ich inne, denn plötzlich sah ich etwas an der Wand im Esszimmer.

Ich ging hinein und blieb davor stehen. Die Zeichnungen. William Savages Standardbeute. Die strenggenommen für niemand anders als die Savage-Familie selbst je zum Standard geworden war. Nun hing sie hier an einer Wand, auf die niemals die Sonne fiel. In dicken Goldrahmen, glänzend, ohne ein einziges Staubkörnchen, dafür sorgte Emma. Schwarze Tusche auf vergilbtem Papier. Zahlen. Maße. Einfache Beschreibungen. Mehr nicht. Doch dahinter verbarg sich eine Geschichte, die meine Familie gehütet hatte, seit die Zeichnungen im Jahr 1852 angefertigt worden waren. Die Standardbeute sollte William Savages großer Triumph werden, mit ihr wollte er in die Geschichtsbücher eingehen. Doch er hatte nicht mit der schnellen Konkurrenz aus Amerika gerechnet, einem gewissen Lorenzo Langstroth. Er gewann, indem er jene Maße entwickelte, die später zum Standard wurden. Und Savages Leistung beachtete niemand. Er war schlicht und ergreifend zu langsam gewesen. Vielleicht nicht verwunderlich zu einer Zeit, als sie auf ihrem jeweiligen Kontinent saßen und an dem gleichen Projekt arbeiteten, ohne sich über Telefon, Fax oder E-Mail verständigen zu können.

Hinter jedem großen Erfinder stehen mindestens ein Dutzend Enttäuschte, die zu spät dran waren. Savage war einer von ihnen. So brachte er sich und seiner Familie weder Reichtum noch Ehre ein.

Glücklicherweise gelang es seiner Frau, die meisten Töchter zu verheiraten. Um Edmund, den Sohn, stand es dagegen umso schlimmer. Er war ein hoffnungsloser Fall, ein Querulant und Dandy, der schon früh dem Alkohol verfiel und irgendwann nach London ging und in der Gosse endete.

Nur eine Tochter heiratete nie. Charlotte, die klügste von allen. Die Pionierin in unserer Familie. Sie kaufte ein Ticket über den Großen Teich, ohne Rückfahrtschein. Ihre Reisekiste stand auf unserem Dachboden. Damit war sie hergereist, mit der Kiste und einem Kind. Wer der Vater war, wusste keiner. Die beiden waren ganz allein nach Amerika gekommen, und in der Kiste hatte sie alles gehabt, was sie besaß.

Die Kiste roch alt und muffig. Wir hatten keine Verwendung dafür, aber ich brachte es auch nicht übers Herz, sie wegzuwerfen. Charlotte hatte ihr ganzes Leben in diese Kiste gepackt, darunter auch die Zeichnungen ihres Vaters vom Bienenstock.

Und damit hatte alles begonnen. Charlotte war Imkerin geworden. Nicht als reiner Broterwerb, denn nebenbei arbeitete sie auch noch als Lehrerin und Schuldirektorin. Nur drei Bienenstöcke hatten sie, aber diese drei waren genug, um das Kind, einen kleinen Jungen, für die Imkerei zu begeistern, woraufhin er sie später um einige Bienenstöcke erweiterte. Genau wie sein Sohn. Und dessen Sohn. Und am Ende auch mein Großvater, der auf Vollbetrieb umstellte und sich einen ansehnlichen Lebensunterhalt davon erwirtschaften konnte.

Diese verfluchten Zeichnungen!

Jäh donnerte ich meine Faust gegen das Glas des Rahmens. Es machte einen Knall, der Schmerz fuhr mir in die Hand und breitete sich im ganzen Körper aus. Das Bild wackelte leicht, blieb aber hängen.

Es musste runter. Alle drei Rahmen mussten runter.

Ich nahm sie von den Haken und stellte sie in den Flur. Dort suchte ich meine klobigsten Schuhe hervor, schwere Winterschuhe mit einer dicken Sohle.

Schuhe an, hinaus auf den Hof.

Ich wollte ihnen wirklich den Garaus bereiten, den Stiefel draufsetzen und fest zutreten, doch im selben Moment musste ich an Emma denken und an den Lärm, den ich veranstalten würde. Ich blickte zum Schlafzimmerfenster. Kein Licht zu sehen. Sie schlief immer noch.

Ich schleppte die Rahmen weiter, öffnete die Tür des Schuppens und legte sie auf den Boden.

Natürlich hätte ich den Rahmen öffnen und die Bilder herausnehmen können, aber ich wollte das Geräusch des Glases hören. Das Knirschen unter meinen Stiefeln.

Ich trat zu, wieder und wieder, sprang darauf. Das Glas zersplitterte, die Rahmen brachen. Genau, wie ich es mir vorgestellt hatte.

Dann zog ich die Zeichnungen heraus. Ich hatte gehofft, sie wären von den Scherben beschädigt, doch sie waren unversehrt. Ich legte sie übereinander, insgesamt sechs Blätter, und blieb davor stehen. Ich könnte sie anzünden, ein Streichholz dranhalten und das Lebenswerk meiner Familie in Flammen aufgehen lassen. Nein.

Ich legte die Skizzen auf meinen Arbeitstisch und betrachtete sie. Es waren erbärmliche Zeichnungen, die nichts auf der Welt bewirkt hatten. Sie verdienten ein triviales Schicksal. Kein Feuer, das wäre zu dramatisch, zu würdevoll. Etwas anderes.

Dann hatte ich es.

Ich setzte an, den Stapel bereits in den Händen, die sich noch weigerten, aber ich zwang sie. Ich begann, das Papier zu zerreißen, in lange, möglichst gleichmäßige Streifen. Doch alle sechs Zeichnungen übereinander waren zu dick. Es war schwierig, das angestrebte Ergebnis zu erzielen. Ich musste den Stapel aufteilen, zwei mal drei Blätter. Aber das ginge zu schnell. Ich wollte mich länger damit beschäftigen. Also nahm ich mir einen Bogen nach dem anderen vor.

Mir gefiel das Geräusch. Es war, als würde das Papier schreien. *Gnade, Gnade!*

Jetzt fühlte es sich herrlich an, geradezu phänomenal,

endlich war ich tatkräftig, hatte eine vernünftige Aufgabe. Ich hätte die ganze Nacht so weitermachen können.

Doch irgendwann musste ich aufhören. Es wäre die Mühe nicht wert gewesen, sie in noch kleinere Stücke zu reißen, und außerdem würden sie ihren Zweck dann nicht mehr erfüllen.

Ich legte die Streifen zusammen und nahm sie mit. Ich hatte keine Lust, die Rahmen und das Glas wegzuräumen, das musste ich morgen erledigen, und so ging ich einfach hinaus in die Nacht und über den Hofplatz und öffnete die Eingangstür.

In den Windfang, weiter hinein in den Flur. Dort öffnete ich die erste Tür auf der rechten Seite und trat zwei Schritte in die Dunkelheit. Ein gurgelndes Geräusch verriet mir, dass die Spülung wie immer nachlief. Wahrscheinlich musste ich den Kasten auswechseln. Aber ich hatte jetzt keine Lust, das Licht einzuschalten und nachzusehen. Ich legte die Zeichnungen, die Papierstreifen, einfach auf den Boden. Bereit für den Gebrauch. Wo sie auch hingehörten, auf das Klo.

tao

Wir saßen in einem älteren Elektroauto. In den Zwanzigerjahren, als die Solarenergie auf dem Höhepunkt war, hatte man viele davon gebaut. Als ich die Stadt damals mit meinen Eltern besucht hatte, waren die Straßen voll davon gewesen, die meisten davon waren jedoch alt und gebraucht. Dieses Auto schien besser gepflegt worden zu sein, es war groß, schwarz und glänzend, für einen anspruchsvollen Kundenkreis gebaut. Ich hatte ein solches Fahrzeug noch nie im Privatbesitz gesehen, um es zu benutzen, musste man einen gewissen Rang innehaben. Die wenigen Autos, die bei uns im Ort herumfuhren, gehörten der Polizei oder dem Rettungsdienst, wie auch der Wagen, in dem Wei-Wen abgeholt worden war. Es waren einfache Kisten aus leichtem Material, damit sie möglichst wenig Strom verbrauchten. Dieses Auto war größer und protziger. Wenn einmal ein Fahrzeug wie dieses mit getönten Scheiben durch die Straßen unseres kleines Ortes geglitten war, hatten wir uns immer gefragt, was es wohl in unser abgelegenes Nest geführt haben mochte.

Zum ersten Mal im Leben hatte ich einen Fuß in ein so schickes Fahrzeug gesetzt. Ich legte die Hand auf das

Lederimitat des Sitzes. Es war einmal glatt gewesen, jetzt aber voller Risse. Denn das Auto war alt. Die Sitze verrieten es, der Geruch verriet es. Man hatte eine Menge Reinigungsmittel eingesetzt, um den Mief des Alters zu überdecken, der überall im Innenraum hing.

Die Frau hatte mich auf die Mittelreihe verwiesen, während sie selbst vorn saß und dem Autopiloten eine Adresse diktierte, die mir nichts sagte. Dann ging die Fahrt los. Ich sah nur ihren Nacken, sie sagte nichts. Für einen Moment überlegte ich, ob ich sie bitten sollte, anzuhalten, damit ich hinausspringen konnte, aber ich wusste bereits, dass es aussichtslos war. Sie ließ mir keine andere Wahl. Ihre Augen sagten deutlich, dass es Konsequenzen haben würde, wenn ich nicht tat, was sie sagte.

Außerdem … Vielleicht konnte sie mich zu Wei-Wen führen. Und das war das einzig Wichtige.

Wir fuhren fast eine Stunde lang, begegneten im Zentrum einigen wenigen Autos und waren anschließend allein auf der Straße. Keine der Ampeln, die wir passierten, funktionierte noch, und wir rasten durch die Straßen, ohne auf Passanten Rücksicht nehmen zu müssen. Wie die Schilder verrieten, waren wir auf dem Weg nach Shunyi. Über diesen Bezirk wusste ich nichts, aber die Häuser zeigten, dass er einmal von wohlhabenden Menschen bewohnt worden sein musste. Große, etwas abseits der Straße gelegene Häuser mit nur drei oder vier Stockwerken und riesigen Gärten. Sie mussten einmal repräsentativ gewesen sein, jetzt aber waren die Gebäude verfallen und die Gärten verwildert. Wir fuhren an etwas vorbei, das wohl einmal ein Golfplatz gewesen war. Er war von

Unkraut übersät, und an einer Stelle hatte jemand versucht, auf einigen Erdresten Gemüse anzubauen. Überhaupt gab es an vielen Stellen fruchtbare Erde, die brach lag, und es wunderte mich, warum niemand den Versuch unternommen hatte, dort etwas zu pflanzen. Aber vielleicht waren alle weggezogen.

Endlich hielten wir an. Die Frau stieg aus und bat mich, ihr zu folgen.

Wir betraten einen Platz, in dessen Mitte ein ehemals prunkvoller Springbrunnen vor sich hin moderte. Auf dem Boden des Beckens lag die Skulptur eines Kranichs, vielleicht hatten die Naturkräfte sie heruntergerissen, vielleicht war es Vandalismus gewesen. Nicht ein Auto war zu hören, nur der Wind, der an den losen Dachziegeln und Fenstern der Häuser rüttelte, die Muskeln der Natur, die langsam und unaufhaltbar die Macht übernahm.

Von oben hörte ich Stimmen und hob den Kopf. Auf dem Dach eines hohen Gebäudes standen zwei Menschen. Ich konnte nur ihre Silhouetten erkennen und hörte, dass sie sprachen, doch ich verstand nichts. Sie hielten etwas in den Händen, das sie jetzt losließen. Kreisförmige Schatten schwebten durch die Luft, weg von uns, in Richtung Zentrum. Ich hatte einmal von ferngesteuerten, fliegenden Computern gehört, die es früher gegeben hatte. Drohnen. Waren das welche? Wem sollten sie folgen? Plötzlich schoss mir durch den Kopf, dass sie vielleicht auch mich überwacht hatten, und zwar länger, als ich es geahnt hatte, und bereits einiges über mich wussten.

»Wir müssen hier rein«, sagte die Frau.

Das Gebäude hatte keinen Namen, kein Schild verriet

mir, was sich hinter seinen Mauern verbarg. Die Frau legte ihre Hand auf eine Glasplatte an der Wand, jeden Finger auf einen von fünf Punkten. Im nächsten Moment glitten zwei große getönte Glastüren auseinander. Sie waren elektrisch betrieben, obwohl dieser Bezirk ansonsten längst nicht mehr ans Stromnetz angeschlossen zu sein schien.

Die Frau geleitete mich in das große Gebäude. Ich schreckte zusammen, als wir beinahe mit einem jungen Mann zusammenstießen, der drinnen Wache stand. Als ich mich umdrehte, entdeckte ich weitere Wachmänner. Sie trugen eine Uniform wie die Frau und begrüßten sie knapp. Sie nickte zurück und eilte weiter.

Ich folgte ihr durch eine große Halle und weiter in ein Großraumbüro. Überall kamen wir an Menschen vorbei. Nach all den Wochen in der ausgestorbenen Stadt erschien mir das unwirklich. Alle sahen sauber und ordentlich aus, offenbar waren sie weder körperlicher Arbeit noch der Sonne ausgesetzt gewesen. Sie waren eifrig beschäftigt, viele saßen vor großen Bildschirmen, einige hielten in gedämpftem Ton Besprechungen in Sitzecken oder an runden Tischen ab. Es war eine durchsichtige Bürolandschaft. Die Wände waren aus Glas, die Räume offen, aber die Geräusche drangen nicht weit, weil sie von dicken Teppichen und schweren Möbeln gedämpft wurden. Hin und wieder stolperte ich fast über einen von mehreren flachen, runden Staubsaugern, die auf dem Boden hin- und herflitzten und unsichtbaren Schmutz aufsogen.

Hier war der Verfall noch nicht angekommen, es war, als hätte ich eine Welt betreten, die der Vergangenheit angehörte.

Endlich blieb die Frau stehen. Wir waren am Ende eines Flurs angelangt, an einer Wand, die als einzige nicht aus Glas war, sondern aus dunklem, blankpoliertem Holz. Sie hatte eine Tür, die wie aus dem Holz herausgeschnitten aussah. Die Frau klopfte an. Einige Sekunden vergingen, ehe ein Summen und ein Klicken ertönte und die Tür aufging.

Wei-Wen – ob er hier war? Plötzlich zitterte ich.

»Bitte schön«, sie deutete mit dem Kopf zur Tür.

Zögernd ging ich hinein und hörte, wie sich das Geräusch wiederholte. Ein Summen und dann ein Klicken. Sie hatte mich eingeschlossen.

Der Raum war groß und hell, aber fensterlos. Auch hier gab es einen Teppichboden. Die Wände waren mit Stoff behängt, große Vorhänge, die von der Decke bis zum Boden reichten. Waren es tatsächlich Wände, oder verbarg sich hinter dem Stoff etwas anderes? Menschen, Zugänge zu anderen Räumen? Hatte ich auf der rechten Seite eine winzige Bewegung bemerkt? Schnell drehte ich mich um. Nein, der Vorhang hing noch genauso still herab. Verglichen mit der Stille in diesem Raum wirkte der diskrete Geräuschteppich im Großraumbüro wie Lärm. Vielleicht war dies ein Ort, zu dem keine Geräusche vordringen sollten. Oder aus ihm hinaus. Der Gedanke ließ meinen Puls steigen.

Zu meiner Rechten raschelte der Vorhang und wurde plötzlich beiseitegeschoben. Eine ältere Frau trat daraus hervor. Sie lächelte milde und kam mir irgendwie bekannt vor, ihre Kopfhaltung, ihr gestärkter Kragen. Das Netz aus Falten um ihre Augen. Ich hatte sie schon einmal gesehen, schon viele Male, aber nie in Wirklichkeit.

Denn es war Li Xiara. Die Stimme aus dem Radio, die Vorsitzende des Komitees, unser Staatsoberhaupt.

Ich wich einen Schritt zurück, doch sie lächelte mich weiterhin an.

»Es tut mir sehr leid, dass wir uns auf diese Art und Weise kennenlernen müssen«, erklärte sie leise. »Aber wir konnten nicht länger damit warten, ein Gespräch mit Ihnen zu führen.«

Sie legte ihre Hand auf die Lehne eines weichgepolsterten Sessels.

»Bitte setzen Sie sich doch.«

Sie wartete nicht, sondern nahm selbst in einem Sessel gegenüber Platz.

»Ich weiß, Sie haben viele Fragen. Es tut mir leid, dass ich Sie nicht selbst abholen konnte. Und ich hoffe, wir können nun ein wenig Ordnung in die Sache bringen.« Sie sprach sanft und kontrolliert, als würde sie von einem Manuskript ablesen.

Wir saßen uns auf Augenhöhe gegenüber und sahen uns an. Ich konnte den Blick nicht von ihr lassen. Ohne den Filter der Fernsehkameras wirkte ihr Gesicht so nackt. Ein seltsames Gefühl, ihr so nahe zu sein, sie in der Realität zu sehen.

Mir wurde flau. Diese Frau … Welche Entscheidungen hatte sie getroffen? Wofür war sie verantwortlich? Für das Sterben der Städte? Für die Situation des Jungen im Restaurant? Für die Alten, die man dem Tod überlassen hatte? Für die Jugendlichen, die nur noch Gespenster waren und so verzweifelt, dass ihre Mitmenschen für sie zur Beute wurden?

Für meine eigene Mutter?

Nein, daran durfte ich nicht denken. Ich durfte meine Fragen und meine Kritik nicht aussprechen, denn sie wusste mehr als ich.

»Ich würde es sehr zu schätzen wissen, wenn Sie mir erzählen könnten, warum ich hier bin.« Ich ahmte ihre Ausdrucksweise nach und sprach so sanft und freundlich, wie ich konnte.

Sie ließ ihren Blick auf mir ruhen.

»Am Anfang dachten wir, Sie wären aufsässig.«

»Wie bitte?«

»Vor allem, als Sie hier nach Peking kamen.« Sie machte eine Pause. »Doch anschließend … Wir hatten wirklich vor, Sie zu kontaktieren, wir wollten Sie und Ihren Mann nicht so lange im Ungewissen lassen. Aber wir mussten uns erst ganz, ganz sicher sein.«

»Sicher worüber?«

Sie beugte sich in ihrem Sessel vor, näher an mich heran. »Jetzt sind wir es.«

Ich erwiderte nichts. Ihre sonore, ruhige Stimme machte mich wahnsinnig, aber ich wusste, ich würde mit meinen Fragen nicht weiterkommen.

»Und vielleicht war es so ohnehin besser«, fuhr sie fort. »Dass Sie selbst die Antworten auf Ihre Fragen finden mussten.«

Ich musste nach Luft schnappen und versuchte ruhig zu bleiben. »Ich verstehe nicht, was Sie meinen.«

»Sie werden die Gelegenheit bekommen, künftig eine wichtige Rolle zu spielen. Und wir hoffen, dass Sie mit uns zusammenarbeiten werden.«

»Was meinen Sie?«

»Darauf werde ich noch zu sprechen kommen. Erzählen Sie mir doch erst, was Ihrem Sohn Ihrer Meinung nach zugestoßen ist. Was haben Sie herausgefunden?«

Ich zwang mich, ruhig zu bleiben. Sie hatte die Agenda bestimmt, und mir blieb keine andere Wahl, als ihr zu folgen und kooperativ zu sein. Was würde passieren, wenn ich es nicht tat?

»Ich glaube, Wei-Wen ist etwas zugestoßen, das für weit mehr Menschen von Bedeutung ist als nur für ihn«, antwortete ich langsam. »Und für mich.«

Sie nickte.

»Und was noch?«

»Ich glaube, deshalb haben Sie ihn mitgenommen. Und ich glaube, dass das, was passiert ist … alles verändern kann.«

Sie wartete.

»Können Sie mir nicht einfach erzählen, wo er ist?« Jetzt flehte ich sie an. »Mehr weiß ich nicht!«

Sie schwieg, ihr Blick ging ins Leere.

Plötzlich setzte alles in mir aus, ich ertrug ihre ruhige, sonore Stimme nicht mehr, das Rätselraten, diesen neutralen Blick und dieses subtile Lächeln, das unmöglich zu deuten war.

»Ich weiß nichts!« Mit einem Satz war ich bei ihr. Sie schreckte im Sessel zusammen. Ich packte sie an den Schultern, und zum ersten Mal veränderte sich ihr neutraler Gesichtsausdruck. Ein Anflug von Angst blitzte darin auf.

»Wo ist Wei-Wen?«, fragte ich. »Wo ist er? Was ist mit ihm passiert?«

Ich zog sie aus dem Sessel.

»Ich kann nicht mehr! Verstehen Sie? Es ist mein Kind!«

Noch immer hielt ich sie fest, schüttelte sie. Ich war stärker, zäher, von der körperlichen Arbeit gestärkt. Sie hatte keine Chance, ich presste sie gegen die Tür, schlug sie gegen das Holz. Ihr Gesicht verzog sich, und endlich schien ich etwas in ihr auszulösen. Doch ich ließ sie nicht los, ich hielt sie fest und schrie.

»Wo ist Wei-Wen? Wo ist er?«

Im gleichen Augenblick waren die Wachleute da, sie näherten sich von hinten, rissen mich los und zwangen mich zu Boden. Dort hielten sie mich fest, während tief aus meinem Bauch ein Schluchzen kam.

»Wei-Wen … Wei-Wen … Wei-Wen …«

Sie stand über mir. Sie hatte schon die Fassung wiedererlangt, zupfte ihre Kleidung zurecht und atmete ruhig.

»Lassen Sie sie los.«

Zögernd lösten die Wachleute ihren Griff, ich blieb vornübergebeugt sitzen und leistete keinen Widerstand, ich konnte nicht mehr. Langsam kam Xiara zu mir, beugte sich herab und legte die Hand auf meinen Hinterkopf. Sie ließ sie einen Moment dort ruhen, strich an meiner Wange entlang und nahm mein Kinn zwischen die Finger. Behutsam hob sie mein Gesicht, sodass sich unsere Blicke trafen.

Dann nickte sie.

Er lag auf einem weißen Laken in einem grell erleuchteten Raum. Er schlief. Sein Körper war unter einer Decke verborgen, nur der Kopf war sichtbar. Sein Gesicht war zart, aber magerer als zuvor, die Augenhöhlen zeichneten sich als deutliche Schatten ab. Ich trat näher heran, und da sah ich es – sie hatten ihm an der einen Seite des Kopfes die Haare abrasiert. Ich trat noch einen Schritt vor und verstand warum. Eine Stelle hinter dem Ohr, am Haaransatz, war gerötet. Der Stich. Ich widerstand dem Impuls, zu ihm zu stürmen. Ich war allein, aber ich wusste, dass sie mich beobachteten. Sie hatten mich immer im Blick. Aber das war nicht der Grund, weshalb ich stehen blieb.

Solange ich hier stand, in zwei Meter Entfernung, konnte ich immer noch glauben, dass er schlief.

Ich konnte glauben, dass er schlief, und die Eiskristalle übersehen, die sich wie Schlingpflanzen vom Boden die Beine des Bettes hinaufrankten.

Ich konnte glauben, dass er schlief, und übersehen, wie mein Atem als weißer Dampf im Raum hing, sobald ich die warme Luft aus meinen Lungen entweichen ließ.

Ich konnte glauben, dass er schlief, und übersehen, dass er keine weiße Atemwolke ausstieß und die Luft über seinem Bett, über dem weißen Laken, stillstand, klar und kalt.

GEORGE

Es roch versengt auf Gareths Hof. Der süßliche Geruch von warmem Honig und Benzin. Als ich die Autotür öffnete, schlug mir der Rauch entgegen.

Er hatte mir den Rücken zugewandt und stand mit dem Gesicht zum Feuer. Es war mehrere Meter hoch, die Magazinbeuten waren nicht gestapelt, sondern wild übereinandergeworfen worden. Das Feuer toste, knisterte und prasselte. Lustig, kam es mir plötzlich in den Sinn. Als führte es ein Eigenleben. Als würde es ihm gefallen, ein Lebenswerk zu zerstören. Er hielt einen Benzinkanister in der Hand, und sein Arm hing schlaff herunter, als hätte er ihn vergessen.

Er drehte sich um und bemerkte mich, ohne überrascht zu wirken.

»Wie viele?«, fragte ich mit Blick auf das Feuer.

»Neunzig Prozent.«

Er nannte nicht die Zahl der Beuten und nicht die der Bienenvölker, sondern die Prozentzahl. Als wäre es reine Mathematik. Doch seine Augen sagten etwas anderes.

Er entfernte sich einige Schritte und stellte den Kanister ab. Dann nahm er ihn wieder, begriff wohl, dass er ihn so nicht stehen lassen konnte, mitten auf dem Hof.

Sein Gesicht war rot, die Haut so trocken, dass sie fast aufplatzte, sein Ausschlag hatte sich von seinem sonnengebräunten Hals nach oben hin ausgebreitet.

»Und bei dir?«

»Die meisten.«

Er nickte. »Hast du sie verbrannt?«

»Ich weiß nicht, ob es überhaupt Sinn hat, aber ja.«

»Die Beuten noch mal zu verwenden, wäre jedenfalls nicht gut. Es steckt in ihnen.«

Er hatte recht, sie stanken nach Tod.

»Ich hätte nicht gedacht, dass das hierherkommen würde«, sagte er.

»Und ich dachte, es läge an der schlechten Pflege«, erwiderte ich.

Gareth verzog die Mundwinkel zu einer Art Lächeln. »Ich auch.«

Jetzt erinnerte er mich sehr an den kleinen Jungen, der er einmal gewesen war. Der allein auf dem Schulhof gestanden hatte. Der Schulranzen war vor ihm auf dem Boden entleert worden, die Bücher zerrissen, die Bleistifte weggeworfen, alles schlammverschmiert. Aber damals hatte er nie aufgegeben, war nie abgehauen, er hatte sich einfach hingekniet, die Bücher eingesammelt, mit seinem Pulloverärmel den Schmutz abgewischt, seine Bleistifte zusammengesucht und aufgeräumt, wie er es schon hunderte Male zuvor getan hatte.

Ich weiß nicht, warum, aber plötzlich streckte ich die Hand aus und drückte seinen Oberarm.

Da beugte er den Kopf vor, sein Gesicht zersprang, es löste sich gleichsam vor mir auf.

Er stieß drei tiefe Schluchzer aus.

Sein Körper brodelte unter meiner Hand. Spannte sich an, als wäre da noch mehr, was hinauswollte. Ich ließ meine Hand einfach auf seinem Arm liegen. Doch es kam nicht mehr. Die drei Schluchzer waren alles.

Dann richtete er sich auf und wischte sich mit der Hand durch die Augen, ohne mich anzusehen. Im selben Moment fegte ein Windstoß über den Hofplatz, der Rauch vom Feuer blies uns ins Gesicht, und die Tränen flossen in Strömen.

»Verdammter Rauch«, sagte ich.

»Ja«, sagte er. »Verdammter Rauch.«

Wir standen reglos da, er zog die Schultern nach hinten und nahm sich zusammen. Dann setzte er sein übliches Grinsen auf.

»Und, George, womit kann ich dir heute behilflich sein?«

Gareth hatte recht. Die Beuten wurden sofort geliefert. Allison gab mir den Kredit, ohne mit der Wimper zu zucken, und schon zwei Tage später fuhr ein grauer Lastwagen auf meinen Hof. Ein mürrischer Fahrer stieg aus und fragte, wo ich sie haben wollte.

Er stellte sie auf der Wiese ab, noch bevor ich selbst dort angekommen war. Sagte kein Wort, reichte mir nur ein Klemmbrett mit einem Blatt, auf dem ich den Empfang quittieren sollte.

Dann standen sie dort. Starr. Genauso stahlgrau wie

der Lastwagen, mit dem sie gekommen waren. Sie rochen nach Industriefarbe. Eine lange Reihe, einer genau wie der andere. Ich fröstelte und drehte mich weg.

Ich hoffte nur, dass die Bienen den Unterschied nicht merkten.

Aber sie würden es natürlich merken.

Sie merkten alles.

tao

Der Junge stellte den gebratenen Reis vor mir auf den Tisch. Beim letzten Mal war er noch mit ein paar Stückchen Gemüse und einem kleinen Ei angereichert gewesen, heute war er lediglich mit dieser künstlichen Sojasoße gewürzt. Der Geruch stach mir in der Nase, ich musste mich beinahe wegdrehen, damit mir nicht schlecht wurde. In den letzten Tagen hatte ich kaum etwas gegessen, obwohl Xiara mir genug Geld gegeben hatte. Mehr als genug. Aber ich konnte nichts anderes zu mir nehmen als die trockenen Kekse. Jeder Nerv brannte, meine Mundhöhle war ausgetrocknet, die Haut an meinen Händen war rissig. Ich war dehydriert, vielleicht nahm ich nicht genug Flüssigkeit zu mir, vielleicht waren es all die Tränen, die mein Körper hinausgelassen hatte. Ich hatte geweint, bis keine mehr da waren, hatte mich mit Xiaras Stimme im Ohr leergeweint. Sie hatte mich jeden Tag besucht, hatte auf mich eingeredet, mir alles erklärt und mich zuletzt überzeugt. Und allmählich, nachdem ein wenig Zeit vergangen war, ergaben ihre Worte einen Sinn. Beinahe gierig griff ich nach ihnen. Vielleicht wollte ich auch nur, dass sie Sinn ergaben. Wollte ihr einfach folgen, um nicht mehr selbst denken zu müssen.

»Du hast ihn zu sehr geliebt«, sagte sie.

»Kann man jemanden zu sehr lieben?«

»Du warst wie alle Eltern. Du wolltest deinem Kind alles geben.«

»Ja, ich wollte ihm alles geben.«

»Alles ist viel zu viel.«

Für einen Sekundenbruchteil glaubte ich zu verstehen. Doch im nächsten Moment erschien es mir wieder sinnlos, es waren bloß leere Worte, denn alles, woran ich denken konnte, war Wei-Wen. Wei-Wen. Mein Kind.

Am Vortag war sie zum ersten Mal zu mir gekommen. Es würde kein langes Gespräch werden, sagte sie. Ich müsse jetzt nach Hause fahren und meine Trauer hintanstellen. Es warteten wichtige Aufgaben auf mich. Sie wollte, dass ich Reden hielt und über Wei-Wen sprach. Über die Bienen, die zurückgekehrt waren. Über das Ziel, das sie und ich mit ihnen verfolgten: sie wie Nutzpflanzen in einer kontrollierten Umgebung zu züchten und alle Kräfte dafür einzusetzen, dass sie sich wieder vermehrten, und zwar in einem so schnellen Tempo, dass alles wieder so werden würde wie früher. Wei-Wen solle zu einem Symbol werden, sagte sie. Und ich solle die trauernde Mutter sein, die es schaffte, den Blick auf die Zukunft zu richten und ihre eigenen Bedürfnisse dem Wohle der Gemeinschaft unterzuordnen. *Wenn ich, die ich alles verloren habe, das kann, dann könnt ihr es auch.* Sie ließ mir keine andere Wahl, und ein Teil von mir verstand auch, warum. Ich verstand, dass sie tat, was sie tun musste, oder glaubte tun zu müssen. Obwohl ich selbst noch immer nicht wusste, ob ich zu dem im Stande war, was sie sich von mir erhoffte.

Denn das Einzige, was einen Sinn ergab, war er. Sein Gesicht. Ich versuchte, es festzuhalten, sein Gesicht, zwischen Kuan und mir. Er sah zu uns auf. *Mehr. Mehr. Engelchen, flieg.* Das rote Tuch, das im Wind flatterte.

Morgen sollte ich abreisen. Wei-Wen musste hierbleiben. Später würde ich ihn vielleicht begraben dürfen, doch das war nicht wichtig. Dieser kleine, kalte, mit Frost überzogene Körper war ohnehin nicht er. Dieses Gesicht war nicht das seine, war nicht das Gesicht, an das ich mich die ganze Zeit zu erinnern versuchte.

Ich schob dem Jungen die Schale mit dem Reis hin.

»Das ist für dich.«

Er sah mich fragend an.

»Wollen Sie denn gar nichts essen?«

»Nein. Ich habe es für dich gekauft.«

Er blieb stehen und wippte mit dem Fuß.

»Nun setz dich schon.« Meine Stimme klang flehend.

Hastig nahm er Platz, zog die Schale zu sich und betrachtete sie einen Moment lang beinahe glücklich, ehe er sie zum Mund hob und begann, den Reis in sich hineinzuschaufeln.

Nachdem er den schlimmsten Hunger gestillt hatte, wurde er ruhiger und versuchte, die Stäbchen langsamer zu den Lippen zu führen, als würden ihn die inneren Benimmregeln plötzlich daran erinnern, wie man anständig aß.

»Danke«, sagte er leise.

Ich lächelte.

»Weißt du inzwischen schon mehr?«, fragte ich, nachdem ich ihm eine Weile beim Essen zugesehen hatte.

»Was meinen Sie, worüber?«

»Über dich und deinen Vater. Dürft ihr hier wohnen bleiben?«

»Ich weiß es nicht.« Er starrte auf die Tischplatte. »Ich weiß nur, dass mein Vater es jeden Tag bereut. Wir hatten geglaubt, wir wären hier sicher, aber inzwischen hat sich alles geändert. Jetzt sind wir nur noch ein Ärgernis.«

»Könnt ihr nicht weggehen?«

»Aber wohin? Wir haben kein Geld und keinen Ort, an den wir gehen können.«

Wieder überkam mich die Machtlosigkeit. Noch eine Sache, gegen die ich nichts ausrichten konnte.

Nein. Dies war kein unlösbares Problem. Dies war etwas, was ich schaffen konnte. Es waren Menschen, denen ich helfen konnte.

Ich hob den Kopf.

»Kommt mit mir mit.«

»Wie meinen Sie das?« Er sah mich erstaunt an.

»Fahrt mit mir zurück.«

»Kehren Sie nach Hause zurück?«

»Ja. Ich fahre wieder nach Hause.«

»Aber … wir bekommen keine Erlaubnis – das werden sie uns verweigern. Und was ist mit Arbeit? Gibt es da Arbeit für uns?«

»Ich verspreche, dass ich euch helfen werde.«

»Was ist mit Essen?«

»Hier gibt es doch noch weniger.«

»Ja …« Er legte die Stäbchen beiseite. Die Reisschale war leer, nur ein einsames Reiskorn klebte noch am Boden. Er entdeckte es und nahm die Stäbchen, um danach zu greifen, legte sie aber schnell wieder beiseite, als er merkte, dass ich ihn beobachtete.

»Ihr müsst«, sagte ich leise. »Hier werdet ihr sterben.«

»Vielleicht macht das keinen Unterschied.«

Da war etwas Rohes in seiner Stimme, und er sah mich nicht an.

»Wie meinst du das?«, presste ich hervor. Ich ertrug das nicht, nicht bei ihm, er war so jung.

»Es spielt keine Rolle, was aus uns wird«, sagte er mit gesenktem Kopf. »Aus Papa und mir. Wo wir wohnen. Hier. Zusammen. Oder allein. Das ist nicht wichtig.« Er wurde plötzlich heiser, räusperte sich. »Nichts von all dem ist noch wichtig. Haben Sie das nicht verstanden?«

Ich konnte nicht antworten. Seine Worte waren wie Zerrbilder dessen, was Xiara gesagt hatte. *Der Einzelne ist nicht wichtig.* Doch wo sie von Gemeinschaft gesprochen hatte, sprach er von Einsamkeit.

Ich stand abrupt auf, ich musste ihn zum Schweigen bringen. Das kleine bisschen Hoffnung, an das ich mich geklammert hatte, drohte zu zerbrechen. Ich sah überallhin außer zu ihm, während ich zur Tür ging.

»Ihr müsst packen«, sagte ich. »Wir fahren morgen.«

Wieder im Hotelzimmer, holte ich schnell meine Tasche hervor. Es dauerte nicht lange, bis ich meine wenigen Sachen gepackt hatte. Kleidung, ein paar Kosmetikartikel, das zusätzliche Paar Schuhe. Anschließend ging ich noch einmal das Zimmer durch, ob ich auch nichts vergessen hatte. Und da entdeckte ich sie. Die Bücher. Sie waren die ganze Zeit da gewesen, ohne dass ich sie gesehen hatte, weil sie zu einem Teil des Zimmers geworden waren. Sie lagen in einem Stapel auf dem Nachttisch, und ich hatte sie nicht mehr angerührt, seit die uniformierte Frau mich abgeholt hatte. Nicht ein einziges Mal hatte ich sie zur Hand genommen und darin gelesen, ich wusste wohl, dass die Worte darin für mich genauso wenig Sinn ergeben würden wie alles andere.

Ich musste sie zurückgeben, vielleicht kam ich noch rechtzeitig in die Bibliothek. Doch ich blieb einfach stehen, hielt die Bücher in den Händen und spürte, wie der glatte Plastikeinband des untersten an meinen Händen klebte.

Ich behielt es und legte die anderen Bücher aufs Bett. Es war *Der blinde Imker.* Ich war nie dazu gekommen, es zu Ende zu lesen. Jetzt schlug ich es auf.

GEORGE

Emma weinte wieder. Sie stand mit dem Rücken zu mir, schälte Kartoffeln und weinte. Ließ ihren Tränen freien Lauf und schluchzte ab und zu. Das tat sie zurzeit oft. Sie heulte, als wäre sie auf einer Beerdigung, überall und jederzeit, über dem Wäschekorb, beim Kochen oder Zähneputzen. Und immer, wenn es passierte, wollte ich einfach nur weg, ich hielt es nicht aus und suchte Vorwände, um zu verschwinden.

Zum Glück hielt ich mich nicht viel im Haus auf, ich arbeitete von morgens bis abends und beschäftigte Rick und Jimmy vorübergehend in Vollzeit. Das geliehene Geld schmolz auf dem Konto dahin. Mittlerweile schaute ich schon gar nicht mehr nach. Ich hatte keine Lust, dem schrumpfenden Saldo zuzusehen. Jetzt galt es zu arbeiten. Einfach nur zu arbeiten. Ohne Einsatz keine Einnahmen. Noch konnte ich einen Teil der Ernte retten und Geld hereinholen, um den Kredit zu bedienen.

Meine Pfunde purzelten. Kilo für Kilo, Tag für Tag. Und Nacht für Nacht, weil ich schlecht schlief. Emma gab auf mich acht, sie servierte mir das Essen, garnierte es mit Gurkenscheiben und Karottenstreifen, aber es half nichts. Es schmeckte nach nichts, klebte am Gaumen wie Sägespäne, ich aß nur, weil ich es musste, damit ich genug Kräfte hatte, wieder hinauszufahren und zu schuften. Ich wusste, dass Emma mir am liebsten jeden Tag ein Steak gebraten hätte, doch auch sie sparte. Wir sprachen nicht darüber, aber wir sahen beide, wie das Geld auf unserem Konto schwand.

Im Grunde sprachen wir gerade überhaupt nicht miteinander. Ich wusste nicht, was mit uns geschah. Ich vermisste meine Frau, obwohl sie da war, und gleichzeitig war sie es doch nicht. Vielleicht war aber auch ich abwesend.

Sie schniefte. Ich wollte sie umarmen wie sonst auch, doch mein Körper sperrte sich dagegen. All ihre Tränen hatten sich an einem riesigen Damm gestaut, der uns voneinander trennte.

Ich schlich mich aus der Küche und hoffte, sie würde es nicht bemerken.

Doch sie drehte sich um. »Du siehst doch, dass ich weine.«

Ich antwortete nicht. Was hätte ich auch antworten sollen.

»Dann komm doch zu mir«, bat sie leise.

Es war das erste Mal, dass sie mich darum bat. Und trotzdem blieb ich stehen.

Sie wartete. Hielt immer noch den Kartoffelschäler in der einen Hand und die Kartoffel in der anderen. Ich wartete auch, ich hoffte wohl, ich könnte die Sache aussitzen. Diesmal jedoch nicht.

Sie schluchzte leise. »Es ist dir egal.«

»Natürlich ist es mir nicht egal«, sagte ich, ohne sie ansehen zu wollen.

Sie hob die Arme ein wenig.

»Es hilft nichts zu weinen«, sagte ich.

»Es hilft nichts, dass wir einander nicht trösten«, erwiderte sie.

Sie verdrehte meine Worte, wie so oft.

»Davon, dass ich hier stehe und dich tröste, bekommen wir auch nicht mehr Bienenstöcke«, sagte ich. »Nicht mehr Königinnen, nicht mehr Bienen. Nicht mehr Honig.«

Sie ließ die Arme sinken und wandte sich ab. »Dann geh eben arbeiten.«

Aber ich blieb stehen.

»Geh arbeiten!«, wiederholte sie.

Ich trat einen Schritt auf sie zu. Und noch einen. Ich könnte ihr die Hand auf den Rücken legen. Das würde uns sicher helfen. Uns beiden.

Ich streckte die Hand zu ihr aus. Sie sah es nicht, sie schälte weiter, nahm eine neue Kartoffel aus dem dreckigen Wasser in der Spüle und schabte die Schale mit schnellen Bewegungen ab, wie sie es schon hundertmal zuvor getan hatte.

Meine Hand hing in der Luft, doch ich erreichte sie nicht.

Im selben Moment klingelte das Telefon.

Ich ließ den Arm wieder fallen, ging in den Flur und hob den Hörer ab.

Die Stimme am anderen Ende klang jung, beinahe mädchenhaft. Sie erkundigte sich, ob ich persönlich am Apparat sei, und ich bestätigte es.

»Lee hat mir Ihren Namen genannt«, sagte sie. »Wir sind zusammen in die Schule gegangen.«

»Aha.« Also konnte sie nicht mehr so jung sein, wie sie sich anhörte.

Sie redete schnell und war eloquent, konnte gut mit Worten jonglieren. Sie arbeitete für einen Fernsehsender und erzählte, sie würden gerade einen Film drehen.

»Es geht um CCD.«

»Ja?«

»Colony Collapse Disorder«, sagte sie langsam und überdeutlich.

»Ich weiß, was CCD ist.«

»Wir machen einen Dokumentarfilm über das Bienensterben und seine Konsequenzen. Das haben Sie ja sozusagen am eigenen Leib erlebt.«

»Hat Lee Ihnen das erzählt?«

»Wir würden gern eine persönliche Geschichte erzählen«, erklärte sie.

»Persönlich, soso. Und?«, fragte ich.

»Könnten wir Sie einen Tag lang begleiten, mit Ihnen rausfahren und von Ihnen hören, wie Sie das alles erlebt haben?«

»Wie ich es erlebt habe? Das hat doch nicht viel zu sagen.«

»Nicht viel? Doch, eine Menge. Genau das wollen wir ja zeigen. Wie es jeden Einzelnen von uns betrifft. Wie es die Existenz der Menschen bedroht. Haben Sie es so erlebt? War es ein schwerer Schlag für Sie?«

»Nun ist es nicht unbedingt so, dass es meine Existenz bedrohen würde«, antwortete ich. Plötzlich störte mich etwas an ihrem Ton. Sie sprach wie zu einem geprügelten Hund.

»Nein? Soweit ich weiß, haben Sie doch fast alle Ihre Bienen verloren?«

»Ja, aber ich habe viele von ihnen ersetzt.«

»Ach so.«

Sie wurde still.

»Arbeiterinnen leben sowieso nur einige wenige Wochen im Sommer«, erklärte ich. »Es dauert nicht so lange, neue Bienenstöcke zu organisieren.«

»Ach ja. Und das machen Sie jetzt gerade? Neue Bienenstöcke organisieren?«

»Ja, genau.«

»Toll!«, sagte sie.

»Ja?«

»Das können wir gut gebrauchen. Wunderbar! Passt es Ihnen, wenn wir nächste Woche kommen?«

Ich legte auf. Der Hörer war schwitzig. Ich sollte ins Fernsehen. Ich war einer von denen geworden, die sie »gut gebrauchen« konnten. Es war wohl unmöglich, da wieder herauszukommen. Ich hatte es versucht, aber sie hatte mich in Grund und Boden geredet. Sie war schlimmer als Emma.

Ein landesweiter Fernsehsender. Ganz Amerika konnte zusehen. Du grüne Neune.

Emma war ins Zimmer gekommen und wischte sich die Hände an einem Küchenhandtuch ab. Ihre Augen waren rot, aber glücklicherweise trocken.

»Wer war denn das?«

Ich erklärte ihr, wer angerufen hatte.

»Ein Interview über die Bienen? Müssen wir da wirklich mitmachen?«

»Nicht wir. Sie wollen nur mit mir sprechen.«

»Aber warum hast du ja gesagt?«

»Es könnte sein, dass es etwas bewirkt. Vielleicht unternehmen die Behörden dann etwas«, antwortete ich und übernahm den Wortlaut der Journalistin, die angerufen hatte.

»Aber warum wir?«

»Ich«, korrigierte ich barsch und drehte mich weg. Ich ertrug keine weiteren Fragen, kein weiteres Heulen und Quengeln.

Plötzlich überkam mich mit einem Schlag die Müdigkeit. In all den vergangenen Wochen hatte ich sie nicht gespürt. Nicht, seit Tom im Winter zu Hause gewesen war. Jetzt war sie mit einem Mal da. Ich hätte mich auf der Stelle hinlegen können und einschlafen, hier auf dem Fußboden im Flur. Die abgelaufenen Holzdielen sahen verlockend aus. Ich dachte an das Bärchenthermometer und das Piepsen, das es von sich gab. Ich wünschte, es würde eine hohe Temperatur anzeigen, ein heftiges Fieber, damit ich mich hinlegen konnte. Ein weiches Kissen, ein warmes Federbett, das ich wie einen Deckel über mich ziehen konnte. Ich wünschte, ich könnte ein Fieber messen, das nie wieder sinken würde.

Aber ich konnte mich jetzt nicht hinlegen. Nicht einmal hinsetzen.

Denn draußen standen die Beuten, grau und leer. Viel zu leicht. Sie mussten gefüllt werden. Es gab niemand sonst, der das erledigen konnte. Und jetzt sollte ich auch noch ins Fernsehen. Ich musste zeigen, dass ich wieder dabei war. Dass ich vor dem bisschen CCD nicht in die Knie ging.

Mein Schutzanzug hing schlaff an seinem Haken, der Hut und der Schleier direkt darüber. Unten standen die Stiefel, es sah aus, als stünde ein flachgedrückter Mann an der Wand. Ich nahm den Overall und begann mich umzuziehen, zog den Reißverschluss zu, sorgte dafür, dass alles dicht war und alle Lücken geschlossen.

»Es ist ja bald Essenszeit«, sagte Emma, stand da mit leeren Händen und Armen.

»Ich kann heute Abend essen.«

»Aber es gibt Hackbraten. Ich habe Hackbraten gemacht.«

»Wozu haben wir eine Mikrowelle.«

Ihre Unterlippe zitterte, doch sie sagte nichts. Sie blieb einfach nur stehen, vollkommen reglos, während ich den Hut aufsetzte, den Schleier vors Gesicht zog und hinausging.

Ich fuhr zur Wiese am Alabast River und blieb für den Rest des Tages dort. Erst arbeitete ich. Das Wetter war irritierend gut. Es hätte nicht so gut sein dürfen, das passte einfach nicht. Die Sonne hing riesengroß im Westen am Himmel, über der blühenden Wiese. Wie ein Kalenderbild.

Aber es war so anstrengend. Meine Arme fühlten sich wie gelähmt an, die Müdigkeit überfiel mich erneut. Ich musste mich bewegen und drehte Runden um die neuen

Magazinbeuten. Sie waren leer und grau, ein beachtlicher Stapel.

Ich war dort, bis die Bienen Einzug hielten. Die Natur verstummte.

Da erst ging ich über die Wiese, zum anderen Ende. Meine Beine führten mich dorthin. Zu den alten, quietschbunten Magazinbeuten, jenen, in denen immer noch Leben war.

Warum waren ausgerechnet sie verschont geblieben? Wer hatte bestimmt, dass ausgerechnet sie leben sollten?

Ich atmete schwer und blieb bei einer gelben Beute stehen. Jedes Mal, wenn ich eine von ihnen kontrollierte, krümmte ich mich ein wenig. Jedes Mal erwartete ich dasselbe. Ich sah die Leere bereits vor mir, ein paar ermattete Bienen, die ganz unten umhersummten, die Königin, allein mit einigen wenigen jungen Bienen.

Und auch mit dieser Beute war etwas nicht in Ordnung. Es war viel zu still. Hier lag sicher etwas im Argen. Ich prüfte das Flugbrett. Nur wenige Bienen. Nicht genug.

Ich konnte es nicht, aber ich musste.

Mit geschlossenen Augen hob ich den Deckel an. Dann öffnete ich den Bienenstock. Im Nu schlug mir ein eifriges Summen und Surren entgegen. Wie hatte ich überhören können, dass alles in Ordnung war? Völlig normal, einhundertprozentig so, wie es sein sollte. Die Bienen schwirrten dort unten umher. Einige von ihnen tanzten. Ich erhaschte einen Blick auf die Königin mit ihrem türkisfarbenen Fleck auf dem Rücken. Ich sah Brut. Klaren, goldenen Honig. Sie arbeiteten, sie lebten. Und sie waren da.

Mir wurde schwindelig, so müde war ich. Ich sank zu

Boden und blieb dort sitzen. Der Boden war warm, die Grashalme weich. Mir fielen die Augen zu.

Aber ich schlief nicht, denn es brannte so sehr in meiner Brust. Der Damm war gebrochen, Emmas Tränenflut hatte mich erreicht. Das Wasser stieg, es stand mir schon bis zu den Füßen.

Ich schluckte und schluckte, bekam keine Luft, ich drohte zu ertrinken, kämpfte jedoch dagegen an. Ich stand wieder auf. Blieb einfach nur stehen und beobachtete die Bienen, die dort unten ebenfalls kämpften. Sie kämpften ihren üblichen Kampf um die Nachkommen, um genug Pollen, um den Honig.

Sie würden sterben, auch sie. Mein Betrieb war nicht überlebensfähig. Jedes Mal, wenn ich eine Beute öffnete, würde es so sein wie bei dieser. Dasselbe Gefühl: Entweder lebten sie oder sie waren fort. Es hatte keinen Sinn.

Es hatte keinen Sinn!

Alle Muskeln in meinem Körper verkrampften sich, und alle Kraft sammelte sich in dem einen Bein, und im Fuß, und mit einem Mal trat ich zu.

Die Magazinbeute fiel mit einem Schlag zu Boden, und ein Bienenschwarm stob heraus.

Ich riss die Rahmen heraus. Die Bienen waren jetzt überall. In Todesangst und rasender Wut. Sie wollten sich auf mich stürzen, sich rächen. Ich trampelte auf ihnen herum, auf der Brut, auf ihren Kindern. Doch das Geräusch war dumpf, kaum zu vernehmen. Nicht wie splitterndes Glas. Ich machte trotzdem weiter, ich wollte sie vernichten, zermalmen, ihnen die Flügel ausreißen. Denn sie vernichteten mich.

Und plötzlich kam mir der Gedanke. Wie einfach es war.

Wir konnten uns gegenseitig vernichten.

Ich stand inmitten einer Wolke rasender Bienen. Sie waren wütend auf mich.

Es war so einfach.

Ich fasste an den Schleier.

Jetzt musste ich ihn nur noch hochschlagen.

Den Hut abnehmen.

Die Handschuhe.

Den Reißverschluss des Overalls öffnen und ihn abstreifen.

Die Stiefel wegkicken.

Und dann einfach stehen bleiben und ihnen die Arbeit überlassen.

Sie würden mich aus Notwehr stechen. Ihren Stachel in mich bohren, ihr Leben geben, um mir meines zu nehmen. Und diesmal würde mein Vater nicht da sein, mich hochheben und mit mir davonlaufen, während die Bienenwolke über uns schwebte und uns bis zum Fluss verfolgte, in dem wir untertauchten, bis sie uns nicht mehr angriffen.

Diesmal würde ich fallen. Liegen bleiben. Das Gift würde durch meine Adern rinnen. Ich würde mich weiter stechen lassen, und wenn sie aufhörten, würde ich mit den nackten Füßen nach ihnen treten und auf ihnen herumtrampeln, damit sie weitermachten und zustachen, bis ich nicht mehr wiederzuerkennen war.

Sie sollten ihre Rache bekommen. Sie hatten es verdient.

Und dann wäre alles vorbei.

Jetzt tat ich es.

Jetzt.

Meine Finger packten den Schleier, die dicken Handschuhe berührten den feinen Stoff.

Ich hob ihn an.

Jetzt!

Aber dann …

Schritte auf der Wiese. Jemand rief.

War auf dem Weg zu mir.

Erst ruhig, dann schneller.

In einem weißen Overall. Hut, Schleier. Fertig angezogen, zur Arbeit bereit. Er war wieder einmal gekommen, ohne Bescheid zu sagen. Vielleicht hatte Emma es aber auch gewusst.

Er war gekommen. Für immer?

Jetzt rannte er. Sah er mich? Was passierte hier gerade?

Seine Rufe wurden lauter, sie gellten durch die Luft.

»Papa? Papa!«

tao

Der Junge und sein Vater standen hinter mir, als ich den Schlüssel ins Schloss steckte und die Tür in eine dunkle Leere hinein öffnete.

Kuans Jacke hing nicht am Haken im Flur, und auch die Schuhe waren weg.

Ich drückte die Klinke zur Badezimmertür herab.

Sein Regalfach über dem Waschbecken war leer, nur eine Seifenspur verriet noch, wo der Rasierer gelegen hatte.

Er war ausgezogen, ohne mir Bescheid zu geben. Weil er es gewollt hatte? Oder weil er glaubte, ich wollte es? Weil alles an mir an Wei-Wen erinnerte, so wie mich alles an Kuan an ihn erinnert hatte?

Weil er mir die Schuld gab?

Noch einer, der verschwunden war. Doch diesmal konnte ich nicht suchen. Ich konnte nicht nach ihm fragen, ihn nicht kontaktieren. Dies war seine eigene Entscheidung, und ich hatte nicht das Recht, Fragen zu stellen. Denn die Schuld war immer noch meine.

Der Junge und sein Vater blieben im Flur stehen. Sie sahen mich abwartend an, bis ich etwas sagte.

»Ihr könnt das Schlafzimmer haben.«

Ich stellte die Tasche mitten im Zimmer ab und richtete das Sofa für mich her. Ich hörte den Jungen nebenan reden. Seine Stimme wurde lauter und leiser, er klang eifrig, es ging um praktische Details, die ihm neue Energie gaben. Er hatte wieder eine Zukunft. Seine dunklen Gedanken waren verschwunden. Vielleicht hatte ich seinen gestrigen Worten aber auch zu viel Bedeutung beigemessen und meine eigenen Probleme hineininterpretiert.

Ich trat ans Fenster. Der Zaun stand immer noch da. Am Himmel kreiste ein Helikopter. Die Bienen waren eingekapselt wie in einen Kokon, keine von ihnen würde entkommen, bis sie sich vermehrten, bis es viele geworden waren und man mit Sicherheit wusste, dass man sie unter Kontrolle hatte. So wollte Xiara es.

Sie wollte sie zähmen. Das sollte uns retten. Sie wollte die Bienen zähmen, wie sie auch mich gezähmt hatte. Und ich ließ es geschehen. So war es am einfachsten. Ihr zu folgen, nicht nachzudenken.

Der Junge lachte im Nebenzimmer. Es war das erste Mal, dass ich sein Lachen hörte. Wie jung und hell es klang… Ich hatte ihnen ein Geschenk gemacht, seinem Vater und ihm. Das Lachen wurde lauter und erleichterte mir das Atmen. Wann hatte zuletzt jemand in diesen vier Wänden gelacht?

Hinter mir stand die Tasche. Darin lag das Buch, ich hatte es nie zurückgegeben, aber von Anfang bis Ende gelesen. Ich trug die Worte in mir, ohne zu wissen, was ich damit anfangen sollte. Sie waren zu groß, ich hatte nicht die Kraft.

Auf dem Platz wurde alles vorbereitet und freigeräumt. Man errichtete ein Podium und stellte Kameras auf. Mehrere Arbeitstrupps gleichzeitig waren im Einsatz, denn die Rede sollte auf der ganzen Welt gesendet werden. Eine energische Produktionsleiterin kommandierte die Leute herum. Im Hintergrund stapelten sie große Körbe mit frischgepflückten Birnen. Die Symbolik erschien mir übertrieben, aber vielleicht war sie notwendig.

Ich bekam eine eigene Garderobe, eine Frau brachte mir verschiedene Kleider, unter denen ich wählen konnte. Sie waren nicht luxuriös, aber ganz neu. Ein einfacher Schnitt, der an die Uniform aus der ersten Phase der Partei erinnerte, als wollte man meine Zuhörer daran erinnern, wo ich herkam, dass ich eine von ihnen war, eine Frau des Volkes. Sie waren etwas steif und hatten Falten vom Zusammenlegen, aber das Material fühlte sich trotzdem weich an.

»Das ist Baumwolle«, erklärte die Frau. »Wiederaufbereitete Baumwolle.«

Ich hatte noch nie zuvor etwas aus Baumwolle besessen. Jeder Meter kostete einen Monatslohn. Ich suchte mir ein blaues Kostüm aus und zog es an. Der Stoff atmete, ich spürte ihn kaum auf der Haut. Dann sah ich in den Spiegel. Es stand mir. Ich sah aus wie eine von ihnen. Wie Xiara und nicht wie eine Arbeiterin auf der Obstplantage. Wie eine, die ich werden sollte.

In diesem Kostüm war ich eine andere – diejenige, die zu sein Xiara mich bat. Ich drehte mich um, blickte noch einmal über die Schulter in den Spiegel, die Jacke saß gut an den Schultern, die Hose passte an den Hüften. Ich zupfte an den Ärmeln, die genau die richtige Länge hatten.

Dann begegnete ich meinem eigenen Blick. Meine Augen … wie ähnlich sie seinen waren. Aber wer war ich? Ich sah zu Boden. Wei-Wen hatte nie ein Kleidungsstück aus Baumwolle besessen. Sein kurzes Leben hatte keinen Sinn gehabt.

Ich zwang mich, den Kopf wieder zu heben und mich anzusehen. Aus dem Spiegel starrte mich ein nützlicher Idiot an.

Nein. Plötzlich kratzte die Baumwolle auf meiner Haut. Ich riss mir die Bluse vom Leib, ließ die Hose fallen und auf dem Boden liegen.

Das alles sollte einen Sinn haben. Und ich wusste auch, wie.

Ich zog meinen eigenen, zerschlissenen Pullover und meine alte Hose wieder an, knöpfte sie rasch zu und schlüpfte in die Schuhe.

Dann griff ich nach meiner Tasche, die auf dem Boden lag, öffnete die Garderobentür und eilte hinaus. Ich fand die Produktionsleiterin und fasste sie am Arm.

»Wo ist Li Xiara? Ich muss mit Li Xiara sprechen.«

Sie hielt sich im Gebäude des Ortskomitees auf, wo man das größte Büro für sie geräumt hatte, und als ich kam, scheuchte ein Wachmann sofort drei Männer hinaus, obwohl ihr Gespräch mit der Vorsitzenden ganz offensichtlich noch nicht beendet gewesen war.

Xiara stand sofort auf und kam mir entgegen, sie bedachte mich wieder mit diesem milden Lächeln, aber das interessierte mich nicht mehr.

»Hier.« Ich reichte ihr das Buch.

Sie nahm es entgegen, ohne es aufzuschlagen, warf nicht einmal einen Blick darauf.

»Tao, ich freue mich so sehr auf Ihre Rede.«

»Sie müssen das Buch lesen«, sagte ich.

»Wenn Sie möchten, dass wir Ihr Manuskript noch einmal gemeinsam durchgehen, können wir das gerne tun. Den Wortlaut. Vielleicht sollten wir einige Formulierungen ändern ...«

»Ich möchte nur, dass Sie das lesen.«

Jetzt betrachtete sie das Buch endlich, strich mit dem Finger über den Titel. *»Der blinde Imker?«*

Ich nickte. »Ich werde keine Rede halten, ehe Sie es nicht gelesen haben.«

Sie sah augenblicklich auf. »Was sagen Sie da?«

»Sie machen alles falsch.«

Ihre Augen verengten sich zu schmalen Schlitzen. »Wir machen *alles*, was in unserer Macht steht.«

Ich beugte mich vor, sah sie eindringlich an und sagte leise: »Sie werden sterben. Noch einmal.«

Sie schaute mich an. Ich erwartete eine Antwort, aber sie kam nicht. Dachte sie nach? Kamen meine Worte bei ihr an? Hatten sie überhaupt irgendeine Bedeutung für sie? Die Wut stieg in mir auf. Warum konnte sie nichts sagen?

Als ich es nicht länger ertrug und zur Tür ging, reagierte sie endlich.

»Warten Sie.«

Sie schlug das Buch auf und blätterte ruhig zum Titelblatt.

»Thomas Savage.« Sie betrachtete den Autorennamen. »Ein Amerikaner?«

»Es ist das einzige Buch, das er geschrieben hat«, sagte ich schnell. »Aber das macht es nicht weniger bedeutsam.«

Sie hob den Kopf und sah mich erneut an. Dann deutete sie auf einen Stuhl.

»Setzen Sie sich. Erzählen Sie.«

Erst sprach ich hastig und abgehackt, sprang vor und zurück. Dann aber verstand ich, dass sie mir Zeit gab. Mehrmals klopfte es an der Tür, es gab viele, die warteten, aber sie wies alle ab, und allmählich fand ich die Ruhe.

Ich erzählte vom Autor Thomas Savage. Das Buch basierte auf seinen Erfahrungen, seinem Leben. Die Savages waren Imker seit Generationen, Thomas' Vater war einer der Ersten gewesen, die vom Kollaps betroffen waren, und einer der Letzten, die aufgaben. Und Savage hatte bis zuletzt mit seinem Vater zusammengearbeitet. Sie hatten früh auf ökologische Imkerei umgestellt, das war Savages Anspruch, er zwang seine Bienen nie, auf Reisen zu gehen, und nahm auch nie mehr Honig, als er brauchte, um den Betrieb am Leben zu halten. Trotzdem wurden sie nicht verschont. Die Bienen starben. Wieder und wieder. Am Ende waren sie gezwungen, ihren Hof zu verkaufen. Erst da, im Alter von fünfzig Jahren, schrieb Savage über all seine Erfahrungen und über die Zukunft. *Der blinde Imker* war ein visionäres, aber trotzdem konkretes Werk, weil es auf den praktischen Erfahrungen eines ganzen Lebens gründete.

Das Buch erschien im Jahr 2037, nur acht Jahre, bevor der Kollaps eine Tatsache war. Es sah voraus, wie die Menschheit enden würde. Und wie wir vielleicht wieder auferstehen könnten.

Als ich meine Zusammenfassung abgeschlossen hatte, blieb Xiara schweigend sitzen, ihre Hände ruhten auf dem Buch, ihr Blick, unmöglich zu deuten, ruhte auf mir.

»Sie können jetzt gehen.«

Warf sie mich hinaus? Wenn ich mich weigerte, würde sie die Wachleute holen und ihnen befehlen, mich nach Hause zu bringen. Sie würde verlangen, dass ich bis zu meinem Auftritt in der Wohnung blieb, und mich dann zwingen, dass ich diese Rede und viele weitere gegen meine eigene Überzeugung hielt.

Doch sie tat nichts dergleichen. Stattdessen blätterte sie zum ersten Kapitel und widmete sich dem Text.

Ich blieb stehen. Da hob sie wieder den Blick und deutete auf die Tür.

»Ich möchte jetzt gern allein sein. Danke.«

»Aber …«

Sie legte eine Hand auf das Buch, als wollte sie es beschützen. »Ich habe auch Kinder.«

William

Die Tapete hing in Fetzen von der Wand und war in all ihrem Gelb trotzdem noch aufdringlich. Und sie sang wieder, heute wie an allen anderen Tagen, ein melodiöses, leises Summen, während sie mit zielgerichteten Bewegungen den Boden fegte. Ich lag mit dem Gesicht zum Fenster im Bett, draußen flatterten ein paar braune Blätter vorüber.

Sie kehrte den Schmutz auf ein Blech und stellte es neben die Tür, ehe sie sich zu mir umdrehte.

»Soll ich deine Decke ausschütteln?«

Ohne meine Antwort abzuwarten, zog sie das Federbett von mir herunter und trug es zum Fenster. Ich blieb im Nachthemd liegen und fühlte mich nackt, aber sie sah mich nicht an.

Die Luft strömte herein, als sie das Fenster öffnete. Schon gestern war es merklich kälter geworden. Ich spürte, dass ich eine Gänsehaut bekam, und zog die Beine an mich heran.

Sie hängte das Federbett aus dem Fenster und schüttelte es mit ausgreifenden Bewegungen. Es blähte sich wie ein Segel, ehe es wieder in sich zusammenfiel. In dem

Moment, da es fast senkrecht nach unten hing, zog sie noch einmal kräftig daran, und es bauschte sich erneut.

Dann war sie fertig und legte die Decke über mich, die nun ebenso kalt war wie die Luft da draußen. Sie zog einen Stuhl heran und blieb mit der Hand auf der Lehne stehen.

»Soll ich dir etwas vorlesen?«

Auch diesmal wartete sie meine Antwort nicht ab. Das tat sie nie, sie ging einfach nur zum Bücherregal, das wieder akribisch sortiert war. Sie zögerte ein wenig und fuhr mit dem Zeigefinger über die Buchrücken. Irgendwann blieb der Finger stehen, und sie zog ein Buch heraus.

»Wir nehmen dieses hier.«

Ich sah den Titel nicht. Sie nannte ihn mir auch nicht, wahrscheinlich wusste sie, dass es nicht wichtig war. Nicht was sie las, sondern dass sie las, war von Bedeutung.

»Charlotte«, sagte ich mit einer brüchigen Altmännerstimme, die nicht die meine war. »Charlotte ...«

Sie sah auf und schüttelte sanft den Kopf. Ich brauchte es nicht zu sagen, und ich sollte es auch nicht. Denn ich hatte es bereits unzählige Male wiederholt, und sie wusste es nur zu gut. Ich wollte sie bitten, zu gehen. Sich auf den Weg zu machen. Mich zu verlassen. An sich zu denken. Zu leben. Nicht für mich, sondern ihrer selbst wegen.

Doch ihre Antwort war jedes Mal dieselbe. Trotzdem wollte ich es wieder und wieder sagen. Ich konnte nicht damit aufhören. Ich war es ihr schuldig, denn sie hatte mir ihr ganzes Leben geschenkt. Doch kein Wort der Welt konnte sie von hier wegbewegen.

Sie wollte nur bei mir sein.

Ihre Stimme erfüllte den Raum zusammen mit der kühlen Herbstluft, doch ich fror nicht. Ihre Worte umhüllten mich. Jetzt würde sie lange lesen, sie ließ sich nie beirren.

Ich streckte eine Hand aus und wusste, sie würde sie ergreifen.

So saß sie, heute wie an allen anderen Tagen, mit ihrer Hand in der meinen, und füllte die Stille mit Worten aus. Sie verschwendete ihre Worte, ihre Zeit, ihr Leben für mich. Das allein wäre Grund genug gewesen, wieder auf die Beine zu kommen. Doch ich konnte es nicht. Ich war meines Willens und meiner Leidenschaft beraubt, oder nein, nicht ihrer beraubt – ich hatte sie verspielt.

Im nächsten Moment stieg ein Geräusch aus der unteren Etage zu uns hinauf. Es war ein Laut, den ich schon seit vielen Jahren nicht gehört hatte. Das Weinen eines Säuglings. Ein Säugling? Meiner konnte es nicht sein. Vielleicht stattete uns jemand einen Besuch ab? Doch wer? Ich hatte schon seit Monaten dort unten keine anderen Stimmen mehr gehört als die meiner eigenen Familie.

Charlotte hielt beim Lesen inne. Sie ließ sich tatsächlich ablenken und beugte sich ein wenig vor, als wäre sie auf dem Sprung.

Jemand dort unten versuchte das Kind in den Schlaf zu singen. Thilda?

Das Kind wimmerte, ließ sich jedoch trösten. Allmählich wurde es ruhiger.

Charlotte sank auf den Stuhl zurück, nahm das Buch wieder auf und las weiter.

Ich schloss die Augen, spürte ihre Hand in meiner, und wie die Wörter zwischen uns in der Luft schwebten. Die

Minuten vergingen. Sie las, und ich lag da, vollkommen still und in tiefer Dankbarkeit.

Doch dann nahm das Jammern des Kinders wieder an Lautstärke zu. Charlotte verstummte.

Sie zog die Hand zu sich.

Das Weinen wurde immer verzweifelter, untröstlicher, es gellte zwischen den Wänden.

Da stand sie auf, legte das Buch beiseite und eilte zur Tür. »Es tut mir leid, Vater.«

Sie öffnete die Tür. Das Weinen erfüllte den Raum.

»Der Säugling …«, sagte ich.

Sie blieb in der Tür stehen.

Ich suchte nach Worten. »Ist jemand zu Besuch?«

Sie schüttelte hastig den Kopf.

»Nein … ich … Das Kind ist jetzt unser.«

»Aber, wie …?«

»Die Mutter ist bei der Geburt gestorben. Und der Vater … ist nicht in der Lage, sich darum zu kümmern.«

»Wer ist er?«, fragte ich. »Ist er hier?«

»Nein, Vater …« Sie zögerte. »Er ist in London.«

Plötzlich verstand ich. Ich richtete mich halb auf und versuchte sie streng anzusehen, damit sie mir die Wahrheit sagte. »Es ist sein Kind, oder? Es ist Edmunds.«

Sie blinzelte kurz. Sie antwortete nicht, aber das musste sie auch nicht.

»Es tut mir leid«, sagte sie wieder.

Dann drehte sie sich um und ging.

Sie ließ die Tür offen stehen. Ich hörte ihre flinken Schritte auf der Treppe, wie sie in das untere Stockwerk ging und dort unten weiterhuschte.

»Ich komme schon.«

Sie blieb stehen.

»Ich habe ihn …«

Ihre Stimme wurde leiser.

»Sch, sch, sch … jajaja, alles wird gut … jajaja.«

Und dann.

Ihr leiser, summender Gesang.

Aber jetzt sang sie nicht für mich.

Endlich sang sie nicht mehr für mich. Sie sang für das Kind in ihren Armen, das sie behutsam wiegte.

GEORGE

Das große Zittern hatte sich in mir breitgemacht. Seit Tagen. Morgens, mittags, abends.

Ich hatte Schwierigkeiten, das Besteck zu halten. Emma sah es, sagte jedoch nichts. Auch mein Werkzeug konnte ich nur schwer benutzen, ich ließ den Schraubenzieher auf den Boden fallen, sägte schief.

Jeden Morgen wachte ich mit diesem Hasenherz auf.

Ich wachte auf, ging nach unten und begegnete ihm. Er sah nur auf und nickte mir zu, ehe er wieder in ein Buch abtauchte. Aber es war in Ordnung.

Denn *er* zitterte nicht.

Er zögerte nicht. Selbst wenn er nur in einem Buch blätterte, geschah es mit sicheren Bewegungen, und seine Kaffeetasse hob er mit ruhiger Hand. Wenn er über die Wiese zu den Bienenstöcken ging, waren seine Schritte regelmäßig, und der Fuß trat fest auf dem Boden auf.

Und ich folgte ihm, immerzu mit diesem Zittern in mir.

Doch nachdem ich eine Weile lang seine Schritte auf der Wiese gesehen hatte und wie er beim Heben in die Knie ging, mit geradem Rücken, wie er die Beuten anhob und absetzte, wieder und wieder, nachdem ich diese entschiedenen Bewegungen gesehen hatte, wurde mein Zittern allmählich weniger. Und mit jedem Tag fiel es mir leichter, die Gabel zu halten.

Und dann, als wir eines Abends den Honig schleuderten, während die Herbstsonne tief und mild am Himmel stand, so gelb wie die Tropfen, die wir aus den Rahmen schüttelten, bemerkte ich es plötzlich. Es war weg. Das Zittern war weg.

Ich arbeitete mit ruhigen, sicheren Händen. Wie er. Neben ihm.

Ganz im Takt.

tao

Der Bienenstock war bewacht, das Zelt war jedoch entfernt worden, sodass er vollkommen frei am Rand der Felder stand, direkt neben dem Wald.

Die Leute hatten sich in gebührendem Abstand versammelt und betrachteten ihn ruhig. Niemand fürchtete sich, die Bienen waren nicht gefährlich, Wei-Wens Allergie war ein Einzelfall gewesen. Um uns herum blühte es überall, frischgepflanzte Büsche leuchteten rot, rosa, orange, dieselbe Märchenwelt, die ich damals im Zelt gesehen hatte, die sich jetzt aber über ein weites Gebiet erstreckte, denn die Obstbäume waren gefällt worden, um Platz für neue Pflanzen zu schaffen.

Das Militär war abgezogen worden und die Zäune niedergerissen. Der Kokon war aufgeplatzt, und der Bienenstock lebte unter uns. Die Bienen durften fliegen, wohin sie wollten, sie waren vollkommen frei.

Sie stand zehn Meter von mir entfernt im Schatten der Bäume, die Sonne fiel durch das Laub – unweit des Ortes, wo der erste wilde Bienenstock gefunden und Wei-Wen gestochen worden war: Savages Standardbeute, genau wie Thomas Savage sie in *Der blinde Imker* gezeichnet hatte. Jener Bienenstock, der seit 1852 in seinem Familienbesitz war. Die Konstruktionszeichnungen waren irgendwann im Laufe der Geschichte verschwunden, Thomas Savage hatte sich jedoch die Maße eingeprägt und erneut zu Papier gebracht. Sein ursprünglicher Erfinder hatte diesen Bienenstock zur Honigproduktion und zum Studium der Bienen konstruiert, er wollte sie darin zähmen.

Doch Bienen kann man nicht zähmen. Man kann sie nur pflegen, ihnen Fürsorge geben. Dem ursprünglichen Ansinnen zum Trotz bot diese Standardbeute den Bienen ein gutes Zuhause. Hier hatten sie alle Voraussetzungen, um sich zu vermehren. Den Honig behielten sie selbst, nichts wurde geerntet, nie wurden sie ausgenutzt. Er sollte den Zweck erfüllen, der ihm von der Natur zugedacht worden war, als Futter für den Nachwuchs.

Dieses Geräusch war anders als alles, was ich je gehört hatte. Die Bienen flogen ein und aus, ein und aus. Sie hatten Nektar und Pollen dabei, Nahrung für die Nachkommen. Doch nicht nur für ihre eigenen, wenigen, denn jede einzelne Biene arbeitete für das Volk, für alle, für den Organismus, den sie gemeinsam mit den anderen bildete.

Das Summen wogte durch die Luft und brachte etwas in mir zum Klingen, einen Ton, der mich beruhigte und mir das Atmen erleichterte.

So stand ich einfach nur da. Versuchte, jeder einzelnen Biene mit dem Blick zu folgen, ihre Reise zu beobachten, zum Bienenstock und wieder hinaus zu den Blüten, von einer Blüte zur nächsten und wieder zurück. Aber ich verlor sie ständig aus den Augen. Es waren zu viele, und ihre Bewegungsmuster waren unmöglich zu verstehen.

Also nahm ich lieber das Ganze in den Blick, den Bienenstock und all das Leben, das ihn umgab, all das Leben, das er beschützte.

Während ich so dastand, tauchte in meiner Nähe jemand auf. Ich drehte mich um. Es war Kuan. Er war fasziniert von dem Bienenstock und reckte den Kopf, um ihn besser sehen zu können. Dann entdeckte er mich.

»Tao …«

Er kam auf mich zu. Sein Gang wirkte fremd, irgendwie schwerer, wie der eines alten Mannes.

Wir blieben voreinander stehen. Kuan sah mir in die Augen, schlug den Blick nicht nieder, wie er es früher so oft getan hatte. Er wirkte ausgezehrt und blass.

Ich vermisste ihn. Vermisste den, der er gewesen war. Das Helle, Leichte, das er früher ausgestrahlt hatte, seine Zufriedenheit, die Freude über das Kind, das er hatte. Und das Kind, das er bekommen wollte. Ich wünschte, ich hätte etwas sagen können, was dieses Leuchten erneut in ihm weckte, aber ich fand keine Worte.

Wir drehten uns zum Bienenstock um, und so blieben wir Seite an Seite stehen und betrachteten ihn. Unsere Hände waren sich ganz nahe, aber keiner nahm die des anderen, wir waren wie zwei Teenager, die sich nicht trauten. Die Wärme zwischen uns war wieder da.

Eine Biene surrte in der Luft an uns vorüber, nur einen Meter entfernt, sie drehte nach rechts ab, in einer scheinbar planlosen Bewegung, und flog dann zwischen uns hindurch – ich spürte einen Luftzug an der Wange –, um in Richtung der Blüten zu verschwinden.

Da nahm er meine Hand.

Ich holte Luft. Diesmal war er derjenige, der sich traute.

Endlich berührte er mich wieder. Meine Hand wurde ganz klein, als er sie in seine nahm. Er teilte seine Wärme mit mir.

Wir waren einfach nur da, hielten uns an den Händen und betrachteten den Bienenstock.

Und dann kamen endlich die Worte, nach denen ich mich so gesehnt hatte.

Leise, aber deutlich, mit einem Ernst, den ich nicht von ihm kannte. Er sagte es nicht, weil er es musste, sondern weil er es ernst meinte:

»Es war nicht deine Schuld, Tao. Es war nicht deine Schuld.«

Anschließend, nachdem wir uns verabschiedet hatten, ging ich allein den Pfad entlang. Die Bienen vibrierten noch immer in mir. Und seine Worte setzten in mir selbst Worte frei.

Ich ging weiter, wurde immer langsamer, ehe ich am Ende anhielt und inmitten der Obstbäume stehen blieb. Alles war offen, von den Zäunen und der Militärbewachung keine Spur mehr, alles war wie früher, wie im vorigen Jahr zur selben Zeit. Es regnete gelbe Blätter. Der Boden war schon davon bedeckt, die Bäume bald nackt. Alle Birnen waren geerntet, jede von ihnen war vorsichtig gepflückt, in Papier eingeschlagen und weggetragen worden. Birnen aus Gold.

Doch am Horizont konnte ich die Veränderung erahnen. Die endlosen Reihen mit Obstbäumen wurden aufgebrochen. Die Arbeiter waren damit beschäftigt, die

Wurzeln auszugraben und die Bäume aus dem Boden zu holen. Thomas Savages Vision wurde endlich Wirklichkeit. Wir gaben die Kontrolle auf, der Wald sollte sich ausbreiten dürfen. In die Erde würden andere Gewächse gepflanzt werden, und große Gebiete sollten wild wachsen.

Doch. Jetzt wollte ich es. Eine Rede halten, so wie sie es gewünscht hatte. Denn jetzt wollte ich auch selbst über Wei-Wen reden. Ich wollte darüber reden, wer er für uns alle gewesen war, und was er werden würde – über das Bild von ihm, das sie auf große Fahnen am Platz gedruckt hatten, auf Plakate an den Hauswänden, auf Banner über den Eingängen zu öffentlichen Gebäuden.

Es war eines der wenigen Fotos, die wir von ihm besaßen, und es war unscharf und blass, vor einem neutralen, grauen Hintergrund aufgenommen. Doch auf dem Plakat waren die Farben klar und die Kontraste deutlich, und seine Augen leuchteten ganz besonders.

Dieses farbenfrohe, scharfe Bild bekam die Welt zu sehen, und darüber würde ich reden. Nicht über ihn, Wei-Wen, der nie der ihre sein würde. Die Menschen da draußen würden nie seinen Eifer, seinen Starrsinn und Trotz kennenlernen. Sie würden nie erfahren, wie er schon beim Aufwachen gesungen hatte, mürrisch und doch enthusiastisch. Sie würden nie etwas über seine ständig laufende Nase erfahren, nichts über das Wechseln vollgepinkelter Windeln oder das Kneten eiskalter Füße, oder wie es war, wenn sich nachts ein warmer Körper an einen schmiegte. Für sie würde er nie etwas von alledem sein. Deshalb war es nicht mehr wichtig. Deshalb war nicht der, der er gewesen war, wichtig. Das Leben eines einzelnen Menschen, sein Fleisch, sein Blut, seine Körperflüssigkeiten, Nervensignale, Gedanken, Ängste und Träume bedeuteten nichts. Auch die Träume, die ich für ihn gehabt hatte, bedeuteten nichts, solange ich sie nicht in einen Zusammenhang brachte und erkannte, dass dieselben Träume für uns alle gelten mussten.

Doch Wei-Wen würde trotzdem Bedeutung haben. Das Bild von ihm. Der Junge mit dem roten Tuch, sein Gesicht – *das* war die neue Zeit. Für Millionen von Menschen waren sein rundes Kinn und seine großen, leuchtenden Augen, die in einen knallblauen Himmel schauten, nur mit einem einzigen Wort verbunden. Einem einzigen, gemeinschaftlichen Gefühl: Hoffnung.

DANK

Mein großer Dank gebührt allen Fachleuten, die sich die Zeit genommen haben, mein Manuskript zu lesen und auf meine Fragen zu antworten: den Historikerinnen Ragnhild Hutchison und Johanne Nygren, der China-Kennerin Tone Helene Aarvik, dem Zoologen Petter Bøckman, der Ärztin Siri Seterelv, den Beratern Bjørn Dahle vom Norwegischen Imkerverband und Ragna Ribe Jørgensen von ByBi, dem Sachbuchautor und Bienenexperten Roar Ree Kirkevold, den Imkern Ingar Tallakstad Lie und Per Sigmund Bøe sowie Isaac Barnes von der Honeyrun Farm in Ohio.

Danken möchte ich auch all den engagierten Menschen, die meine Arbeit in der Entstehungsphase gelesen, kommentiert und unterstützt haben: Hilde Rød-Larsen, Joakim Botten, Vibeke Saugestad, Guro Solberg, Jørgen Lunde Ronge, Mattis Øybø, Hilde Østby, Cathrine Movold, Gunn Østgård und Steinar Storløkken.

Nicht zuletzt will ich meiner klugen Lektorin Nora Campbell und all ihren kompetenten Kollegen von Aschehoug danken, die *Die Geschichte der Bienen* vom ersten Tag an mit großem Enthusiasmus begleitet haben.

Bei der Arbeit an diesem Roman habe ich auf eine breite Auswahl von Quellen zurückgegriffen. Als wichtigste nennen möchte ich die Sachbücher *The Hive* von Bee Wilson, *Ingar'sis birøkt* von Roar Ree Kirkevold, *Langstroth's Hive and the Honey-Bee* von Lorenzo Lorraine Langstroth, *Welt ohne Bienen* von Allison Benjamin und Brian McCallum und *Det nye Kina* von Henning Kristoffersen sowie die Dokumentarfilme *Vanishing of the Bees, More than Honey, Who Killed the Honey Bee, Silence of the Bees* und *Queen of the Sun.*

Oslo, im Mai 2015
Maja Lunde

Lesen Sie auch den neuen Roman von Maja Lunde:

Leseprobe aus

Die Geschichte des Wassers

Virtuos verknüpft Maja Lunde
das Leben und Lieben der Menschen mit dem,
woraus alles Leben gemacht ist: dem Wasser.

Die Originalausgabe erschien 2017 unter dem Titel
»Blå« bei H. Aschehoug & Co., Oslo.
Aus dem Norwegischen von Ursel Allenstein

Umschlaggestaltung: Semper smile, München,
nach einer Idee von Handverk/Eivind Stout Platou
Umschlagmotiv: © Brian Hoffmann/Getty Images

ISBN 978-3-442-75774-9

SIGNE

Ringfjorden, Sogn und Fjordane, Norwegen 2017

Nichts hielt das Wasser auf, man konnte es den Berg hinab zum Fjord verfolgen; vom Schnee, der aus den Wolken fiel und sich auf die Gipfel legte, bis zum Dampf, der aus dem Meer aufstieg und wieder zu Wolken wurde.

Jeden Winter wuchs der Gletscher, er sammelte den Schnee, jeden Winter wuchs er, wie es sein sollte, und jeden Sommer schmolz er, leckte, gab Tropfen frei, die zu Bächen wurden und ihren Weg nach unten fanden, von der Schwerkraft angezogen, und die Bäche sammelten sich, wurden zu Wasserfällen und Flüssen.

Wir waren zwei Gemeinden, die sich einen Berg und einen Gletscher teilten, wir hatten sie geteilt, solange wir denken konnten. Die eine Wand des Bergs fiel senkrecht ab, hier tosten die Schwesternfälle 711 Meter tief hinab, zum See Eide, einem tiefgrünen Gewässer, das dem Dorf seinen Namen gab und den dort lebenden Tieren und Menschen Fruchtbarkeit brachte.

Eidesdalen, das Dorf von Magnus.

Die Leute in Eidesdalen sahen den Fjord nicht, sie hatten keinen Salzgeschmack auf den Lippen, der Salzgeschmack wurde nicht vom Wind weitergetragen, er reichte nie bis dorthin, nie rochen sie das Meer dort oben. So war er aufgewachsen.

Aber sie hatten ihr Wasser, Wasser ohne Geschmack, Wasser, das alles zum Wachsen brachte, und er habe das Meer nie vermisst, sagte Magnus später einmal.

Die andere Seite des Bergs war milder, sanfter abfallend, hier sammelte sich das Wasser im Fluss Breio, dem Fluss des Lachses und der Süßwassermuschel und der Wasseramsel, es zwängte sich durch einen Spalt in der Landschaft, formte ihn mit Millionen von Tropfen, mit seinen Fällen und Stromschnellen und seinen ruhigen, glatten Abschnitten. Wenn die Sonne schien, wurde er zu einem leuchtenden Band.

Der Breio setzte seinen Weg fort bis nach Ringfjorden, und dort, in der Gemeinde auf Höhe des Meeresspiegels, mündete der Fluss ins Salzwasser, dort wurde das Gletscherwasser eins mit dem Meer.

Ringfjorden, mein Dorf. Von da an waren sie vereint, das Gletscherwasser und das Meerwasser, bis die Sonne erneut die Tropfen an sich zog, sie als Dampf in die Luft hob, weiter hinauf, bis zu den Wolken, wo sie die Schwerkraft überlisteten.

Jetzt bin ich zurück, der Blåfonna zwingt mich dazu, der Gletscher, der einmal uns gehörte. Es ist windstill, als ich in Ringfjorden ankomme, auf dem letzten Stück muss ich den Motor anwerfen, das Tuckern übertönt alles andere, die *Blau* gleitet durch das Wasser und hinterlässt kleine Kräuselungen.

Ich kann diese Landschaft nicht vergessen. Sie hat dich erschaffen, Signe, hat Magnus einmal gesagt, er meinte, sie habe sich in mir festgesetzt, in der Art und Weise, wie ich gehe, mit nachgiebigen Beinen, als würde ich immer eine Steigung bezwingen, ob aufwärts oder abwärts. Ich bin nicht für gerade Wege gemacht, hier komme ich her, und trotzdem überwältigt es mich, das alles wiederzusehen: die Höhenzüge und Felswände, das Senkrechte vorm Waagerechten.

Die Leute kommen von weither für diese Landschaft und finden sie *herrlich, phantastisch, amazing.* Sie stehen auf Schiffdecks von der Größe eines Fußballfelds, während gigantische Dieselmotoren ihre Abgase in die Luft blasen, stehen dort und zeigen mit dem Finger und betrachten das klare, blaue Wasser und die schillernd grünen Hänge, an denen sich überall dort, wo die Steigung weniger als 45 Grad beträgt, kümmerliche Häuser festklammern, und mehr als tausend Meter darüber hinaus erheben sich die Berge, diese zerklüfteten Zacken der Welt, brechen in den Himmel aus mit ihrem weißen Puderzucker, den die Touristen so lieben, *wow, it's snow,* der auf den nach Norden gerichteten Hängen liegt, im Winter wie im Sommer.

Aber die Touristen sehen die Schwesternfälle nicht und auch nicht Sønstebøs Berghütte, sie ist längst weg, und auch den Fluss Breio können sie nicht sehen, der als Allererstes verschwand, lange bevor die Schiffe kamen, lange bevor die Amerikaner und Japaner mit ihren Telefonen und Kameras und Teleobjektiven kamen. Die Röhren, die einmal der Fluss waren, liegen unter der Erde, und die Schäden, die der Natur bei den Baggerarbeiten zugefügt worden sind, wurden allmählich von der Vegetation überwuchert.

Ich halte die Pinne in der Hand und drossle das Tempo, während ich mich dem Ort nähere und am Kraftwerk vorbeituckere, einem großen Ziegelgebäude, das für sich allein unten am Wasser steht, schwer und dunkel; ein Monument für den toten Fluss und den Wasserfall. Von dort aus erstrecken sich Leitungen in alle Richtungen, einige spannen sich sogar über den Fjord. Selbst das hat man zugelassen.

Der Motor übertönt alles, aber ich erinnere mich noch genau an das Geräusch der Stromleitungen, das schwache Surren bei feuchtem Wetter, Wasser auf Strom, ein Knistern, von dem ich immer Gänsehaut bekam, vor allem im Dunkeln, wenn man die Funken sah.

Alle vier Gastplätze am Landungssteg sind leer, für Touristen ist es noch zu früh, sie belegen die Plätze nur im Sommer, ich habe freie Wahl, nehme den äußersten, vertäue achtern und am Bug, lege sicherheitshalber auch eine Spring aus, weil der Westlandwind schnell aufziehen kann, ziehe den Gashebel zurück und höre das widerwillige Gurgeln des ersterbenden Motors. Dann schließe ich die Luke zum Salon, stecke den Schlüsselbund in die Brusttasche meines Anoraks, er ist groß und hat einen Korkball, damit er auf dem Wasser treibt, und beult meine Jacke am Bauch aus.

Die Haltestelle ist immer noch dort, wo sie immer gewesen ist, vor dem Lagerhaus, ich setze mich hin und warte, weil der Bus nur einmal in der Stunde fährt, so ist das hier, alles findet nur selten statt und muss deshalb gut geplant werden, das hatte ich nach all den Jahren wohl vergessen.

Endlich taucht er auf. Eine Gruppe Jugendlicher gesellt sich zu mir, sie kommen von der weiterführenden Schule, die Anfang der Achtziger gebaut wurde, eine neue, schöne, nur eines von vielen Dingen, die sich die Gemeinde leisten konnte.

Sie reden ununterbrochen über Klassenarbeiten und Sport. So glatte Stirnen, so zarte Wangen, sie sehen verblüffend jung aus, ohne jede Spur, ohne Überreste gelebten Lebens.

Sie würdigen mich keines Blickes, und ich verstehe

sie gut. Für sie bin ich nur eine alternde Frau, ein bisschen wirr und ungepflegt, mit einem abgetragenen Anorak und grauen Zotteln, die unter der Strickmütze hervorschauen.

Sie selbst haben neue, fast identische Mützen mit dem gleichen Markenlogo auf der Stirn. Ich beeile mich, meine eigene abzusetzen, und lege sie auf meinen Schoß, sie ist furchtbar fusselig geworden, ich zupfe die Fusseln ab, einen nach dem anderen, bis meine Hand voll davon ist.

Doch es nützt nichts, es sind einfach zu viele, und jetzt weiß ich nicht, wohin damit, und bleibe mit den Fusseln in der Hand sitzen, bis ich sie am Ende doch auf den Boden fallen lasse. Beinahe schwerelos fliegen sie über den Boden, den Mittelgang hinab, aber die Jugendlichen beachten sie gar nicht, warum sollten sie auch, einen grauen Wollklumpen.

Mitunter vergesse ich, wie ich aussehe. Hat man eine Weile an Bord gelebt, kümmert man sich nicht mehr um Äußerlichkeiten, aber wenn ich mich ein seltenes Mal an Land im Spiegel betrachte, erschrecke ich. Wer ist die Frau da, denke ich, wer um alles in der Welt ist dieses alte, magere Weib?

Es ist merkwürdig, abstrakt, nein, surreal ist das passende Wort, dass ich eine von ihnen bin, den Alten, wo ich doch immer noch so durch und durch ich bin, dieselbe, die ich immer war, ob mit fünfzehn, fünfunddreißig oder fünfzig, eine konstante, unveränderliche Masse, wie ich es in meinen Träumen bin, wie Stein, wie tausendjähriges Eis. Das Alter existiert von mir losgelöst. Nur wenn ich mich bewege, lässt es sich unmöglich ignorieren, dann gibt es sich zu erkennen mit all seinen Wehwehchen, den knirschenden Knien, dem steifen Nacken, den schmerzenden Hüften.

Aber die Jugendlichen denken nicht daran, dass ich alt bin, weil sie mich nicht einmal sehen, so ist das, niemand sieht alte Damen, es ist schon viele Jahre her, dass mich zum letzten Mal jemand sah, sie lachen einfach nur hell und jung und sprechen von einer Geschichtsarbeit, die sie gerade geschrieben haben, über den Kalten Krieg und die Berliner Mauer, aber sie unterhalten sich nicht über den Inhalt, nur über ihre Noten, ob eine 2 minus besser sei als eine 2-3. Und keiner erwähnt das Eis, nicht ein Wort über das Eis, den Gletscher, obwohl er das Thema sein müsste, über das alle hier zu Hause reden.

Zu Hause … nenne ich diesen Ort immer noch mein Zuhause? Ich fasse es nicht, nach bald vierzig, nein, fünfzig Jahren Abwesenheit. Ich war immer nur kurz hier, um mich nach Todesfällen um die Formalitäten zu kümmern, erst starb meine Mutter, dann mein Vater. Zusammengenommen zehn Tage bin ich in all diesen Jahren hier gewesen. Ich habe zwei Brüder, die noch hier leben, Halbbrüder, aber mit ihnen habe ich nur selten Kontakt. Sie sind die Söhne meiner Mutter.

Ich lehne den Kopf an die Scheibe und betrachte die Veränderungen. Die Bebauung wird dichter, am Hang ein neues Bauprojekt bestehend aus weißen Fertighäusern mit Sprossenfenstern, der Bus passiert das Schwimmbad, das ein neues Dach bekommen hat und ein großes blaues Schild am Eingang, *Ringfjord Water Fun.* Alles ist besser auf Englisch.

Der Bus klettert aufwärts, ins Landesinnere, einige der Jugendlichen springen bei der höchstgelegenen Siedlung hinaus, aber die meisten bleiben sitzen, die Straße steigt weiter an, wird schmaler und ist plötzlich voller Schlaglöcher, fast genau ab dem Moment, als wir die Grenze zur Nachbargemeinde passieren. Erst hier steigen die meisten anderen aus, hier drüben gibt es anscheinend immer noch keine weiterführende Schule und auch kein Schwimmbad, hier in Eidesdalen, beim kleinen Bruder, dem Verlierer.

Ich verlasse den Bus gemeinsam mit den letzten Jugendlichen und gehe langsam in Richtung Zentrum. Der Ort ist noch kleiner, als ich ihn in Erinnerung habe, der Tante-Emma-Laden hat zugemacht. Während Ringfjorden gewachsen ist, hat Eide nur noch einen Bruchteil seiner ursprünglichen Größe … aber ich bin heute nicht Eidesdalen wegen gekommen, kann nicht noch mehr darüber trauern, dieser Kampf ist schon seit vielen Jahren verloren, jetzt bin ich des Eises wegen gekommen, wegen Blåfonna, und ich nehme den Kiesweg zum Berg.

Sogar die Zeitungen in der Stadt schreiben darüber, sonst hätte ich nichts erfahren, ich habe die Artikel wieder und wieder gelesen und kann es doch nicht fassen. Sie holen Eis aus dem Gletscher, reines, weißes Eis aus Norwegen, und vermarkten es als das Exklusivste, was man in seinen Drink geben kann, einen schwimmenden Mini-Eisberg, eingetaucht in goldenen Schnaps, aber nicht für norwegische Kunden, nein, für jene, die es sich wirklich leisten können. Das Eis soll in die Wüstenstaaten transportiert und dort, in der Heimat der Ölscheichs, an die Reichsten der Reichen verkauft werden, als wäre es Gold, weißes Gold.

Schneefall setzt ein, wie ein letztes Zucken des Winters, der April zeigt mir eine lange Nase, als ich den Berg hinaufsteige. Kleine Pfützen mit gefrorenem Wasser auf dem Weg, von Eiskristallen umrahmt, ich setze einen Fuß auf die dünne Eisschicht, höre sie brechen, zerstöre sie, aber es macht keinen Spaß mehr, nicht so wie früher.

Ich muss schnaufen, der Weg ist steil und länger, als ich ihn in Erinnerung habe.

Doch endlich komme ich an, endlich sehe ich den Gletscher, meinen geliebten Blåfonna.

Alle Gletscher schmelzen, das wusste ich ja, doch es zu sehen ist trotzdem etwas anderes. Ich bleibe stehen, atme einfach nur ein und aus, das Eis ist noch immer da, aber nicht mehr an der Stelle, wo es früher einmal war. Als Kind konnte ich vom Rand des Gletschers fast bis zum Steilhang gehen, an dem die Wasserfälle in der Tiefe verschwanden, wo der Gletscher und die Fälle zusammenhingen. Jetzt aber liegt der Gletscher weiter oben auf der Talseite, und der Abstand ist groß, hundert, vielleicht zweihundert Meter zwischen dem Hang und der blauen Zunge. Der Gletscher hat sich bewegt, als wollte er flüchten, den Menschen entkommen.

Ich laufe weiter durch die Heide, muss das Eis spüren, muss darauf gehen, es anfassen.

Dann habe ich das Eis endlich unter den Füßen, jeder Schritt macht ein Geräusch, ein leises Knirschen. Ich setze meinen Weg fort, jetzt sehe ich das Abbaugebiet, die Wunden im grauweißen Gletscher, harte Schnitte, die einen Kontrast zum blauen Inneren bilden, dort, wo das Eis herausgeschnitten wurde. Daneben stehen vier große weiße Säcke voll, bereit zum Abtransport. Sie benutzen Motorsägen, habe ich gelesen, schonende Motorsägen, die nicht geölt sind, damit die Eisstücke nicht beschmutzt werden.

Eigentlich dürfte mich nichts mehr überraschen von all dem, was die Menschen tun. Aber das hier versetzt mir trotzdem einen Stich, denn das muss Magnus in der Vorstandssitzung lächelnd genehmigt, ja vielleicht sogar befürwortet haben.

Ich nähere mich, muss klettern, um ganz nah heranzukommen, die Schnitte wurden dort gesetzt, wo der Gletscher am steilsten abfällt. Ich ziehe einen Handschuh aus, lege meine Hand darauf, das Eis lebt unter meinen Fingern, mein Gletscher, ein großes, ruhiges, schlummerndes Tier, aber auch ein verletztes Tier, und es kann nicht brüllen, in jeder Minute, jeder Sekunde, wird es angezapft, es liegt längst im Sterben.

Ich bin zu alt, um zu weinen, zu alt für diese Tränen, und trotzdem habe ich feuchte Wangen.

Unser Eis, Magnus, unser Eis.

Hast du es vergessen oder hast du vielleicht nicht einmal bemerkt, dass wir bei unserer ersten Begegnung schmelzendes Eis vom Blåfonna in den Händen hielten?

Ich war sieben, du acht, weißt du es noch? Es war mein Geburtstag, und ich bekam Wasser geschenkt, gefrorenes Wasser.

Das ganze Leben ist Wasser, das ganze Leben war Wasser, wohin ich auch sah, war Wasser, es fiel als Regen vom Himmel oder als Schnee, es füllte die kleinen Bergseen, legte sich als Eis auf den Gletscher, strömte in tausend kleinen Bächen den steilen Berghang hinab und schwoll an zum Fluss Breio; es lag spiegelglatt vor dem Ort am Fjord, dem Fjord, der zum Meer wurde, wenn man ihm nach Westen folgte. Meine ganze Welt war Wasser. Die Hügel, Berge, Steine, Wiesen waren nur winzige Inseln in dem, was die eigentliche Welt darstellte, und ich nannte meine Welt Erde, aber ich dachte, eigentlich müsste sie Wasser heißen. […]

Maja Lunde

Lisa Aisato

Die Schneeschwester

Eine Weihnachtsgeschichte

176 Seiten, durchgehend illustriert
Aus dem Norwegischen von Paul Berf

Bald ist Heiligabend. Für Julian der schönste Tag des Jahres. Lebkuchen und Klementinen, das Knistern und Knacken im Kamin, das flackernde Licht der Kerzen. Doch dieses Jahr ist alles anders. Juni, Julians große Schwester, ist tot. Ein tiefer Schatten liegt über der Familie. Und Julian hat eigentlich nur ein Gefühl: Weihnachten ist abgesagt.

Bis Julian eines Wintertages Hedvig begegnet. Hedvig hat graue Augen, redet schneller als der Wind und liebt Weihnachten über alles. Ganz langsam glaubt Julian, dass es doch ein Weihnachten für ihn geben könnte. Doch Hedvig hat ein großes Geheimnis …

Eine Weihnachtsgeschichte in 24 Kapiteln für die ganze Familie, erzählt von Maja Lunde und illustriert von Lisa Aisato.

btb